KB133543

우리 문화재 수난일지 2

우리 문화재 수난일지 2

2016년 11월 27일 초판 1쇄 인쇄
2016년 11월 30일 초판 1쇄 발행

글쓴이 정규홍
펴낸이 권혁재

편집 김경희
출력 CMYK
인쇄 한일프린테크

펴낸곳 학연문화사
등록 1988년 2월 26일 제2-501호
주소 서울시 금천구 가산동 371-28 우림라이온스밸리 B동 712호
전화 02-2026-0541~4
팩스 02-2026-0547
E-mail hak7891@chol.net

ISBN 978-89-5508-355-2 94910
ISBN 978-89-5508-353-8 (SET)

우리 문화재 수난일지

2

정규홍

학연문화사

▮ 목차

1907   7

1908   119

1909   181

1910   327

색인   469

朝日修好條規

大日本國與

大朝鮮國素敦友誼歷有年所今欲重修舊好以固親睦互
以同親瞻之

隆特命副全權辦理大臣陸軍中將兼參議開拓長官黑田淸
隆特命副全權辦理大臣議官上等出仕井上馨

華府朝鮮國政府簡列中樞府事申櫶副總管尹滋

承各遵所派論旨議立條欵慷列于左

第一欵

朝鮮國自主之邦保有與日本國平等之權嗣後兩

우리 문화재
수난일지

1907년

1907년 1월 26일

이마니시가 반출한 고와를 원품으로 하여 다카하시 겐지高橋健自가 『한국경주고와보韓國慶州古瓦譜』 1책을 만들어 역사지리학회에 기증했는데,[1] 1907년 1월 26일 일본 고고학회례회에서 이마니시는 '경주지방 답사담'을 발표하고 고와와 『한국경주고와보』을 함께 진열했다.[2]

1907년 1월

전남 광주군 객사를 목포항 이사관이 이사청으로 지정하고 개청식을 열겠다고 하므로, 관찰사와 군수가 수 차 불허의 뜻을 내부에 전보하였다. 내부의 회답은 막중전각莫重殿閣을 제외한 타 관청은 빌려주라 하였다.[3]

장단군 등지에서 한인 무뢰배와 일인 협잡배가 무리를 이루어 고려 무덤을 도굴하는 폐습弊習 비비유지比比有之하다.[4]

---

1 「本會26會例會記事」, 『歷史地理』 第9卷 1號, 歷史地理學會, 1907년 1월.
2 「考古學會記事」, 『考古界』 第6篇 第6號, 1907년 3월.
3 『皇城新聞』 1907년 1월 16일자.
4 『大韓每日申報』 1907년 1월 29일자.

개성, 장단, 풍덕군 등지에서 도굴이 성행하자. 어떤 가문은 병정을 차파借派하여 무덤을 지키는 경우까지 생겨나게 되었다.[5]

1907년 2월 1일

1907년 2월 1일 한국정부는 칙령 제7호로 농상공부 측후소의 관제를 발표하고 먼저 인천, 다음으로 경성, 평양, 대구 네 곳에 측후소를 두었다.

1907년 2월

황해도 신천군 한문서재漢文書齋를 일본 순사가 점거하고 서책은 신천군수가 탈취하고 학도들을 추출했다.[6]

---

5 『大韓每日申報』1907년 1월 31일자.
6 『大韓每日申報』1907년 2월 8일자.

1907년 3월

경천사탑 반출

비록 폐사가 되었다하나 엄연히 원지인 경기도 개풍군에 잘 보존되었던 경천사지 석탑은 20세기에 들어오면서 시련이 연속되었다. 경천사지탑이 개성 부소산에 서있는 웅장한 모습은 1902년 세키노 타다시關野貞가 한국건축조사를 할 당시에 찍은 사진에만 남아 있을 뿐이다.[7] 현재는 용산국립박물관에 소재한다. 이같이 원소재지를 떠나 현재의 용산국립박물관으로 옮겨진 데에는 사연이 있다.

1907년 일본 궁내성의 특사 궁내부대신 다나카 미츠야키田中光顯가 한국 황태자의 가례를 축하하기 위해 우리나라에 왔다가, 몰래 개성 풍덕군 부소산에 있는 경천사10층석탑을 반출하기 위해 백수십의 무기를 가진 일본인을 동원하였다. 지역관리자와 주민들의 항의에도 불구하고 탑을 해체하여 개성 철도역으로 운반하고 다시 인천을 통해 일본으로 불법반출 해갔다. 이런 약탈이 이루어질 때에 순사들이 철도

『대한매일신보』 1907년 03월 12일자

---

7 關野貞은『朝鮮の建築と藝術』의「朝鮮美術史」에서 圖版으로 싣고, "대체로 이 탑은 전체의 균형이 거의 완전에 가까운 미를 지니고 있으며 수법도 자유로워 기발하고 풍취가 있다. 고려시대의 탑파 중 가장 변화가 풍부하고 정밀하며 세련된 기교를 자랑하고 있다. 조선에서 이와 견줄만한 것이 드물 뿐 아니라 당시 이러한 종류의 건축으로서는 중국에서도 거의 유례를 찾아 볼 수 없다"고 극찬하고 있다.

역 주위를 에워싸고 있었다고 하며, 또한 다나카는 고종으로부터 이 탑을 하사 받았다는 가짜 문서까지 동원하였다[8]고 한다.

이 반출과정을 당시 신문기사의 내용을 대략 요약하면 다음과 같다.

1906년 가을에 일본인 승려 다이에大圓, 아유카이鮎貝, 요시아키惠明 등 3인이 군수를 찾아와 자신들이 경천사를 중축重築하고 경천사탑을 보호하겠다고 청원해 왔다. 그러나 군수는 "그런 일은 내무부 소관이니 내무부에서 청원하라"고 하였다. 3인은 돌아갔다가 며칠 후 다시 나타나 "경천사 증축에 있어 내무부 지시에 민가와 무덤들의 피해가 없겠는지 소상히 보고하라" 하였으니, 이를 조사하여 보고하라고 하였다. 군수는 부득이 별로 피해가 없다고 내무부에 보고를 하였으나 내무부에서는 별다른 지시가 없었다.

그 후 1907년 3월 6일에 군수는 경천리 마을 사람들로부터 일본인 수십 명이 많은 인부를 데리고 와서 탑을 헌다는 사실을 보고를 받고 경찰관과 서기를 보내어 중지케 했다. 경찰관과 서기가 현지에 도착하였을 때는 탑 근처에 천막을 치고 장목과 볏짚 등을 실어다 놓고 일본인 수십 명이 막 탑을 헐려다가 이들을 보고 멈추었다. 그 행위를 따져 물었더니 칼을 휘두르며 위협을 했다고 한다.

3월 8일 내무부경찰통역인과 와타나베 타카지로渡邊鷹次郎가 탑을 조사하기 위해 경성에서 내려 왔다고 하는데 이들의 행위가 수상하지 않을 수 없다.

군수가 그간의 경과를 설명하고 즉시 중지시킬 것을 요구하자, 와타나베 타카지로渡邊鷹次郎가 밀하기를, "어찌 좌시할 수 있겠는가 그러나 그 유물은 그렇게 중요한 것도 아니다" 라고 하면서 마치 별것 아니니 군수는 너무 염려 말라는

8 朴殷植, 『韓國痛史 下』.

투로 자신이 관리하는 사람을 데리고 현장을 조사한 후에 말하겠다고 하였다.

그들의 속셈을 파악한 군수는 좌시할 수 없어 그 문제를 개성 이사청의 경부 하기노 나오주로萩野直十郎에게 조회하라고 부탁을 했다.

다음 날 경천리로 군수가 가보았더니 개성경찰지서의 안도 도보구마安藤友熊가 먼저 와있었다. 군수와 안도安藤友熊, 와타나베渡邊鷹次郎 등이 현장에 도착하니 탑은 전날 밤에 다 헐어버리고 해체된 탑재들을 짚으로 묶어 포장한 것이 40여 덩어리였고 깨어져 버린 조각들이 또한 적지 않았다. 산골짜기 입구로 줄지어 탑재를 실어 가려는 달구지가 넷이나 대기하고 있었다. 군수가 주동자를 추궁하니, 주동자는 경성에서 오지를 않았고 단지 현장 감독자만 몇이 와 있을 뿐이라고 하였다. 군수가 와타나베渡邊鷹次郎에게 그 내막을 알아봐 달라고 하였더니 와타나베渡邊鷹次郎의 말은, "일본인 중인 아유카이鮎貝가 실제 주동자로 당국에 진작 청원을 하였으나 내무부에서 승낙을 피하고 있다. 그러나 승낙문서가 곧 내려오게 할 것이니 특별히 허락하는 것이 좋을 것이다"라고 했다.

이들의 의무는 탑의 반출을 막는데 있음에도 불구하고 이처럼 오히려 반출의 승낙을 요구하고 있다. 이 부분은 이들이 모두 한통속이 되어 반출을 공모하고 있었음을 알 수 있는 대목이라 할 수 있다.

그뿐이 아니라 군수가 "허나 정 그렇다면 허가문서가 도착한 다음에 실어감이 마땅하니 탑재들은 우선 다시 풀고 인부들을 돌아가게 하라"고 하자, 와타나베渡邊鷹次郎는 "만일 그래야 한다면 주동자가 오지 않고 현장 감독자가 전담한 일이니 오늘 달구지 4대가 공친 손해비는 감독자가 책임지고 배상해야 할 것이다"라고 하면서 계속 탑을 실어갈 것을 주장했다. 그러나 계속된 군수의 반대로 인해 달구지에 실려 있던 여덟 덩어리의 탑재를 풀어 한 곳에 풀어놓고 인부들을 되돌려 보냈다. 군수는 와타나베渡邊鷹次郎 등에게 한 번 더 감독자들에게 불법으로 탑을 옮길 수 없음을 강조시키라고 당부를 했다. 그리고 서기와 동장을 시켜 동정을 엿보는 한편 동네 사람 수십 명을 동원하여 며칠이라도 교대로 지키게 하고는 돌아왔다.

그런데 얼마 있지 않아 감독자는 인부들과 수십 명의 총 칼을 든 무리들을 이끌고 다시 현장으로 돌아와 탑재를 실었다. 주민들이 항거를 하였으나 총 칼을 휘두르며 위협을 하여 주민들의 항거를 제지하였다.

탑을 실어간 현장 감독자는 곤도 사고로近藤佐五郎라는 자로 서울에서 골동상을 하는 악질적인 자로 소문난 자이다. 헌병들과 역부들을 동원하여 새벽까지 수십 대의 달구지에 탑 석재를 싣고 좌우에서 총 칼을 든 헌병들과 불법자들에게 호송케 하면서 현장을 떠났다.

다음날 이 소식을 접한 군수는 대경실색하여 현장에 도착했으나 이미 아무 것도 남아 있지 않았다. 달구지 바퀴 자국을 따라 개성정거장에 이르니 탑재는 이미 가지런히 쌓여 '궁내성에 보내는 물건'이란 표지가 붙여져 있었다. 사방을 일본 순사들이 둘러싸고 있었다. 그래서 일본 관할기관에 달려가 와타나베渡邊鷹次郎와 경찰관 하기노萩野直十郎에게 불법반출에 대해 항의를 하였다. 와타나베渡邊鷹次郎는 웃으면서 "그것이 운반될 적에 총검이 달구지를 에워싸고 있으니 우리가 그것을 끝까지 막으려고 했으면 많은 사람이 구타를 당하고 상해를 입는 굴욕을 당했을 것이다. 그러니 뭐라고 말할 수 있겠는가" 하였다. 하기노萩野直十郎는 거드럼을 피우며 "비록 허가문서 없이 헐어갔더라도 탑은 이미 다 운반되었고 현재 기차에 실려 떠나게 된 마당이니 서로 책임을 따져도 소용없는 일이다. 그대 군수는 이 사실을 귀국 내무부에 보고하면 될 것이다" 했다. 힘없는 군수가 여기서 어떻게 할 것인가. 힘없는 당시 한국정부의 모습을 그대로 나타내고 있는 것이다.

그런데 이 사건은 반출이 완료되기 전에 이미 신문에 게재되고 바로 특히 탑을 반출함에 있어 내부(조선조정)에서 이를 묵과하고 반출을 도운 자가 있음을 시사하고 있다.『대한매일신보』1907년 3월 7일자에는 다음과 같은 가사가 있다

일본특사 다나카 자작田中子爵이 일본 황제의게 한국 황제의 증물贈物로 송도탑을 욕득欲得하려다가 이 시도가 지어실패止於失敗함은 향이기술向已記述이어니와 개내부盖內部에 연결된 어떤 자가 동 특사에게 해증물該贈物의 필허必許될거슬 확언의確言矣라 다나카자작田中子爵이 귀국차로 폐견지제陛見之際에 해증물該贈物을 위ᄒᆞ야 감사지의感謝之意를 주진奏陳ᄒᆞ얏스나 황제끠셔 송도탑과 여如ᄒᆞᆫ 사편상귀품史編上貴品을 분여分與ᄒᆞ실 향의向意가 미유未有ᄒᆞ시다고 거언拒言ᄒᆞ심은 기계其計ㅣ 출어만전의出於萬全矣로다.

연然이나 일작日昨 황궐皇闕에 도달된 보고를 득문컨디 일본흉한인日本凶悍人의 종기욕취행從己欲取行ᄒᆞᆫ거시 저시著示라 유효보도有效報導를 금거今據컨디 삼사일전에 무기를 지지持ᄒᆞᆫ 일본인各異䁴筭을 從ᄒᆞᆫ건디 其人數가 自一百三十으로 至二百이 탑재처塔在處를 습인襲人ᄒᆞ야 지방관과 급기인민의 론비論非를 불고不顧ᄒᆞ고 탑편을 분취ᄒᆞ야 송도정차장으로 운반ᄒᆞ야 부산으로 재거ᄒᆞ얏고 여차략탈如此掠奪을 시홀 시에 일본순사 일초一哨가 정차장을 사면위요四面圍繞ᄒᆞ얏도다.

차보고此報告ᄂᆞᆫ 송도지방관이 친자수래親自袖來홈이나 연然이나 여차격외사如此格外事가 본인의 횡폭행동橫暴行動을 저시著示ᄒᆞ며 한국 황제 급 인민사상에 고통을 가홀거시라 차 사실이 명확 보도된쥴노 심신深信ᄒᆞ기를 염기厭忌ᄒᆞ노라.

약차보若此報가 과유실증果有實證이면 전중자작의 사절이 차 국민을 고의경모故意輕侮홈인줄은 인각확지人各確知호리로다 한국인민이 압행급모욕壓行及侮辱을 기능항립其能抗立홀거슨 기자표시의既自表示놋어니와 약 전중자작이 차귀품지표此貴品地票의 천이遷移를 과위지의果爲之놋면 동씨가 기능량도其能量度홀것보다 가다加多혼 곤난을 작호얏도다(『대한매일신보』1907년 3월 7일자).

탑의 반출이 3월 6일에 시도가 되어 주변 주민들과 군수가 일치단결하여 1차 저지를 하였고, 실제 이 탑이 원 위치에서 반출된 것은 3월 9일 새벽 이전인데 『대한매일신보』1907년 3월 7일자에 이 같은 기사가 게재되었다는 것은 놀라운 것이다. 특히 내부 동조자(조정관리)가 있다는 의혹의 내용은 특별한 제보가 있지 않고는 이 같은 기사를 실을 수 없는 것이다. 따라서 1차 저지 이후 곧바로 풍덕군수 등이 전보로 대한매일신보에 이 사실을 알리고 반출 저지에 협조를 구했던 것으로 보인다. 더구나 고종황제로부터 탑을 하사받았다는 문서까지 동원했다는 것은 한국 고관의 동조가 있지 않고는 힘드는 것이다. 이를 더욱 뒷받침하는 하는『대한매일신보』1907년 4월 13일자에는 다음과 같은 기사가 있다.

전중자작의 사절로 송도옥탑을 취거혼 사눈 기내오실其乃誤失이라고 일작日昨 셔울프리스보에 한탄恨歎혼바 유호니 본보 격론을 동보가 용허容許홈은 유차일건惟此一件이로다 동 기자의 현연비탄顯然悲歎과 차기변해且其辨解가 파頗히 명백혼 형태를 정물호얏슬진디 본 기자 가 기 사상을 불욕경론不欲更論이나 연연이나 일인은 가식假飾의 사과를 선善히호눈 자라 차옥탑사此玉塔事를 약불엄밀설파若不嚴密說破호면 기 사태가 장여금일長如今日홀지니

개 한국은 옥탑을 실ᄒᆞ고 한탄을 득ᄒᆞ얏스되 일본의게ᄂᆞᆫ 옥탑을 첨유添有ᄒᆞ고 소손所損은 미유未有ᄒᆞ얏도다.

동 보가 발언하되 만약 이등후가 此에 재ᄒᆞ얏던들 여피如彼ᄒᆞᆫ 괴거怪擧가 필무必無ᄒᆞ얏스리라 ᄒᆞ얏이고 차 일인의 불미행위를 욕이경감론欲以輕減論 지ᄒᆞ야 일간 일인의 기품매매奇品買賣ᄒᆞᄂᆞᆫ 자者를 차 문제에 원인援人ᄒᆞ야 해 옥탑이거에 관ᄒᆞ야 류심운동자留心運動者ᄂᆞᆫ 차기품매매인此奇品賣買人이라고 칭탁稱托ᄒᆞ얏고 우일탁언건又一托言件이 유ᄒᆞ니 전중 자작이 차 사상을 내부대신과 궁내대신의게 언급ᄒᆞ야 동의를 득홈이 유ᄒᆞ얏다 ᄒᆞ고 차 제대신을 경유ᄒᆞ야 황제의 인허를 득ᄒᆞ얏다 운운이러라.

본 기자의 전일 소언과 여히 황제끠 대차 인허를 득ᄒᆞ기ᄂᆞᆫ 기 능세能勢가 비불유非不有지나 연然이나 전중 자작이 귀국차로 폐견 시에 황제끠셔 차 륙백여 년 고적의 이거移去ᄒᆞᄂᆞᆫ 사를 필연불긍必然不肯ᄒᆞ셧슬 것이오 설혹이차로 위증물爲贈物ᄒᆞ실지라도 황제의 의중으로 유由ᄒᆞ야 출치 아니신것은 일사日使도 역 필지지ᄒᆞ얏슬 것이오 금기귀구今其歸咎를 당ᄒᆞᆫ 기품매매인奇品賣買人은 차사此事를 행홀 시에 하여쾌악何如快樂이 유有ᄒᆞ얏슬 것은 역가착미처亦可着味處로다.

오인탐문인吾人探聞에ᄂᆞᆫ 기운거인其運去人이 전신급철도관헌電信及鐵道官憲의 조력을 득ᄒᆞ얏고 차무비일대且武備一隊가 동행시위同行示威홈을 병ᄒᆞᆫ지라 기시 철도관인이 옥탑전부를 헐차에 재거ᄒᆞ얏거날 차 보를 한성에 전달치 아니홈도 역기비상亦其非常 지거로다.

약 이등후伊藤候가 차此에 ᄒᆞ엿던들 차 사가 필무ᄒᆞ얏스리라홈은 언혹연의言或然矣나 연然이나 차언이 엇지 족히 한인을 위해ᄒᆞ리오 약동후작若同候爵이 한국 내 일인을 위ᄒᆞ야 하여책임何如責任을 자담自擔홀진디 기빈번흠석지시其頻頻次

席之時에 적합지인으로 대리를 택ᄒ얏슬지라 본 기자가 대차발언對此發言홀 것

이 해특지奚特止차리오만는 단但히 환완 옥탑의 권고로써 차편을 결료ᄒ노라.

당시 대한매일신보 기자가 탐문한 바에 의하면,[9] 반출자는 전보통신과 철도 관청의 협조를 받았고 그래서 해체한 탑재를 기차로 실어갔는데도 이 사실을 전보로 내무부에 보고하지 않았다고 한다.

이러한 일련의 과정을 보면 와타나베 타카지로渡邊鷹次郎[10]와 경찰관, 감독지휘자, 철도관청 등이 한통속이 되어 군수와 주민들을 기만하고 총칼로 위협하여 탈취해 갔음을 알 수 있다. 이는 처음부터 철저한 계획 하에 이루어졌음을 추정할 수 있다.

---

9 『大韓每日申報』, 1907년 4월 13일자.
10 渡邊鷹次郎은 1882년에 朝鮮公使館 警官으로 한국에 건너와 1896년부터는 韓國警務顧 問 및 通譯官으로 근무, 1906년에는 警視廳高等警察係 警視, 한일합방 후에는 조선총독 부에서 경시 및 통역관으로 일본의 조선지배에 앞장섰던 자이다.
 參考 : 『在朝鮮內地人 紳士名鑑』, 朝鮮公論社, 1917.
 『隆熙2年 職員錄』, 內閣記錄部
 『朝鮮人事 興信錄』, 朝鮮新聞社, 1922.

결국 이 탑은 인천을 거쳐 3월 15일에 동경을 거쳐 19일에 우에노上野공원 안의 제실박물관으로 옮겨졌다.[11]

---

11 경천사탑 반출과 관련하여 다음과 같은 기사가 있다.

田中子爵及一塔

日本特使田中子爵이 日本 皇帝의게 韓國 皇帝의 贈物노 松都塔을 欲得이라가 此試圖가 止於失敗홈은 向已記述이어니와 盖內部에 連結된 何人이 同特使에게 該贈物의 必許될거슬 確言矣라 田中子爵이 歸國次로 陛見之際에 該贈物을 爲ᄒᆞ야 感謝之意를 奏陳ᄒᆞ얏스나 皇帝끠셔 松都塔과 如ᄒᆞᆫ 史編上貴品을 分與ᄒᆞ실 向意가 未有ᄒᆞ시다고 拒言ᄒᆞ심은 其計ㅣ 出於萬全矣로다

然이나 日昨 皇闕에 到達된 報告를 得聞컨디 日本凶悍人의 從己欲取行ᄒᆞ거시 著示라 有效報導를 今據컨디 三四日前에 武器를 持ᄒᆞᆫ 日本人(各異槩筭을 從ᄒᆞ건디 其人數가 自一百三十으로 至二百)이 塔在處를 襲入ᄒᆞ야 地方官과 及其人民의 論非를 不顧ᄒᆞ고 塔片을 分取ᄒᆞ야 松都停車場으로 運搬ᄒᆞ야 釜山으로 載去ᄒᆞ얏고 如此掠奪을 施홀 時에 日本巡查一哨가 停車場을 四面圍繞ᄒᆞ얏도다

此報告ᄂᆞᆫ 松都地方官이 親自袖來홈이나 然이나 如此格外事가 本人의 橫暴行動을 著示ᄒᆞ며 韓國 皇帝及人民思想에 苦痛을 加홀거시라 此事實이 明確報導된줄노 深信ᄒᆞ기를 厭忌ᄒᆞ노라

若此報가 果有實證이면 田中子爵의 使節이 此國民을 故意輕侮홈인졸은 人各確知ᄒᆞ리로다 韓國人民이 壓行及侮辱을 其能抗立ᄒᆞᆯ거슨 旣自表示矣어니와 若田中子爵이 此貴品地票의 遷移를 果爲之矣면 同氏가 其能量度홀것보다 加多ᄒᆞᆫ 困難을 作ᄒᆞ얏도다(『大韓每日申報』 1907년 3월 7일자).

開城豊德兩郡接界에 在ᄒᆞᆫ 경天塔은 高麗恭민王時公主의 紀念ᄒᆞ기 爲ᄒᆞ야 磁玉寶石으로 三十餘層을 建塔ᄒᆞ야 屢百年舊物이라 料外에 何許日人이 該塔을 毁壞ᄒᆞ야 日本으로 輸去혼다ᄒᆞ기로 兩郡人民들이 如雲會集ᄒᆞ야 決死불奪ᄒᆞ기로 同盟ᄒᆞ얏다더라(『大韓每日申報』 1907년 3월 12일자).

玉塔奪去의 續聞

開城에 在ᄒᆞᆫ 玉塔을 日人이 奪去ᄒᆞᆫ 事ᄂᆞᆫ 業已揭論이어니와 今又該地來信을 據혼즉 豊德郡西面경天里距邑十餘里지地에 高麗恭愍王朝에 元朝魯國公主ㅣ 出嫁時에 石塔지具를 携來ᄒᆞ야 該洞後谷에 建設ᄒᆞ니

漢城中에 寺동塔과 同時建築而元丞相脫脫의 願塔인디 其石은 似玉非玉이오 似石非石이라 其彫刻人物지形이 亦與寺동塔으로 相似而下層의 人物形은 無知ᄒᆞᆫ 婦孺의 琢傷을 被ᄒᆞ얏고 上層의 人物形은 完然得全ᄒᆞ니 盖六百餘年舊物이라

去三月六日에 日人數十名이 役夫를 多率ᄒ고 文憑도업시 毁撤ᄒ다ᄒᄂᆫ고로 該郡吏廳
의셔 聞知허고 禁制코저ᄒᆫ즉 伊日은 方營毁撤에다만 長木等만 輸來以置ᄒ얏더니 初十
日에 往見ᄒ즉塔已盡毁ᄒ야 幾個車에 運去ᄒ얏고 餘存이 四十餘塊러라
其毁撤時情況을 詳探ᄒ즉 初八日에 內部警務顧問通譯官渡邊鷹次郎等이 稱以査察石납
事ᄒ고 來到該郡故로 該郡守가 留一日同往ᄒ야 禁其輸運ᄒ며 逐送役夫ᄒ고 約以內部
文憑到付後에 輸去爲言ᄒ고 其時卽照會于開城理事廳警部萩野直十郎ᄒ며 又報于內
部及觀察道ᄒ고 招該洞民人數十名ᄒ야 限幾日登山守直矣러니
無奈日人并役夫等이 放銃揮劒ᄒ면셔 十餘車에 輸去ᄒ니 히洞民이 不能執留라ᄒ기로
該郡守가 馳往看지則沒數輸去에 無一餘存이라 聞知吏屬則昨年秋에 名不知俞監理者
가 日僧鮎貝大圓惠明三人의 請願으로 탑前경天寺舊址에 重建一刹이라ᄒ더니 今番此
事를 日人이 歸之於鮎貝等이라더라(『大韓每日申報』1907년 3월 21일자).

美人之評論日本
萬若日本이 有力官人의 盜取以去ᄒᆫ 豊德塔도 不能禁止하고 許多下民의 掠奪ᄒᆫ 土地
도 不敢禁止ᄒ면 한人의게 餘存홀 것은 將次何物인고 但히 家屋에서 路上으로 逐出ᄒ
고 路上에서 溝壑으로 打倒가 될 것이로다(『大韓每日申報』1907년 4월 12일자).

更論盜取玉塔
田中子爵의 使節로 松都玉塔을 取去ᄒᆫ 事ᄂᆫ 其乃誤失이라고 日昨서울프리스報에 恨歎ᄒ
바 有ᄒ니 本報激論을 同報가 容許홈은 惟此一件이로다 同記者의 顯然悲歎과 且其辨解가
頗히 明白ᄒᆫ 形態를 呈ᄒ얏슬진딘 本記者가 其事狀을 不欲更論이나 然이나 日人은 假飾의
謝過를 善히ᄒᄂᆫ 者라 此玉塔事를 若不嚴密說破ᄒ면 其事態가 長如今日홀지니 盖韓國은
玉塔을 失ᄒ고 恨歎을 得ᄒ얏스되 日本의게ᄂᆫ 玉塔을 添有ᄒ고 所損은 未有ᄒ얏도다
同報가 發言ᄒ되 萬若伊藤侯가 此에 在ᄒ얏던들 如彼ᄒ 怪擧가 必無ᄒ얏스리라 ᄒ얏
이고 且日人의 不美行爲를 欲以輕減論지ᄒ야 一箇日人의 奇品買賣ᄒᄂᆫ 者를 차問題
에 援人ᄒ야 該玉塔移去에 關ᄒ야 留心運動者ᄂᆫ 此奇品賣買人이라고 稱托ᄒ얏고 又
一托言件이 有ᄒ니 田中子爵이 此事狀을 內部大臣과 宮內大臣의게 言及ᄒ야 同意를
得홈이 有ᄒ얏다 ᄒ고 且諸大臣을 經由ᄒ야 皇帝의 認許를 得ᄒ얏다 云이러라
本記者의 前日所言과 如히 皇帝의 對此認許를 得ᄒ기ᄂᆫ 其能勢가 非不有지나 然이나
田中子爵이 歸國次로 陛見時에 皇帝의셔 차六百餘年古跡의 移去ᄒᄂᆫ 事를 必然不肯
ᄒ셧슬 것이오 設或以차로 爲贈物ᄒ실지라도 皇帝의 意中으로 由ᄒ야 出치 아니신것
은 日使도 亦必知ᄒ얏슬 것이오 今其歸咎를 當ᄒ 奇品賣買人은 此事를 行홀 時에 何
如快樂이 有ᄒ얏슬 것은 亦可着味處로다
吾人探聞에ᄂᆫ 其運去人이 電信及鐵消官憲의 助力을 得ᄒ얏고 日武備一隊가 同行示威
홈을 並ᄒ지라 其時鐵道官人이 玉탑全部를 滊車에 載去ᄒ얏거날 此報를 漢城에 電達

치 아니홈도 亦其非常지擧로다

若伊藤侯가 此에 ᄒ엿던들 차事가 必無ᄒ얏스리라홈은 言或然矣나 然이나 차言이 엇지 足
히 韓人을 慰解ᄒ리오 若同侯爵이 한國內日人을 爲ᄒ야 何如責任을 自擔홀진디 其頻煩欠
席지時에 適合지人으로 代理를 擇ᄒ얏슬지라 本記者가 對此發言홀 것이 奚特止차리오만
는 但히 還完玉탑의 勸告로써 차篇을 結了ᄒ노라(『大韓每日申報』 1907년 4월 13일자).

玉塔과 及其行狀
近日漢城에 風說이 有ᄒ되 向者에 盜去ᄒ얏든 玉塔을 現將持來ᄒ야 彼日人이 無狀혼
恣意로 移動ᄒ던 該地(松都附近)에 更爲置지라 ᄒ니 차風說을 恒常善히 探聞ᄒ는 處
에서 取信이 됨을 吾人이 知悉ᄒ얏스니 是로 由ᄒ야 統監府가 雖此一箇慈惠지擧라도
竟能行홀가 吾人의 可信홀希望이 略有ᄒ도다
차玉塔의 還附를 其將慈惠지擧라고 稱許홀 것은 彼가 諸般事爲에 對ᄒ야 旣已言지行
지혼 後에는 何人이던지 使彼變改케 홈을 弗能인 것을 吾人이 見이 知지ᄒ는 緣由로
其還附가 出於慈惠지擧라고 可稱ᄒ려니와 雖然이나 차玉塔의 還附를 結了혼 後는 此
擧를 純然히 彼의 自意로 由ᄒ얏다고 其將不許홀 者도 亦有ᄒ니 何以證지오
盖차事狀이 萬若大한每日申報의 激論과 日本크로늬클新報紙上에 訖法氏의 論非를 因
홈이 아니면 必不至再次擧論ᄒ야 已是忘域에 在ᄒ엿슬 것이오 한人은 玉塔을 因ᄒ야
但히 呼嘆을 抱홀 뿐이로다
차玉塔事를 因ᄒ야 將次必要혼 主意가 生出ᄒ리니 第一은 伊藤侯가 其府寮와 及其他人
들이 한人의 所有를 彼의 所有와 如히 專行取用ᄒ는 態度를 不從ᄒ는 意思를 한人의게 表
示홀 것이오 第二는 日人의 幾許專行取用혼 것이 不至영久홀 것을 亦可存念케 홀지라
然則한國人民이 日本軍인의게 强占을 被혼 地段도 或適宜혼 代價를 得홀가 ᄒ는 希望이 略
有홀 것이오 且한國主權도 更히 還附ᄒ는디 至ᄒ야 所有郵電과 財庫와 及其他諸件을 本國
政府가 更히 一次處理홀가 ᄒ는 夢想이 亦有ᄒ리로다(『大韓每日申報』 1907년 4월 19일자).

日報의 玉塔記
大阪朝日新聞第九千六號紙面에 玉塔寫眞이 有ᄒ고 其說이 甚多혼디 其略如左ᄒ니
敬天지塔은 立於東京博物館前
古來朝鮮에 有二基之名塔ᄒ니 一立於京城鐘路舊圓覽寺ᄒ고 一立於豊德郡之古敬天
寺內러니 豊公(平秀吉)征한之役에 加藤淸正이 欲移於我國云之說이 入於田中宮相之
耳ᄒ야 其中一塔을 移於我國則無類珍品이 爲我國美術界之幸福이라 하야 過般使節之
時에 懇願於朝鮮國王한廷이 了其意ᄒ야 今回朝鮮國王ᄭᅴ옵셔 寄贈敬天塔於我宮內省
ᄒ시니 立於博物舘前ᄒ고 永久保全云云
탑形之略陳
탑高가 約四丈二尺而灰빅色大理石으로 作十三層ᄒ니 上五層은 四角而刻三佛ᄒ고 中

二層은 刻五佛ᄒ고 下之五層은 十二角而刻三佛ᄒ고 最上之一層은 以金屬으로 製造ᄒ니 精巧甚焉이라 塔之懸板石에 刻華嚴會及大東金石書元史豊德邑志金陰集等諸書ᄒ야 奇異가 甚多ᄒ고 又有觀音보살論佛之形容森상ᄒ니 爲寶甚大라 設者가 謂ᄒ되 其價値를 論ᄒ던 한국公債의 太半을 抵當ᄒ리라 ᄒ얏더면

本記者ㅣ 일인의 盜去玉탑ᄒ 事實을 擧論이 非止一再어니와 玆에 開城郡士人 혼 啓明氏가 大阪죠日新聞을 閱讀ᄒ다가 如右記述에 對ᄒ야 悲憤痛寃을 不禁ᄒ야 本社에 寄函이 有혼 故로 乃揭其梗槪ᄒ야 愛讀僉員외 記念件을 供給ᄒ노라(『大韓每日申報』 1907년 4월 23일자).

고종시대사 6집
년월일 1907년(丁未, 1907, 淸 德宗 光緖33년, 日本 明治40년) 5월 28일(火)

이 날짜 日本新聞에 앞서 皇太子婚儀의 特使로 韓國에 派遣된 日本宮內大臣 田中이 韓國歷史上 珍貴한 國寶인 白玉製五層塔 2個 中 京畿道 豊德府에 있는 것을 지난 2월 4일에 郡民의 反對를 武力으로 排除하고 이를 仁川으로 搬出하여 3월 15일에 東京에 到着하였던 바 近日에 美國에서도 田中의 行爲를 非難하는 物議가 일어나 美國에 滯在中인 日本人士들이 困難을 겪고 있다고 報道하다.

峨洋古操
向日에 各大臣이 遞任된 以後로 鬱鬱不得志ᄒ야 滿庭槐陰에 依枕高眠ᄒ니 回想前日ᄒ면 富貴가 如夢ᄒ더니 樞密院을 新設ᄒ고 顧問官으로 一齊히 出脚ᄒ다니쑴들잘쑤엇고
近日에 政界가 變遷되민 南北村坐論客에 雌黃之資가 忽生ᄒ야 新內閣大臣中에 門閥高下와 平日行事를 逐條公論ᄒ야 是是非非가 處處喧藉ᄒ니 此等頑固輩에게도 主事參書를 次第許任ᄒ얏스면 合口勿說홀ᄂ지
近日獵官者流들이 所恃處를 失ᄒ야 空自恨歎ᄒ야 相逢偶語ᄒ야 日某某大監에 挽回勢力은 已無可望혼즉 혼然歸鄕ᄒ야 農業에나 着味ᄒ고 敎兒로 爲業이 第一上策이라ᄒ다니 此說이만일 心曲中으로 由ᄒ얏스면사람되깃고
一進會勢力이 減殺홀 時에ᄂ 退會者가 許多ᄒ더니 該會勢力이잇쓸듯홀 時에ᄂ 入會者亦多ᄒ니 如此無常혼 人種을가지고무삼일을ᄒ고 世界사의우숨거리나되깃지(『大韓每日申報』 1907년 6월 2일자).

韓國寶塔問題의 續論
豊德郡寶塔事件에 對ᄒ야 本報辦論이 不止再三인바 該事實이 東西各邦에 傳播되야 美洲各新聞에 論評이 甚히 喧藉ᄒ얏고 日本萬朝報와 二六新聞이쪼혼 公平的說話로 批評이 有ᄒ지라 昨日本報에 二六新聞의 所論을 特取ᄒ야 旣已謄載어니와
夫以日人報筆로 此事件에 就ᄒ야 其國惡이됨을 不得掩諱ᄒ야 指陳이 如彼ᄒ얏거든

況世界各國의 公論所在乎아 大抵日人의 强迫行爲와 巧謀手段이 層生疊出ㅎ야 或威脅
或誘騙으로써 韓人所有를 巨細勿論ㅎ고 恣行其無理奪取者ㅣ 何可勝筭이리오마는
至此實玉塔ㅎ야는 六百餘年傳來古蹟이될쑨더러 其製作의 精巧가 果然美術家의 寶品으로
其價値를 幾百萬圜으로 計算ㅎ는 者라 乃田中子爵이 剛使命渡韓ㅎ야 但其古物을 愛好ㅎ는
癖으로 右寶塔을 請得코ㅈㅎ나 韓皇陛下의 允許를 不得ㅎ얏고 韓政府의 承諾도 未有ㅎ지라
所謂古物商人近藤佐五郎이라ㅎ는 者가 若干憲兵及鐵路役夫를 帶同ㅎ고 該地에 往ㅎ
야 乘夜毁撤ㅎ고 潛行輸去ㅎ얏스니 如彼行爲를엇지 盜竊以去가아니라 謂ㅎ리오
萬若 韓皇陛下의 允許ㅎ심과 韓政府에 承諾이 有ㅎ얏스면 正當혼 禮容과 明白혼 公文이
固應有之홀터인대 今乃何故로 兩國皇室間에 鄭重혼 詞命이 無ㅎ얏스며 韓政府의 指揮ㅎ
는 文憑이 該郡에 到付혼 者가 無ㅎ얏스며 該地方官이 何以有抵抗之擧이며 該洞人民이 何
以有守直執留之事이며 日人四五十名이 何以有持劒示威之行動也오 此諸般事項으로써 證
據ㅎ건디 彼가비록 巧言飾辭로 極力粧撰ㅎ야 天下의 耳目을 瞞過코ㅈ혼들 其可得乎아
所以로 漢城內에서 울푸내스報가 日人의 機關으로 本報를 反對ㅎ는 者나 至此事件ㅎ
야는 本報激論을 容許ㅎ야 日伊藤候가 若在ㅎ얏스면 此事가 必無ㅎ리라ㅎ얏고 田中
子爵도 此를 壹個商人에게 歸咎ㅎ고 自己는 不任코ㅈㅎ니 此其不法行爲가된 事實은
彼亦隱諱不得홀것인쥴로 自服혼 狀態가 顯然혼지라
況且萬朝報와 二六新聞에 激烈혼 論駁과 公平혼 說話가 次第發現ㅎ얏고 美洲各新聞의 論
評이 如彼其藉藉ㅎ얏스니 此六百餘年傳來古蹟으로 幾百萬圜價値의 寶品이 恣行盜取혼
事實이 暴之天下而自在ㅎ고 垂諸萬世而不泯이니 其在日本에 莫大之累를 何以洗之오
惟其善後措置는 右寶塔을 還歸于韓ㅎ야 旣徃之失을 陳謝ㅎ는것이 兩圈 皇室의 友誼
를 益敦케ㅎ는바오 其次는 日本셔 韓國에 對ㅎ야 相當혼 價値의 物品으로 投爪報瓊의
厚意를 表明홈이 可홀지라 若其不然이면 此寶塔이 日本博物舘에 在혼것이 榮譽가되
지못ㅎ고 歷史上無窮혼 羞恥가되리라ㅎ노니 日本當局者는 其反亦省ㅎ야 善其措置홀
지어다(『大韓每日申報』 1907년 6월 5일자).

玉塔奪去의 顚末

豊德郡西面敬天리는 開城交界인디 該洞後谷에 敬天寺가 有ㅎ고 寺前에 玉塔十二層이
有ㅎ니 十二眞相을 巧刻ㅎ야 人物이 聳動에 形容이 森爽ㅎ고 其制作이 極精巧라 塔高
가 拾丈이오 其一面에 書至正八年敬天祝願爲皇帝皇后太子拾五字ㅎ고 其一面에 橫書
法輪常轉四字ㅎ니 相傳ㅎ되 元丞相脫脫이 以爲願塔ㅎ고 晉寗君姜融이 募元朝工匠ㅎ
야 造此塔이라 其石品은 似玉非玉이오 似石非石이라 或謂水沈石而似柔實剛ㅎ고 其色
은 軟靑ㅎ니 高麗恭愍王妃魯國公主가 自魯地輸來云이라 寺는 廢已年久ㅎ고 탑은 獨
올然立空山中ㅎ니 초牧이 日以戲琢侵削ㅎ야 下五層은 物象과 字劃이 多被剝減이라
然이나 六百年傳來舊物로 實爲國人所愛惜이더니
昨年秋에 日本僧大圓鮎貝惠明三人이 來ㅎ야 郡守에게 請願ㅎ되 本僧等이 敬天탑前에
重修舊寺ㅎ고 奉護願탑云故로 題以內所管인즉 可徃訴內部라 居未幾에 又呈請願ㅎ

되 內部指令內에 民家及리墳墓가 過無妨害與否를 昭詳報來라ᄒᆞ엿스니 卽爲報明ᄒᆞ라 ᄒᆞ기로 不得已ᄒᆞ야 過無妨害로 卽報內部ᄒᆞ얏스되 未有回ᄂᆞᆯ러니

光武十一年二月二十一日에 該郡守가 敬天里동報를 接見ᄒᆞᆫ則日人數十名이 塔近에 來集ᄒᆞ야 設幕ᄒᆞ고 長木藁草等物을 輸來ᄒᆞ야 將欲毀塔云云故로 直히 巡檢과 書記를 送ᄒᆞ야 摘奸ᄒᆞᆫ則日人數十名이 往來無常에 姑不毀塔이라 詰問其事由ᄒᆞᆫ則揮釰而迎에 頓不應答이러라 翌日에 內部警察顧問通譯及渡邊鷹次郞이 爲查毀塔事ᄒᆞ야 自京下來라 ᄒᆞ거날 郡守曰旣無文憑之到付ᄒᆞ고 自意欲毀ᄂᆞᆫ 是何委折인지 今卽히去ᄒᆞ야 禁斷이 可也라ᄒᆞ되 未完(『大韓每日申報』 1907년 6월 4일자).

玉塔奪去의 顚末 續

渡邊曰僕이亦貴國官吏라 豈可坐視리오 然이나 此物이 不甚關重ᄒᆞ니 僕이 帶同一官吏ᄒᆞ고 暫爲往査ᄒᆞ야 禁斷ᄒᆞᆫ 後에 來言이라ᄒᆞ거ᄂᆞᆯ 郡守曰不然ᄒᆞ다 此物之爲古蹟이 昭載於本國地誌ᄒᆞ고 傳播於東洋ᄒᆞ얏스니 無論誰某ᄒᆞ고 勒欲撤去이면 禁護諫虞之責은 不歸於郡守乎아 遂馳往敬天里則開城警務分署에 警部安藤友熊이 亦先來査ᄒᆞ야 同渡邊安藤ᄒᆞ고 偕往塔所則前夜今明에 暗爲盡毀ᄒᆞ야 片片과 草席이 爲四十餘塊오 破傷而기置者가 亦不少러라

於谷口에 方先輸送ᄒᆞᄂᆞᆫ 役車가 四輛이어ᄂᆞᆯ 郡守ㅣ 問其主事人ᄒᆞ니 皆曰主事人은 在京不來ᄒᆞ고 只有看役者幾人이라ᄒᆞ거ᄂᆞᆯ 更使渡邊으로 詳探ᄒᆞ라ᄒᆞ되 渡邊曰來此始聞則日本僧鮎貝가 實主事者而旣有貴部請願及內部指令而姑未承諾ᄒᆞ고 先爲毀去가 事甚背理나 文憑은 從速討來ᄒᆞ리니 勿爲苛禁이 似好라ᄒᆞ거ᄂᆞᆯ 郡守가 通言于兩人及看役人曰文憑到付後輸去가 無妨이니 現方輸去者ᄂᆞᆫ 爲先解置ᄒᆞ고 役夫ᄂᆞᆫ 逐送이 可也라ᄒᆞ되

渡邊이 謂看役者曰若至此境이면 主事人이 不來而專擔於着役人이라 今日四車虛送之損害金은 간役人이 獨爲擔當賠償이 可乎아

郡守曰若付文憑而輸去려면 有何相持며 損害金은 徵出於主事及看役이 可ᄒᆞ니 埋怨於禁戢人이 豈近於理乎아 渡邊이 亦無所答이어ᄂᆞᆯ 卽使看役人으로 車上所輸八塊를 解置壹處ᄒᆞ고 役夫를 并爲撤送ᄒᆞᆫ 後에 坐一食頃이라가

郡守가 與渡邊安藤으로 作別曰今日三個官憲이 會同査禁ᄒᆞ얏스니 當待文憑到付後輸去可也니 看役人許에 須以此由로 更加提說ᄒᆞ야 勿復違約계ᄒᆞᆷ이 何如오 兩人이 皆應若而指揮看役人ᄒᆞ고 因曰是同貴國官人으로 據理禁戢之場에 彼看役輩가 有何更鬧之端耶아 勿爲致慮ᄒᆞ라 郡守가 先起ᄒᆞ야 還往敬天里ᄒᆞ고 使書記及洞長으로 馳往을ᄒᆞ야 更伺其動靜後報來ᄒᆞ라ᄒᆞ고 卽地還衙ᄒᆞ니 日已暮矣라(『大韓每日申報』 1907년 6월 5일자).

玉塔奪去의 顚末 續

居未幾에 書記洞長이 還報曰俄者解置幾介를 看役人이 待其諸官憲之還歸ᄒᆞ야 更欲輸去ᄒᆞ야 曰此를 若不輸去면 損害가 不少故로 不可不急送이오 餘在石은 將待文憑下來ᄒᆞ야 輸去홀 터이니 勿爲致疑ᄒᆞ라ᄒᆞ거ᄂᆞᆯ 該洞長이 詰問曰雖一片石이라도 不可遽然下手어ᄂᆞᆯ 暗自輸去가

是何꾀理오ᄒ고 一齊禁戢이온則彼徒數十名이 揮劍恐嚇이기로 不敢抵抗而歸라ᄒ야날

郡守가 痛憤其교惡ᄒ야 更謂洞長日予留동中而禁戢이면 貽獎가 不少ᄒ리니 爾가 率동民數三十名ᄒ고 限數日交番守直이라가 若又違約이거든 卽刻馳報ᄒ라ᄒ고 郡守가 卽往敎天里ᄒ야 未至에 接見洞報則日人이 曉頭에 暗輸其餘石於數十車ᄒ야 已爲急送而及其輸去之際에 동民二十餘名이 一齊執留則日人四五十名이 各持銃劍示威ᄒ고 左右護送이기로 不得禁斷이라ᄒ기

郡守가 卽踵車跡而探視則已赴開城停車場ᄒ야 方收置于大車ᄒ고 每塊에 標以宮內省御用이라ᄒ고 直入開城所在日本理事分廳ᄒ야 警部㐀野直十郎과 渡邊을 見ᄒ고 責之曰昨日塔所同禁之約을 遽自背기ᄒ니 是豈交涉上相信之道耶아ᄒᄃ 渡邊이 笑曰僕이 亦非不欲禁斷이로ᄃ 及其運輸之際에 銃釰이 護車則公我間抑爲執留而守之라도 徒被毆逐傷害之辱而已니 言之何及이라ᄒ고

㐀野曰雖無文憑而毀去라도 果無拘碍오 該塔을 已爲盡輸ᄒ야 現方發車則難可相詰이니 本郡守ᄂ 此事實로 報明于貴內部가 可也오 勿爲牢執ᄒ리라ᄒ얏더라 完(『大韓每日申報』 1907년 6월 6일자).

三百年前에 加藤淸正이 二十萬大兵으로 朝鮮을 侵伐ᄒ 時에 漢城과 豊德에 지ᄒ 二座玉塔을 奪去ᄒ기로 經營하다가 如意치못ᄒ얏더니 今年에 田中顯光이 一介使節로 來聘ᄒ야 豊德玉塔을 無難偸去ᄒ얏스니 日本은 昔年未了지事을 竣功ᄒ얏고(『大韓每日申報』 1907년 6월 6일자).

玉塔賣渡否

開城郡玉塔을 日本에서 輸去ᄒ얏다 홈은 各新聞에 揭佈ᄒ얏거니와 更聞ᄒ 則 伊藤統監이 日前花月樓에서 日本官吏를 會集演說ᄒ되 玉塔事件은 某氏効勞가 頗有ᄒ다 ᄒ얏ᄂᄃ 日本에셔 該塔價額으로 萬圓이 渡來ᄒ얏다ᄂ 說이 有ᄒ더라(『大韓每日申報』 1907년 6월 22일자).

漫評

豊德郡玉塔을 日人이 偸去ᄒ 事ᄂ 東西洋各新聞에 狼藉히 論駁ᄒ 事實인ᄃ 伊藤侯가 日前花月樓에서 日本官吏을 會集ᄒ고 演說ᄒ여 日玉塔事件으로 某某人酬勞금一萬圓이 渡來ᄒ얏다 ᄒ니 該玉塔은 日本報紙에 幾百萬圓價値가 된다 ᄒ얏ᄂᄃ 酬勞금一萬元은 領受ᄒ 者가 何人인지 不知ᄒ거니와 玉塔價額은 幾百万元을 送交ᄒᄂ지(『大韓每日申報』 1907년 6월 23일자).

寄書

責玉塔呑炭生

◎生은 湖鄕落魄之蹤也라 自經某年某月浩劫以來로 竄身於庾信之荒谷ᄒ고 呑聲於杜陵之草

間ㅎ야 雖生而作已死觀ㅎ고 雖死而作將生觀ㅎ니 我ㅣ 生歟아 我ㅣ 死歟아 我ㅣ 悲觀歟아
我ㅣ 樂觀歟아 悠悠蒼天아 此何人斯오 於是에 自號曰 呑炭이라 ㅎ니 呑炭者는 啞之義也라
非眞啞也로디 欲言而不敢言ㅎ며 將言而不忍言ㅎ며 有言而不願言ㅎ니 非啞而其啞乎ㅣ져 此
는 呑炭生之小歷史也라 雖然이느 此耳也는 猶未聾ㅎ며 此目也는 猶未盲 故로 此不忍聞之時
事를 猶或有願聞之好消息歟아 ㅎ야 未嘗不傾耳聽焉ㅎ며 此不忍見之局勢를 猶或有願見之好
景況歟아 ㅎ야 未嘗不拭眸待焉ㅎ더니 願聞願見之事는 終是不可聞不可見이오 可聞可見者는
但是 不忍聞不忍見者이니 聾이 可乎아 盲이 可乎아 第貴報二千五百十三号 玉塔賣渡否題下
幾句語는 何其所言之不明白也오 該塔의 移去홈을 各報에 揭佈ㅎ얏다 ㅎ니 各報之所已揭佈
를 何獨貴紙上에 今乃布之며 又曰 該塔價金 萬圜이 渡來라 ㅎ얏스니 此塔賣之者는 果又何
人也오 嗚乎라 吾師도 唯貴紙오 吾友도 唯貴紙오 吾崇拜者도 唯貴紙오 吾敬愛者도 唯貴紙라
戛然孤鳴於凄風冷雨之中ㅎ야 曉曉而不已者ㅣ 非貴紙乎아 幾百年紀念之舊物이 又作他家有
어날 縱不能以一寸筆之力으로 快保周鼎之無恙이나 胡不灑淚一叫에 共吊洛陽之銅駝也오 生
이 悲憤所激에 不忍言而又不能不言ㅎ야 暫吐已己之炭ㅎ고 一瀉胷中之熱ㅎ야 作爲一文ㅎ니
其名曰 責玉塔이라 嗚乎라 我責玉塔乎아 玉塔이 責我乎아 無聊之極에 祇以自遣이니 幸須記
者閣下에 無漏悉揭ㅎ야 俾我有情同胞로 一下涕於此文也어다 (以上은 其來函)其文에 曰
古玉塔아 古玉塔아 開城之外古玉塔아 幾百年大韓物로 幾百年大韓土에 屹然히 特立ㅎ
야 風也가 磨之ㅎ야도 此塔이야 寧飛홀가 雨也가 洗之ㅎ야도 此塔이야 寧漂홀가 山川
이 變易ㅎ야도 此塔이야 寧移홀가 霹靂이 猛擊ㅎ야도 此塔이야 寧倒홀가, 아마도 以往
幾百年朝鮮玉塔으로 將來 幾千萬歲朝鮮玉塔인가 ㅎ얏더니
古玉塔아 古玉塔아 豊德界邊古玉塔아 今年에 爾何厄이며 今日에 爾何去오 不向火中
爲沙石ㅎ며 不沈海底爲沙石ㅎ고 幾百年來 堂堂大韓物로 飛去何處ㅎ야 供何人玩好오
古玉塔아 古玉塔아 爾去時에 能無回首故國이며 爾去後에 能不攪涕思鄕가 爾縱不能爲
劍爲槍ㅎ야 耀國光於海外ㅎ나 安忍忘此國을 如脫屣며 爾寧不能爲矢爲丸ㅎ야 壯國威
於萬邦ㅎ나 安可去鄕邑을 如反眼고
古玉塔아 古玉塔아 駑馬도 懷主人이오 越鳥도 懷南枝어놀 二千萬韓人口에 我玉塔 我
玉塔으로만 言之ㅎ고 二千萬韓人眼에 我玉塔 我玉塔으로만 觀之ㅎ던 玉塔인디 居然
扶桑萬里茫茫波에 獨自無恙渡ㅎ니 我輩는 哭一場 歌一闋ㅎ야 慘別離를 行ㅎ거니와
爾獨無思無慮奈若何오
古玉塔아 古玉塔아 我韓國勢는 風雲이 愈幻ㅎ고 我韓同胞는 水火가 愈劇ㅎ니 爾亦不忍
聞ㅅ忍見ㅎ야 不遠千里ㅎ고 他國으로 渡往ㅎ얏나 薩摩大阪에 風景이 非不好며 豊臣德
川의 贊賞이 非不盛이언만은 信美兮而非吾土라 空山夜月에 不如歸와 同哭ㅎ리로다
古玉塔아 古玉塔아 豊城之釼이 雖離나 必合ㅎ고 和氏之璧이 雖往이나 必完ㅎ느니 爾
或 他年他日에 與國權而同廻ㅎ고 故鄕故土에 與國威而同峙홀가 我且歌之日 明年春三
月鐥桃花開커던 쪼다시 歸來ㅎ라 ㅎ노라(『皇城新聞』, 1907년 6월 29일자).

論說

答吞炭生

◎敬答吞炭生足下ᄒᆞ노라 今全國이 太半是混沌頑冥之藪也라 舉四千載祖宗之山河而擲之라도 將有兩瞳不瞬者어날 足下ᄂᆞ 乃攘臂悲憤於一玉塔事件ᄒᆞ니 吾料足下ᄂᆞ 是有血丈夫오 斷二千萬兄弟之生命而送之라도 將有一髮不動者어날 足下ᄂᆞ 乃叩胷痛哭於一玉塔問題ᄒᆞ니 吾想足下ᄂᆞ 是有情男兒로다만은 雖然이나 吾恐玉塔이 有靈ᄒᆞ면 其肯受足下之責也否아

足下ᄂᆞ 其試將大韓之全圖而一憑觀之ᄒᆞ라 三千里點點黑黑之某道某郡이 有不入外人之勢力圈者乎아 電線은 亂如蛛網ᄒᆞ고 鐵路ᄂᆞ 橫如蛇逕ᄒᆞ되 有一爲我人之所着手者乎며 陳荒田野ᄂᆞ 稍稍 起墾ᄒᆞ고 商工實業은 益益 發展ᄒᆞ나 有一非他人之所經營者乎아 足下ᄂᆞ 思之ᄒᆞ라 彼玉塔이 果何物哉며 若其他 貨幣鼓鑄者ㅣ 我乎아 非我也오 國際交際者ㅣ 我乎아 非我也오 一切 司法警察之權이 是皆我乎아 皆似我而非我니 足下ᄂᆞ 念之ᄒᆞ라 彼玉塔이 果何物哉아

如是也而足下ㅣ 胡不責鐵道而乃責玉塔也며 胡不責電線而乃責玉塔也며 胡不責田野而乃責玉塔也며 胡不責商工而乃責玉塔也며 胡不責貨幣, 責外交, 責司法, 責警察, 而乃玉塔之是責也오 彼玉塔이, 有知也면 不過一張之訴冤狀과, 一篇之辨誣書에 足下ㅣ 雖有儀秦之舌과 班馬之文이라도 將措躬戰縮에, 無一辭之可答矣리니

況古人이 有言호되 水不自深이라 有龍則深ᄒᆞ고 山不自靈이라 有仙則靈이라 ᄒᆞ니 夫此玉塔도 固非能自護之也오 護之者ᄂᆞ 惟人也니 自高麗以至本朝로 此玉塔之屹然長峙於我國者ㅣ 亦豈玉塔之靈의 自呵自保之力哉아 實維當時 我國之豪傑이 不乏其人ᄒᆞ며 我國之政治가 不失其軌ᄒᆞ고 雖間有凌夷頹墮之際ᄒᆞ더리도 環我境以外之隣國도 亦唯是民知愚昧ᄒᆞ고 外競無力者 故로 我家靑氈이 未嘗爲偸兒之所覘이니 不然이면 卽以此玉塔言之라도 或 已爲蒙古之所奪去도 未可知也오 或 爲女眞之所掠去도 未可知也오 或 破碎於敵兵之砲도 未可知也오 或 殘缺於凶賊之劍도 未可知也니 該塔之式 至今日與否ᄂᆞ 實屬未可知之數라

然則 過去幾百年, 此玉塔之爲我玉塔도 惟我國民의 責이오 將來 幾萬年, 此玉塔之爲我玉塔도 亦惟我國民의 責이어날 今乃不肖子孫中에 不能有王孫滿一人ᄒᆞ야 祖先以來 相傳相守之舊物을 付送他人之手中ᄒᆞ니 鳴乎라 尙可言哉아

願君은 無責玉塔而自責君之不能保玉塔ᄒᆞ며 我ᄂᆞ 無責玉塔而自責我之不能還玉塔ᄒᆞ고 以至同胞 二千萬人도 皆無責玉塔而唯自責ᄒᆞ야 自責而自强ᄒᆞ며 自强而自奮ᄒᆞ면 諸般 玉塔과 如ᄒᆞᆫ 各種 權利가 庶皆有趙璧完歸之日ᄒᆞ리니 足下ᄂᆞ 其惟自責哉어다 或曰 此七八百萬圓價値 되ᄂᆞᆫ 玉塔으로 可以償國債而幾足이어날 漫擲이 可惜이라 ᄒᆞ니 此尤不知本末之言也로다

我所可惜之物이라도 我以我權而自棄之ᄂᆞᆫ딘 猶不足惜이어니와 我所不惜之物이라도 我無我權而被人所奪인딘 是乃可惜이니 盖可惜者ㅣ 在我權而不在我物也라 故로 幾兩幾錢之無名船稅에 比牧丁(古時英國人)所以幾年裁判에 傾巨萬財産而不顧者也니 此玉塔이 雖億萬

圜價値라도 我不此惜이라 我所惜者는 但 玉塔存而非由我力이오 玉塔去而非以我權이니 吾
於是乎 尤不覺彷徨悲愧于玉塔二字也ㅎ노라(『大韓每日申報』 1907년 7월 1일자).

漫評

豊德玉塔事件에 對ㅎ야 各國報筆이 旣有論駁일뿐더러 日本二六新聞에도 譏刺혼바 有
ㅎ더니 日人黑龍雜誌에도 此事를 論하야 日田中光顯氏가 君恩을 荷ㅎ고 以私慾으로
辱使命혼 것이 醜劣可惡이라ㅎ엿스니 天下公議는 自然不謀而同이로고(『大韓每日申報』
1907년 9월 27일자).

漫評

法部廳直 뎌 野蠻은 積置金에 慾心 나셔 四百圓을 窃取ㅎ야 仁川까지 逃走ㅎ니 大官
으로 在上ㅎ면 玉塔鐵券 쎄셔 가고 廳直으로 在下ㅎ면 金貨까지 가져가니 그 文明도
알 슈 업고(『大韓每日申報』 1909년 8월 10일자).

國寶散失의 悲

嗚乎라 今日韓國에 坐ㅎ야 此問題를 論홈은 九牛의 死에 一毛의 落을 論홈과 如ㅎ며
豺狼의 前에 狐狸의 禍를 論홈과 如하나 然이나

國寶는 國光을 保存ㅎ는 一器具오 國粹를 發揮ㅎ는 一源泉이라 古代文明의 跡을 此에
可覽ㅎ며 先民武强의 風을 此에 可想ㅎ며 祖國思想이 此에서 起하는 者ㅣ 多ㅎ며 民
族請神이 此에서 發ㅎ는 者ㅣ 多ㅎ나니 國民된 者ㅣ만일 國寶를 保守치못ㅎ면 是는 國
光을 墮落홈이며 國粹를 抹殺홈이라 國寶가 國家에 對하야 또엇지 重大혼 關係가 無하
다ㅎ리오 所以로 今에 此問題卽國寶散失의 悲를 一論ㅎ노라

盖韓國은 世界古國이라 傳來의 國寶가 不少ㅎ야 或金櫃玉室로 重藏혼 者도 有ㅎ며 或
秋革荒野에 隱沒된 者도 有하야 國民이 雙手로 敬奉홈도 可ㅎ고 國民이 萬口로 歌頌
홈도 可혼 者ㅣ 無홈이아니어놀

洛陽秋風에 荊棘이 쇼瑟ㅎ고 孟買落日에 靑山만透이하도다 長鞭을 擧ㅎ고 半島에 橫
行ㅎ는 彼外人이 百般의 權을 掌ㅎ며 百般의 利를 握ㅎ다가 畢竟其指를 國寶에 染ㅎ
야 今日에 一國寶를 輸去ㅎ며 明日에 一國寶를 輸去ㅎ니 於是乎書籍이 去ㅎ며 器物이
去ㅎ며 金扇이 玄海水를 渡ㅎ며 玉笛이 東京行을 作ㅎ며 關北大野에 捷碑를 憶ㅎ며
行人이 淚를 沾ㅎ며 敬天古寺에 玉塔을 訪ㅎ며 流水는 言이 無ㅎ도다

嗚乎라 如斯不已ㅎ면 韓國國寶가 畢竟 幾日에 不至하야 悉皆東京博覽會나 大坂古物
廛의 物을 作ㅎ리니 此 엇지 可悲치아니혼가

吾儕는 此問題를 論ㅎ다가 特히 一種의 感念을 發ㅎ는바ㅣ 有ㅎ노니 今此國民同胞가
此國寶散失을 睹하고 果然 吾儕와 共히 歎을 作ㅎ며 憤을 發ㅎ는 者ㅣ 幾人이나 有혼
가홈이 是라

조선에 와보지 않았던 다나카 미츠야키田中光顯(1843~1939)로서는 이 탑에 대하여 알 리가 없었겠지만 그는 당시 궁내대신으로서 고미술에 대하여 상당한 지식을 가지고 있었으며, 세키노 타다시關野貞가 발표한 1904년의 『한국건축조사보고』를 주의 깊게 읽었을 가능성이 많다. 그는 세키노關野가 기록한 "경천사는 풍덕군 부소산에 있다. 절은 쓰러지고 다만 석탑 1기가 있을 뿐이다. <중략> 이 탑은 경성의 것에 비해 조금 작다할지라도 거의 모두 구족具足해서 가장 수려한 모습을 나타내고 그 조각은 불상, 인물로부터 각종 모양에 이르기까지 조금도 마멸되지 않았다(다만 토민들의 장난으로 곳곳을 파손한 흔적이 있다). 따라서 세밀한 부분

大抵今日國寶의 散失이 誰의 責이뇨 同胞가 此國寶의 壽命을 長久케못ᄒ며 此國寶의 光彩를 閃動치못ᄒ고 神간鬼護ᄒ며 祖傳父授ᄒ던 物이 國外로 日走ᄒ니 此가 同胞의 責이아니오 何이뇨 然ᄒᄃᆡ 此에 對ᄒ야 歎을 不作ᄒ며 憤을 不發하야 戒懼奮勵치아니ᄒ면 엇지 可하리오
願ᄒ노니 同胞ᄂᆞᆫ 只今이라도 國寶保守에 意를 留ᄒ야 國光을 保存ᄒ며 國粹를 發揮홀지어다
(『大韓每日申報』 1910년 4월 12일자)

31. 일본僧의 敬天塔 탈취
일본 공사 田中光顯이 귀국할 때 敬天塔을 탈취해 갔다. 그 탑은 豊德郡 敬天里의 옛 사찰터에 있었는데, 12층의 탑 한쪽 면에는 「至正八年 敬天祝願 爲皇帝皇后太子」라는 15자가 새겨져 있었다. 이것은 고려말에 魯國公主가 下嫁할 때 실어 온 것으로 서울 大寺洞 석탑과 함께 세운 것이다. 탑은 지금으로부터 600년이 되었지만 石片 하나도 이그러지지 않고 우뚝 솟아 있었다. 돌 같으면서도 옥이 아니고 옥 같으면서도 돌이 아니었으며, 인물을 조각해 놓은 그 神사람이 와서 사찰를 중건한다고 하며 그 주위를 살피고 갔다. 이때 田中光顯이 많은 일본인들을 풀어 그 탑을 헐어가지고 기차에 실은 후 한밤중에 바다를 건너갔다. 本郡 사람들은 강력히 금지하였으나 그들은 칼을 휘두르고 총을 난사하여, 결국 저지하지 못하고 말았다.
그들은 일본에 도착한 후 그 탑을 박물관에 진열해 놓았는데, 동서양 사람들이 모두 와서 보고 천하의 보물이라고 절탄을 하며 그 가격은 우리 나라의 경부선과 경의선 철로를 부설할 만한 자본에 해당된다고 하였다(『梅泉野錄』 제5권).

에 이르기까지 극히 선명하고 충분히 당시의 형식을 고증할 수 있다. 이처럼 우수
한 탑도 한갓 황량한 산 속에 파묻혀 누구 한 사람 다시 뒤돌아보는 사람이 없다

반출되기 전의 경천사지10층석탑(『조선고적도보』)

는 것이 애석하다"[12]에 주목하고 눈독을 드리고 있었으며 한국 황태자의 가례를 빌미로 한국에 가면 이를 반출할 것을 이미 계획을 세우고 있었던 것이다.

그래서 한국으로 오기전인 1906년 가을에 일본인 승려 3명을 파견하여 탑 반출에 대한 사전 조사와 한일친교 운운하면서 한국정부에 이 탑을 기증 받기를 청원하였으나 성공하지 못하자 약탈하기로 계획한 것으로 보인다.

그가 한국에 머문 날짜는 10여 일, 그간에 경천사탑 기증에 대한 미련을 버리지 못하고 끈질기게 노력을 하다가 뜻을 이루지 못하고 1907년 1월 31일 일본으로 돌아가게 되자 바로 반출계획을 실행에 옮겼던 것이다.

처음 경천사지10층석탑이 일본에 도착하여 제실박물관에 도착하자 일본의 신문은 마치 이것이 한국에서 순순히 내준 것으로 선전하였다. 다음은 일본 오사카아사히신문大阪朝日新聞 제9006호 기사의 일부이다.

> 예로부터 조선에 유명한 탑이 둘이 있다. 그 하나는 경성 종로의 원각사 자리에 있고 또 하나는 풍덕군 경천사 자리에 있다.
>
> <중략> 지난번 사절로 갔을 때에 조선국왕에게 그를 간청하였던 바 한국 정부측이 그 뜻을 이해하고 이번에 조선국왕께서 우리 궁내성에 경천사탑 을 기증함으로서 박물관 앞에 세우고 영구히 보존하게 되었다. ...운운.[13]

---

12 關野貞,「韓國建築調査報告」,『東京帝國大學 工科大學 學術報告書』第6號, 東京帝國大 學 工科大學, 明治37년(1904), pp.92-93.
13 『大韓每日申報』, 1907년 4월 23일자.

그러나 대한매일신보大韓每日申報를 필두로 하여 공립신보公立申報, 황성신문皇城新聞 등에 이 사실이 보도되고 한국인들이 분개하자 일본의 니로구신문二六新聞에서는 다음과 같은 기사를 싣고 있다.

문제의 경위를 알아보았더니 전번에 한국황태자 가례嘉禮 때에 일본황실에서 다나카 미츠야키 궁내성장관을 특사로 보낸 바 있는데, 그는 고물을 애호하는 습관이 있어서 욕심을 참을 수 없었던지 일 한 양국 친교 기념물 명목으로 앞에서 말한 두 보탑 중의 경기도 풍덕군에 있는 것을 간청하여 얻었다 한 것과 의문의 백옥탑을 다나카田中궁상에게 증여하셨는지 알 수 없으나, 한 일친교의 기념물로 한국 황제폐하께옵서 우리황실에 증여하셨다하면 상당한 예용으로서 증여하심이 가할 바인데 일책一册의 송장送狀과 일개一介의 사절이 없고 경성에 있는 고물상인에 의하여 송부함은 일층 의문이다. 다나카田中궁상이 백옥탑을 가지고 온 순서를 기술하면, 본년 2월 4일경에 재류하는 고물상 곤도 사고로近藤佐五郎라는 자가 헌병 약간 명을 거느리고 전기 풍덕군에 나아가 보탑을 취거하려한 즉 군수 등이 동의치 아니하고 한민들이 항거하려는 즉 폭한이 있기로 부득이 다소 무력을 사용한 후에 인천으로 운반하여 3월 15일 신교에 도착하고 동19일 우에노上野제실박물관으로 운송했다. <중략> 이 사건에 관하여 당국자는 속히 그 탑이 일본에 오게 된 자초지종을 공개하고 천황이 본 뒤에는 일반인들도 관람케 하여 한국정부에 성의를 보일 필요가 있다.[14]

---

14 『大韓每日申報』, 1907년 6월 4일자.

라고 하여 한 걸음 뒤로 물러선 것 같은 감을 주지만 그러나 속내를 보면 마치 경천사지탑이 이미 일본 것이 되었으니 한국정부에 적당한 성의를 표시하고 이를 무마하자는 것이다. 이에 대해 대한매일신보는 곧 바로 다음과 같이 반박하였다.

> 다나카田中 자작이 도한渡韓하여 단지 고물을 애호하는 벽으로 보탑을 얻고자 하나 한국황제의 윤허를 얻지 못하였고 한국정부의 승낙도 얻지 못한지라 소위 고물상인 곤도 사고로近藤佐五郎이라 하는 자가 약간 헌병 및 철로 역부를 대동하고 해지該地에 왕往하야 밤을 틈타 훼철毁撤하고 몰래 가져갔으니 이 같은 저들의 행위를 어찌 도절盜竊로서 가져간 것이 아니라 하리오. 만약 황제 전하의 윤허하심과 한국정부의 승낙이 있었으면 정당한 예용禮容과 명백한 공문이 마땅히 있어야 할진대 지금으로서 무슨 이유로 양국 황실간에 정중한 사명詞命이 없었으며 한국정부의 문응文應이 해군該郡에 도부到付한 것이 없었으며, <중략> 다나카田中 자작도 이를 일개 상인에게 귀구歸咎하고 자기는 부재코자하니 이런 불법행위가 된 사실은 저들 역시 감출 수 없는 것인 줄로 자복한 상태가 드러난 것이다.[15]

그러나 이에 대한 일본 정부의 공식적인 사과와 반환에 대한 의지는 전혀 보이지 않았다. 뿐만 아니라 통감부에서도 이에 대한 추호의 노력도 없었음이 이토 히로부미伊藤博文의 행위에서 볼 수 있는 바, 황성신문에 이토伊藤博文에 관한 다음과 같은 기사가 실려 있다.

---

15 『大韓每日申報』, 1907년 6월 5일.

개성군 옥탑을 일본에서 엄거하얏다함은 각 신문에 공개하였거니와 다시 소문에 의한 즉 이토伊藤통감이 일전日前 화월루花月樓에서 일본 관리들을 회집會集하여 연설하되 옥탑 사건은 모씨의 효로効勞(힘들인 공로)가 자못 있다하였는데 일본에서 이 탑의 가액價額으로 만원이 도래하였다는 설이 있다하더라.[16]

불법반출을 효로効勞 등으로 표현하는 그의 태도는 오히려 이를 찬성하고 있음을 짐작할 수 있다. 그가 한국에 있는 동안에 숱한 고려자기를 일본으로 반출하여 일본 고관들에게 선물하고, 고려고분의 도굴을 부추긴 장본인이었다는 사실을 비추어 볼 때 그리 놀라운 일도 아니다.

여기에서 대략적으로 짐작할 수 있는 것은 다나카가 세키노의 한국고건축조사보고서에 게재한 황량한 폐사지의 경천사탑을 보고, 이를 일본으로 반출할 야심에 일본 승을 사전에 정탐케 한 다음 황태자 가례에 한국에 올 틈을 타 실행에 옮길 것을 계획했다고 추정된다. 한국에 건너온 다음 한국 관리들과 교유하면서 경천사석탑에 대한 탐욕을 내색했으며, 아부하기에 급급한 매국 고위관리들은 이에 내락했다고 보인다. 또한 이토 통감에게도 내허內許를 받았을 것으로 보인다. 그렇기 때문에 다나카가 일본으로 떠난 다음에도 그 실행은 일사천리로 이루어 졌으며, 힘없는 풍덕군수로서는 사방으로 몸부림쳤으나 위에서부터 썩어 있어 절망하고 하소연할 곳조차 찾을 수가 없었다. 풍덕군수 이윤종李允鍾의 경천사탑에 대한 처절한 투쟁은 얼마나 치열했을까! 또 그 저지가 수포로 돌아갔음을 확인했을 때의 군수가 당했을 참담함! 당시 한국 관리들의 무능함과 일제

---

16 皇城新聞, 1907년 6월 22일자.

의 거대한 흑막을 처절하게 느꼈을 것으로 짐작했을 것으로 보인다.

경천사지석탑 불법반출에 대한 기사는 미국인 헐버트에 의해 <코리아 테일리 뉴스> 등지에 반복해서 다나카 미츠야키田中光顯의 만행이 폭로되면서 국내의 여론은 물론이거니와 일본에까지 물의를 빚게 되어 양식 있는 일본인들까지도 그를 비난하기에 이른다.[17]

1907년 5월 28일자 후쿠오카히비신문福岡日日新聞에 다음과 같은 내용이 실려 있다.

한국 황태자전하 어혼의御婚儀의 시 특사로서 파견되었던 타나카田中 궁상은 그때 한국 역사상의 국보인 경기도 풍덕부에 있었던 것을 물려받을 수 있는 수속手續을 하고 지난 2월 4일에 경성주재의 고물상으로 하여금 도민의 저항을 배제하고 다소의 무력을 써서 무난히 인천으로 가져가 3월 15일 동경에 도착케 하여 이래 우에노上野의 박물관에 보존중인데 이 탑은 거금距今 일천년전 중국으로부터 한국에 증여한 2개 중의 하나로서 한민은 이 탑의 세편細片을 복용하면 어떠한 난병도 당장에 치유된다고 미신하여 이것을 약삼탐藥三塔이라 칭하여 숭경崇敬한 것인데 그 가격은 이백만원을 헤아리겠다고 세상에서도 희귀한 진품일뿐더러 타나카田中 궁상이 이것을 물려받은 수속에 대하여 의의疑義가 생겨 목하 미국에서도 이 문제에 관하여 떠들썩한 평론이 일어나 동지 체재 중인 구로키黑木 대장과 같은 분도 적지 않게 곤경에 몰리고 있다고….[18]

---

17 朝鮮公論史 編, 『裏から觀た朝鮮統治史』, '高麗朝の名塔事件' 조, 京城朝鮮公論社, 1930.
18 李鉉淙, 「開港後 史庫保存狀況」, 『白山學報』 第18號, 1970~1976, p.486에서 轉載.

하고 있다. 이로 인하여 다나카는 탑을 복원하지도 못하고 도쿄제실박물관의 정원에 포장된 채 둘 수밖에 없었다.

결국은 이러한 내외의 여론에 힘입어 조선총독부에서 다나카에게 반환할 것을 권고(후지타 료사쿠의 주장 : 藤田亮策 主張)하였으나 그는 10여 년을 버티었다. 1918년에 이 문제에 대해 다시 강력한 반환요구에 직면하자[19] 다나카도 결국 굴복하게 되어 일본의 궁내성을 통하여 1918년에 조선총독부로 돌려받는다.

경천사지석탑의 반환은 조선총독부의 반환요구도 크게 작용했지만, 무엇보다도 영국 언론인 베델(한국명 : 裵說)과 미국인 선교사 헐버트(한국명 : 轄甫) 등에 의한 국제적인 여론의 형성과 황성신문, 대한매일신보 등의 끈질긴 추적과 대항이 없었더라면 어려웠을 것이다.

당시 반환할 때에 일본궁내대신 명의로 보내온 공문에는,

다나카田中 백은 하등의 수속을 거치지 않고 이것을 운반한 것이라 원래 동씨의 사유물이 아니다.[20]

라고 기록하고 있다. 이같이 경천사탑은 돌려받기는 했으나 파손된 부분이 많이 생겼다.

---

19 이 점에 대해서 이구열 선생은 『한국문화재 수난사』에서 "데라우치의 후임으로 2대 총독이 된 하세가와 요시미치(長谷川好道)는 부임 3년째 되던 1918년에 가서야 전임자 데라우치가 해결치 못했던 경천사 석탑의 반환 문제와 과거의 전말에 대해 관심을 갖게 되었던 것 같다. 그는 학무국 고적조사과를 시켜 그 자초지정을 듣는 한편, 꼭 다시 찾아 와야 하는가의 의견을 물었다"고 한다. 이 책에서는 이에 대한 오다(小田省吾)의 '조사보고서'를 제시하고 있다.
20 李弘稙,「在日 韓國 文化財 備忘錄」,『月刊文化財 13號』, 1972.

세키노關野의 기록에는,

내가 지난 메이지明治35년에 와서 조사할 때에 유일하게 대리석 다층탑이
존存하였다. 이 탑은 그 후 내지內地에 반치搬致⋯.[21]

라고 할 뿐 파손된 부분에 대해서는 한 마디도 없었다. 세키노가 처음 1902년
에 경천사지를 방문하였을 때만 하여도 "토민들의 장난으로 곳곳을 파손한 흔
적이 있다"고 했으나 이는 주위의 민간인들이 탑재의 가루를 약으로 쓴다는 무
매한 미신에 혹해서 약간의 손을 댄 흔적으로서 아주 미미한 상처라 할 수 있
다. 그러나 한국에 돌아온 후의 세키노關野의 또 다른 기록에는,

이 탑은 선년先年 내지內地에 운반되어 갔다가 돌아와 현재는 총독부박물
관에 있다. 내지內地에 가지고 갔다 올 때 약간의 훼손이 있어 그 재건이
곤란하여 박물관 부지내敷地內에 옮겨 놓았다.[22]

하고 있다. 여기서 말하는 '약간의 훼손'이라는 것은 재건이 불가능 할 정도로
혹심한 파괴를 의미하는 것이다. 또 다이쇼大正7년(1918) 12월 21일자 <경천사
탑 립立의 건>을 보면,

21 關野貞, 『朝鮮の建築と藝術』, p.567.
22 關野貞, 「朝鮮の古建築に就て」 『朝鮮と建築』第2輯 第2卷 , 1922. p.12.

본부박물관에 진열하기 위하여 동경제실박물관으로부터 인수한 경천사 13(10층을 오인)층석탑의 파손을 검사하였던바, 전 운송에 의한 파손이 다대하였던 것 같으며 하조 같은 것은 거의 완전에 가까우나 원래 석의 성분이 위약危弱하므로 이를 무상으로 운반함은 혹은 불가능한 일에 속할 것이고….[23]

라고 기록되어 있다. 이것을 보면 돌려받는 과정에서 그들이 무성의하게 운반을 하여 상당히 손상이 되었으며, 또한 운송에는 문제가 없고 석재의 성분이 약해서 파손되었다고 하면서 총독부 담당자까지 책임을 회피하고 있음을 볼 수 있다. 이는 식민지 하에서의 우리나라 문화재에 대한 그들의 정책이 얼마나 그들 위주로 이루어졌는지를 알 수 있다.

한 가지 의문은 탑에서 나온 사리장엄구의 행방이다. 1907년에 탑을 해체하여 일본으로 반출할 때 분명히 사리장엄구 등이 발견되었을 것인데 여기에 대한 언급이나 자료가 보이지 않는다. 앞으로의 숙제이기도 하다.

경천사지는 개풍군 광덕면 부소산록에 있다. 『고려사』에는 왕이 이곳 경천사에 나간 기록이 15회 이상 나오며, 조선조에 와서도

경천탑 명기

---

23 金禧庚 編, 「韓國塔婆研究資料」, 『考古美術資料』 第20輯, 考古美術同人會刊, 1969, p.31.

태조가 2회[24]에 걸쳐 이곳에 간 기록을 보면 궁으로부터 오랫동안 비호를 받아왔던 중요 사찰이었음을 알 수 있다.

그 명칭에 있어서 「慶」자字의 경천사慶天寺는 『고려사』에 3회,[25] 『고려사절요高麗史節要』에 1회[26]가 나오며 그 외는 모두 「敬」字의 경천사敬天寺로 기록되어 예종睿宗12년 10월 정사부터 나타난다. 이에 대해 고유섭은 동일한 것으로 추정하고 있다.[27]

창건에 관한 기록은 확실하게 밝혀진 것은 없으나, 경천사가 『고려사』에 처음 등장하는 기록으로는 『고려사』 세가13, 예종睿宗8년 11일 5일 병오 조에, "왕이 장원정長源亭으로부터 경천사慶天寺 낙성식落成式에 갔다"라고 하는데 여기의 경천사慶天寺와 경천사敬天寺가 동일사同一寺라면 이때가 창건 시기이거나 최소한 중창시기가 아닌가 생각된다.

이곳 경천사지에 있던 10층석탑에 대하여 채수蔡壽의 『유송도록遊松都錄』[28]에,

무자일에 승제문을 나와 20리 길을 걸어서 경천사에 당도하니 절이 화재

---

24 太祖實錄 卷4, 太祖2년 10월 19일 辛卯 條.
   "어가가 해풍 敬天寺로 옮겨감."
   太祖實錄 卷4, 太祖2년 11월 5일 丙午 條.
   "임금이 해풍 경천사에서 여러 신하들을 거느리고 千秋節을 하례함."
25 고려사 권13, 세가13 예종8년 9월 을사 조.
   고려사 권17, 세가17 인종21년 9월 경신 조.
   고려사 권34, 세가34 충숙왕5년 9월 을축 조 .
26 고려사절요 권24, 충숙왕5년 9월 조 .
27 高裕燮, 「扶蘇山 敬天寺塔」, 『고유섭전집 4』.
   "원래 다 같이 長源亭 路順 위에 있던 것이 《高麗史》 行文에서 짐작할 수 있고, 또 敬과 慶은 音韻이 같은데서 동일한 것이 아니었던 가 생각한다."
28 『東文選』第118卷.

를 입어 겨우 방 한 칸만이 남아있다. 뜰 가운데 돌탑이 있어 광명한 품이 옥과 같은데 높이는 13층이요, 12화상을 조각하였는데, 더할 수 없이 정교精巧하여 거의 인력으로 만들 수 없다고 생각된다. 절은 바로 기황후奇皇后의 원찰願刹이요. 탑은 중국 사람의 소작所作인데, 바다를 건너와 여기에 세웠다. 중이 보장한 보주寶珠와 장번長幡을 내보이는데, 구슬이 직경은 두어 치나 되어 광채가 사람에게 비치고, 휘장도 또한 금실로 짜서 만들었다. 모두 당시에 기황후가 시주한 것이다. 또한 탈탈승상脫脫丞相의 화상을 내놓는데, 하마 반이나 탈락하여 식별할 수 없게 되었다.

한다. 또 『대동금석서大東金石書』 '경천사탑기敬天寺塔記' 속편부에,

경천탑은 풍덕군豊德郡 부소산에 있다. 서書는 실명失名이며, 원순제지정팔년무자립元順帝至正八年戊子立, 여충목왕麗忠穆王4년이라, 이 역시 여사麗史와 원사元史에 무고無攷하니 고려의 자작自作과 원으로부터 수입輸入을 판정치 못하겠고, 단 동국여지승람 풍덕군 경천사조에 '진령군강융晉寧君姜融이 원공元工을 뽑아다 이 탑을 만들었다'라 하였다.

하고, 김창협의 「송도유람기松都遊覽記」에 의하면,

신해년(1671)일이다. 경천사에 드니 절이 부소산 아래에 있다. 뜰에는 13층석탑이 있는데 돌 빛이 맑고 환하여 옥과 같다. 그 높이는 10여 길이나 되겠고 사면으로 돌아가면서 누대樓臺와 불상을 새겨 12회(13불회)를 상

징하는데 그 조각이 정교하여 모두 살아 움직이는 것 같다.

하며, 송도록의 기록과 『신증동국여지승람』의 기록에 대해서는, "어느 것이 옳은지 모르나 탑의 상면에 지정至正이란 연호를 새겼으니 고려 때 세운 것임은 틀림없다" 라고 설명하고 있다.

위 기록에서 13층탑이라 하는 것은 아래쪽 기단부터 이 탑의 층수를 계산하여 13층이라 말하였고, 오늘날에는 일반적으로 기단 상부의 전각 건물부터 헤아려 10층석탑이라 부르고 있다.[29]

허목許穆의 『미수기언眉叟記言』에는 "고려 때의 것으로 경천사敬天寺 석탑의 부도도浮屠圖와 성거산聖居山의 화장사華藏寺에 공민왕恭愍王의 조경자사도照鏡自寫圖가 있다"고 하나 전해지지 않으며, 경천사가 어느 때 폐사가 되었는지 명확하게 밝혀진 것은 없다. 조선시대에 들어와 조선 태조가 경천사에 나아간 기록으로 보아 최소한 조선 초기까지는 중요 사찰로 왕실의 비호를 받아온 것으로 보여진다. 김창협의 『송도유람기』에는 사찰 건물이 남아 있는 것으로 기술하고 있어

---

29 이에 대해 고유섭은 "지금 建築的으로 말하면 基壇이 3층이요 塔身이 9층이라 이대로 말하면 9층탑에 불과한 것인데 이것을 古記에 13층탑이라 한 것도 13佛會에 의하여 그것을 法界13층탑이란 것에 응한 것으로 간주한 까닭이 아닌가 한다" 한다.
또 장충식은 『한국의 탑』(일지사, 1989)에서 다음과 같은 견해를 피력하고 있다.
우리나라의 탑파는 목탑이나 벽돌탑 뿐만 아니라 석탑에 있어서도 삼국이래 소위 造塔所依經典이라 할 수 있는 무구정광대다라니경에 의하여 홀수의 탑만을 만들었던 것으로 짐작된다. 따라서 이 석탑에 대하여 구태어 층수를 논한다면 12불회까지의 전각 건물을 제외하고 상부의 방형 탑신부에 국한하여 7층의 석탑으로 보는 것도 한 방법이라 할 것이다. 그러나 우리나라 전형양식과는 다른 이 석탑에 대한 층수를 구태어 말할 것이 아니라 그냥 경천사지다층석탑이라 호칭하는 것도 한 방법이 되지 않을까 한다. 즉 신륵사다층석탑과 같은 용어가 있고 보면 차라리 이 같은 호칭이 더 자연스러울 것이라는 견해다.

최소한 17세기 말까지는 법등이 이어온 것으로 추정되는데, 신경준(1712~1781)이 찬술한 『가람고伽藍考』에는 경천탑의 기록은 보이나[30] 사찰 건물 기타의 기록은 보이지 않고 있어 18세기에 와서는 완전히 폐사가 된 것으로 추정된다.

고려 왕릉 도굴

장단군에 있는 고려왕의 제2릉은 3월 13일에, 제1릉은 3월 22일에 도굴을 당하여 파괴되었는데, 그 흔적은 광이 3척, 깊이가 2척5촌이나 되었다.[31] 『고종실록』 1907년 4월 18일 조에는 다음과 같이 기록하고 있다.

麗朝王陵의賊變 長湍郡에在혼
麗王의第一陵第二陵을不知何許賊
漢이破毀호얏는디廣이山尺으로三
尺이오深이二尺五寸인디該犯은現
今詞探中이오該陵修改之節은該地
方官으로舉行케혼다더라

『황성신문』 1907년 4월 22일자

장례원 경掌禮院卿 이주영李胄榮이 아뢰기를,

"방금 장단 군수長湍郡守 윤종구尹宗求의 보고서를 보니, '음력 정월 29일에 누군지 알 수 없는 어떤 도적놈이 고려왕 제2릉의 능 위를 파헤쳐 놓았다고 하기에 즉시 달려가 간심看審해 보니, 능 위의 서남쪽이 파헤쳐졌는데 둘레가 산척山尺으로 2척, 깊이가 2척이었습니다. 음력 2월 9일에 고려왕 제1릉에 또 변고가 있다고 하기에 즉시 달려가 간심해 보니, 능 위의 남쪽이 파헤쳐

---

30 『伽藍考』에는 "在府四十里 元丞相脫願塔"이라고 기록하고 있다.
31 『皇城新聞』 1907년 4월 22일자, 23일자; 『官報』 1907년 4월 23일

겼는데 둘레가 산척으로 3척, 깊이가 2척 5촌이었습니다' 라고 하였습니다"

1907년 4월 5일

도쿄대학《동양예술전람회》

1907년 4월 5일부터 8일까지 도쿄대 공과대학에서《동양예술전람회》를 가졌는데, 진열품은 대부분 이토伊東, 세키노, 이마니시 등이 청국과 조선에서 가져간 유물들과 탁본 및 사진들이었다. 그 중에서 조선 및 만주실에는 조선의 토기, 고와 및 사진 등이 진열되었다. 토기는 이마니시가 1906년 경주에서 출토하여 가져간 것으로 진열실에서 주목을 받았다. 한국의 유적 유물에 관한 사진들도 많이 진열되었는데 이것들은 세키노가 1902년에 한국에서 촬영한 것들이었다.[32]

1907년 4월

장단군에 있는 고려왕의 제1릉, 2릉이 파괴되었는데, 범인은 현재 수색 중이고 능의 수축은 지방관으로 거행케 했다.[33]

---

32 「工科大學東洋藝術展覽會」, 『歷史地理』 제9권 5호, 歷史地理學會, 1907년 5월.
33 『皇城新聞』 1907년 4월 22일자.

1907년 5월 4일

북한산성에 봉안한 어첩보책御牒譜冊을 매년 춘추로 의례 폭쇄曝曬하는데 5월 3일에 궁내부에서 돈녕사敦寧司 관원 1명과 역원 수 명을 파견하여 보책譜冊을 폭쇄하였다.[34]

1907년 5월 5일

오꾸마 시게노부大隈重信가 『동양경제신보』 412호에서 '한국독립소멸'을 선동하다.[35]

1907년 5월 13일

동학사에 강도 침입

5월 13일 밤에 강도 수십 명이 공주 동학사에 돌입하여 승려를 결박하고 절에 있는 물품을 약탈해 갔다.[36]

---

34 『大韓每日申報』 1907년 5월 5일자.
35 사회과학원 역사연구소, 『일제조선침략일지』, 사회과학출판사, 1973.
36 『皇城新聞』 1907년 5월 23일자; 『大韓每日申報』 1907년 5월 23일자.

1907년 5월 22일

통감부가 조선착취의 기초자료로 삼기 위한 호구조사를 완료하다.[37]

1907년 5월 25일

5월 25일 개최된 일본 고고학회상집회考古學會常集會에서 고고학 관계서류가 진열되었는데 그 중에는 고다니 교古谷淸 소장의 조선판 동몽선습언해童蒙先習諺解 1책(숙종3년간)이 포함되었다.[38]

1907년 5월

상주 서산사(西山寺) 중건 시도

상주군 청리면 하초리 서산에 소재한 서산사西山寺는 서산암西山庵이라고도 하는데, 본래 사명당화상四溟堂畵像을 소장하고 있는 유명 사찰이다. 상주목사 이한응李漢膺이 재임 시에 이 사찰의 기지가 명당이라 하여 승려들을 위협 추출하고 불

---

37 사회과학원 역사연구소, 『일제조선침략일지』, 사회과학출판사, 1973.
38 『考古界』 第6篇 第9號, 1907년 12월.

우佛宇를 훼철한 다음 자기의 선산先山을 이장移葬하였다. 당시 불상은 용흥사龍興寺로 옮겨가고 사명당화상은 남장사南長寺로 이송移送했다. 지금에 와서 부근 사찰 승려들이 이씨의 무덤을 옮기고 사찰을 중건할 차로 각방으로 호소했다.[39]

목사 이한응이 절을 폐한 것은 1905년이고, 용흥사는 갑장산 서편 중턱에 자리잡은 조계종 산하의 전통사찰로 직지사의 말사이다. 남장사로 갔다는 사명당화상은 알 길 없다.

관악산 연주암(戀主菴) 사권양도(寺權讓渡)

과천 관악산에 소재한 연주암戀主菴의 주관승主管僧 유계엽劉桂燁이 이 절의 유지를 위해 일본 본원사本願寺와 계약하였는데, 사중寺中에 제반 기용물품器用物品과 이 사찰의 사방 5리의 산림을 위탁委托하였다.[40]

이 같은 사례는 많았다. 당시 사방에서 봉기하는 의병의 항전시抗戰時 일병日兵의 의병토벌義兵討伐 수단手段의 잔인함이었다. 의병들이 묵어간 사찰이나 음식을 제공한 사찰에 대해 잔인한 보복을 가함으로써, 한국사찰은 그들의 잔인한 수단으로부터 벗어나려는 마지막 수단으로 일본사찰에 관리위탁을 했으며 일본사찰은 이러한 호기회好機會를 놓치지 않고 일본화에 박차를 가하였다.

---

39 『大韓每日申報』1907년 5월 17일자.
40 『皇城新聞』1907년 5월 23일자;『大韓每日申報』1907년 5월 23일자.

1907년 6월 5일

도쿄대《공과대학 건축학과 제2회전람회》

1907년 6월 5일부터 7일까지 도쿄대학 공과대학에서 개최한《공과대학 건축학과 제2회전람회》에 전시되었다. 이 전시는 주로 동양예술에 관한 물품을 진열했는데, 이토伊東, 쓰가모토塚本, 세키노關野, 이마니시今西 등이 중국과 한국에서 수집한 사진, 실물, 탁본 등으로 무려 수천 점에 달했다.[41] 한국 유물은 어떤 것인지는 목록이 없어 알 수 없으나 세키노와 이마니시의 행적으로 볼 때 주로 신라시대, 고려시대 건축에 관한 사진과 유물들로 짐작된다.

1907년 6월 9일

장단군에 한양조씨漢陽趙氏의 선조 양렬공襄烈公의 묘소가 있는데, 6월 9일에 일본인 복색을 한 도굴꾼들이 무덤을 파괴하고 고려자기를 파내 달아났다. 풍덕군과 장단군에는 이 같은 적변賊變이 많다고 한다.[42]

---

41 「工科大學建築學科展覽會」, 『史學雜誌』 第18編 第5號, 史學會, 1907년 6월.
42 『皇城新聞』 1907년 11월 12일자; 『大韓每日申報』 1907년 11월 12일자.

1907년 6월

고려왕릉 개수

정부는 개성부윤서리 장단군수 윤종구의 보고에 따라 굴변掘變을 당한 고려조 성종강릉成宗康陵, 원종소릉元宗昭陵, 문종경릉文宗景陵을 지방관으로 하여금 속히 개수하고 필역 후 비서승을 보내 치찰致察케 하다.[43]

접대소로 변한 경회루

외국 귀빈의 접대와 기타 공회公會 등에 응접應接하는 적당한 가옥이 없다하여 내각에서 경복궁의 경회루를 사용하기로 주청奏請하였는데 이를 허락하였다.[44]

이때부터 경회루는 접견소로 사용되고, 기생들을 불러 여흥을 즐기는 장소로 변모해 가 조신궁의 격은 나락으로 떨어졌다.[45]

---

43 『高宗實錄』 1907년 6월 17일자.
44 『大韓每日申報』 1907년 6월 28일자.
45 1907년에만 해도 다음과 같은 기사가 있다.
  北闕慶會樓는 公私團体의 宴會에 使用하기로 內閣에 奏請하야 允許를 承혼 故로 修理를 方在計劃筭中이라 하니 漢城內에 名사勝區는 慶會樓뿐인지 前日宮闕이 今日公園地가 되얏고(『大韓每日申報』 1907년 6월 30일자).
  再昨日上午十二時에 總理以下각部大臣이 北闕內慶會樓에셔 財政濫査쟝目賀田氏餞別宴을 開設하얏고 昨日上午拾二時에는 慶會樓에셔 總理大臣以下ㄹ部大臣이 官民同樂宴룰 盛設하고 ㄹ社會와 女子社會ᄭ지 一齊히 請遨宴待하얏고 本日은 각大臣이 桂大

물품 하사

고종황제가 일본연초전매국장 니오 고레시게仁尾惟戊에게 향로香爐 1좌, 세렴
細簾 1부一部, 금회단선錦繪團扇 5병五柄을 하사下賜하다.[46]

1907년 7월 5일

노량진 사충사(四忠祠) 철거 미수

노량진 일대를 일본군 사령부에서 군용지로 점령하고 사충사四忠祠를 철거하려

將餞別宴를 盛設ᄒᆞ얏다더라(『大韓每日申報』 1907년 10월 29일자).

慶會樓修理. 北闕慶會樓를 將次 修理ᄒᆞᆫ다ᄂᆞᆫ듸 該修理費 三萬五千八百六十五圓五十四
錢을 支撥ᄒᆞ라고 內閣에셔 度支部에 照會ᄒᆞ얏더니 該部에ᄂᆞᆫ 答照ᄒᆞ기를 今年度에ᄂᆞᆫ
預算이 不足ᄒᆞ야 支撥홀 수가 無ᄒᆞ고 明年度에나 支撥ᄒᆞᆫ다 ᄒᆞ얏더라(『皇城新聞』 1907
년 9월 13일자).

握手落淚. 再昨日에 各部大臣덜이 目賀田氏餞別宴을 慶會樓에서 設行하얏ᄂᆞᆫ듸 閉宴後에
總理大臣 李完用氏와 目賀田氏가 握手落淚ᄒᆞ얏다더라(『皇城新聞』 1907년 10월 29일자).

慶會盛宴. 昨日北闕慶會樓에셔 桂太郞氏의 餞別宴을 開ᄒᆞ얏ᄂᆞᆫ듸 內賓에ᄂᆞᆫ 總理大臣
以下 各府部院廳勅奏任官及 一般 社會諸員이오 外國賓에ᄂᆞᆫ 伊藤統監及各國 領事와 一
般 紳商이 同夫人赴來ᄒᆞ얏ᄂᆞᆫ듸 迎接委員은 尹致昨 魚允迪 崔相敦 等 諸氏오 夫人迎接
委員은 仁川府尹 金潤晶氏令孃이라 下午三時量에 宴席에 齊就ᄒᆞ야 桂太郞氏가 韓日
兩國의 關係가 漸次平和됨을 說明ᄒᆞ고 茶果를 畢ᄒᆞ얏ᄂᆞᆫ듸 餘興은 本國妓生의 劍南舞
로 破宴ᄒᆞ얏더라(『皇城新聞』 1907년 10월 30일자).

宴費請撥. 內閣에셔 度支部에 照會ᄒᆞ되 本年十月二十九日에 北闕慶會樓園遊會宴費
二千二百六十五圓을 支撥ᄒᆞ라 ᄒᆞ얏더라(『皇城新聞』 1907년 11월 14일자).

46 『皇城新聞』 1907년 6월 18일자.

고 하자, 후예 수십 명이 분기하여 각부 대신, 이토 통감, 하세가와長谷川 사령관과 담판하여 겨우 수호할 수 있었다.[47]

그러나 1927년 봄에 이 곳이 철도용지鐵道用地로 편입됨에 따라 당시 고양군 한지면 보광동(현재의 서울특별시 보광동)으로 이건하였다.『별건곤』제23호에 게재된

「경성이 가진 명소와 고적」에는 이건 후의 모습을 다음과 같이 기술하고 있다.

노량진 정거장 동남 측에는 한 소구小됴가 있으니 이는 전일 숙종시대 노소당쟁老少黨爭의 경과로 희생된 소위 노론 4대신 이신명, 이건명, 김창집, 조태채 4인의 사충서원-云 鷺江書院이니 이는 영종시대에 건설한 것으로 대원군 훼원시대에도 특전으로 면하였더니 시대번운의 결과 지금은 시흥군 북면사무소가 되고 사충서원이란 문액과 비석만 아직까지 그 면소 내에 잔존하야 있다.[48]

노량진의 원 위치에는 그 표지석만 남아 있다

---

47 『大韓每日申報』1907년 7월 7일자, 9일자.
48 考古生,「京城이 가진 名所와 古蹟」,『별건곤』제23호, 1929년 9월.

보광동으로 옮겨진 사충서원은 6·25 때 파괴되었다. 1968년 현재의 경기도 하남시 상산곡으로 이건하였으며, 매년 봄·가을에 향사를 지내고 있다.

1907년 7월 20일

고종 양위

1907년 7월 20일 고종이 헤이그 밀사 사건의 책임을 추궁하는 일본의 강압에 못 이겨 제위를 순종에게 위임했다.

헤이그 밀사 사건 이후 7월 18일 한국 대신들은 고종을 알현하여 시국을 수습하려면 양위할 수밖에 없다며 필사의 결의로 주상하였다.

『매천야록』에는 다음과 같이 기록하고 있다.

일본인들은 해아사건海牙事件에 한을 품고 우리의 목을 더욱 조이기 위하여 궁성을 병대로 포위하고, 또 이등박문은 리완용 등을 불러 다음과 같은 3개 조항을 요구하였다.

1. 을사오조약에 어인을 찍을 것.

2. 섭정할 사람을 추천하여 황위를 같이 할 것.

3. 거가車駕가 현해탄을 건너 일황日皇에게 사죄할 것.

그러나 이때 고종은 모두 윤허하지 않았다. 이에 이완용 등은 대하기를, "그렇지 않습니다. 당연히 태자에게 전위傳位하여 책언責言을 면해야 합니다" 라고 하였으나, 고종은 윤허하지 않았다. 이때 이완용은 칼을 빼어들고 고함을 지르기를, "폐하께서는 지금이 어떤 세상이라고 생각하고 계십니까?" 라고 하였다. 이때 폐하를 뫼시고 있는 무감武監과 액례掖隷들이 많았는데, 그들은 이완용의 행위를 보고 흥분하지 않는 사람이 없었다. 그들은 모두 칼을 빼어들고 고종의 말 한마디만 기다리며 이완용을 갈기갈기 찢어 죽이려고 하였다. 그러나 고종은 아무 뜻을 모르는 듯이 묵묵히 앉아 있다가 오랜 시간이 지난 후 이완용을 흘겨보며 "그렇다면 전위를 하는 것이 옳다"고 하자 이완용 등은 밖으로 나갔다.

고종도 사태가 이에 이르자 달리 어찌할 방법이 없음을 알고 양위를 결심하였다. 그리고 다음날 19일 새벽 3시 황태자가 군국의 대사를 대리한다는 칙어를 발표하였다.

양위식은 20일 오전 경운궁 중화전에서 약식으로 치렀다. 당시의 모습을『경성부사』제2권에는 다음과 같이 기록하고 있다.

참열을 명받은 대부분의 문무관은 주저하며 참내하지 않았다. 오직 내각 대신과 때마침 참내 중이던 두세 명의 중신만 참가한 가운데 적막한 대로 오전 10시에 무사히 양위식을 마쳤다. 예식이 끝나자 각 대신은 중명전에서 두 황제를 알현했는데, 구 황제가 "짐은 양위식을 마친 것을 기쁘게 생각한다. 황태자는 정치상 경험이 부족하기 때문에 첫째로 경들의 충실한 보필에 의지하지 않을 수 없다. 경들은 그것을 잘 헤아려라" 라는 칙어를 내리니 각 대신은 감격하여 퇴궐했다.

7월 20일 고종이 퇴위하자 22일에는 고종에게 태황제라는 존칭을 바치고 대리 칭호를 폐하였다. 8월 2일 연호를 광무光武에서 융희隆熙로 고쳤다.

1907년 7월 30일

성벽처리위원회 설립

성벽처리위원회를 내각령內閣令 제1호로 반포頒布한 '성벽처리위원회에 관한 건'은 다음과 같다.[49]

각령 내각령 제1호
성벽처리위원회에 관한 건
제1조 성벽처리위원회는 내부 탁지부 군부 3대신의 지휘 감독을 받아 성벽의 훼철 기타 이에 관련한 일체의 사업을 처리함
제2조 회장은 내부, 탁지부, 군부 차관 중에서 해 3부 대신이 협의한 후 이를 선임함
회원은 6명으로 정하고 내부, 탁지부, 군부에서 각 2명을 해 3부대신이 선임함
특별한 필요가 있을 경우에는 정원 외 임시위원을 선임함을 득함
제3조 회장은 위원회의 결의한 사항을 집행함

---

49 『官報』 1907년 8월 1일(『황성신문』 1907년 8월 8일자).

제4조 위원회에 관한 서무에 종사케함을 위하여 리원 2명을 둠

부칙

제5조 본령은 頒布일로부터 시행함

광무11년 7월 30일

1907년 7월

무역상 한양상회(漢陽商會)가 설립되다.

경성의 한양상회는 외국 물품을 수입하는 대신, 농산물, 해산품, 약원료, 고물류古物類, 유철제기명鍮鐵製器皿, 기타 각종을 수출하는 구미각국상품 주문 중개상이다.[50]

법부에서 개성부윤 보고로 인하여 평리원에 훈령하되 고려왕릉을 파훼하고 고기를 노출하여 일인에게 전 백냥을 받고 방매한 간상奸狀이 드러나 범인 박관본을 체포하였다.[51]

---

50 『皇城新聞』 1904년 7월 8일자.
51 『皇城新聞』 1904년 7월 30일자.

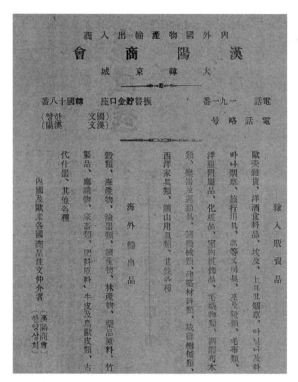

한양상회 광고(『대한매일신보』 1910년 8월 17일자)

국유미간지이용법 제정

1907년 7월에는 '국유미간지이용법國有未墾地利用法'[52]을 만들어, 그 제2조에, "국유미간지는 본법의 규정에 의하여 대여貸與"할 수 있도록 하여 일본 이주민들에게 나누어줌으로서 식민지 경영의 발판으로 삼고자 하였다.

산림소유구분의 제1착수는 1908년 1월에 발포한 구한국정부의 삼림법森林法에

---

52 高宗實錄 光武11년 7월 4일 條, 同 7월 6일 條(李志泰, 『大韓帝國期政策史資料集』, 1999).

의해 나타나는데, 즉 삼림법 제1조에, "삼림 산야의 소유자는 본법 시행일로부터 3개년 이내에 삼림 산야의 지적급자면적地籍及字面積과 견취도見取圖를 첨부添附하여 농상공부대신에게 제출하여야 하고 기간 내에 제출하지 않은 것은 모두 국유로 간주看做한다" 했다.[53] 그리고 국유재산은 탁지부에서 측량을 담당하고 공유재산은 군청에서 측량하며 사유재산은 지주가 측량測量하되 먼저 산림부터 시행하며 융희4년隆熙4年 겨울까지 한정限定했다. 기한전期限前에 측량하지 않은 것은 일체 국유재산으로 인정하고 척식회사에 붙여 일본이민의 자산으로 삼았다.[54]

이는 후일 일본인들의 소유지 및 임대지에 포함된 산간의 폐사지 등에 남아 있던 석조물 등에 대한 반출 등 막대한 피해가 뒤따르게 된다.

1907년 8월 11일

대한매일신보 시사평론

세계 각국에 계신 군자들 여보시오.

나라를 팔라먹는 종을 많이 무역하

▲시사평론

세계각국에 계신 첨군즈
들 여보시오 나라홀 팔아
먹는 죵을 만히 무역홀랴
거던 대한국으로 건너오시
오 황족귀인과 정부대관이
나라를 파는 죵이오 모
다 나라를 파는 죵이오 나
라 샤회의 멋만명이 다 나
라를 파는 죵이라 갑도 헐홀듯
호오 그거슨 사다 무엇 호
게 돈견만도 못훈거슬 그
저주어도 아니 가져 가겟소

려거든 대한국으로 건너오시오. 황족귀인과 정부대관이 나라를 파는 종이

53 農商工部山林課長 齋音藤作,「朝鮮の山林に就て」,『朝鮮 及 滿洲之硏究』第1輯, 朝鮮雜誌社發行, 1914, p.223.
54 黃玹,『梅泉野錄』(李章熙 譯), 大洋書籍, 1973, p.363.

오. 몇 만 명이 다 나라를 파는 종이라 값도 헐할듯하오. 그것을 사다가 무엇하게, 개돼지만도 못한 것을 그져 주어도 아니 가져가겠소.『대한매일신보』1907년 8월 11일자.

1907년 8월 24일

일본군이 용문사 방화

용문산을 중심한 그들의 소위 '토벌'의 일단은 1907년 8월 일군 아카시明石중대에 의한 용문산 일대의 의병과의 교전에서 상원사, 용문사 등이 모조리 소각되었다.

용문사(국립중앙박물관 소장 유리건판)

「일본군 토벌대의 보고문건(1907년 8월 27-28일자)」[55]에는 "양근 방면 토벌에 나선 보병 제52연대 제9중대는 1907년 8월 24-25일에 양근 동북방 약 20리인 장수동에서 연안막 상원사, 용문사, 용문동, 마동, 운현, 광탄에 걸친 지역을 소탕하여 적어도 폭도 50명을 죽이고 적의 근거지인 상원사 및 용문사를 쌓아 두었던 다량의 양식과 같이 불태웠음" 이라고 보고하고 있다.[56]

일본군이 상원사를 방화

1907년 9월 12일 대한매일신보에도 다음과 같은 기사가 있다.

상원사 화재

지난 월 24일에 용문산동에서 의병과 일병이 서로 접전하여 참혹한 광경은 이미 말하였거니와 용문산 상원사에 의병이 숨었다가 갔다고 일병이 그 절을 불태우며, 세간즙물이 몰수히 소화할뿐더러 세조대왕을 존봉하옵신 감실과 부처의 화상까지 다 소화되었다더라.

양평의 사라사舍那寺, 용문사龍門寺가 의병들의 거소據所가 되었다고 하여 일

---

55 『한국전쟁과 불교문화재(서울, 경기편)』, 대한불교조계종 총무원, 2007.
56 「한민족독립운동사 연표」, 『한민족독립운동사 13』에는 1907년 8월 31일에 양평 용문사를 방화했다고 기록하고 있다.

본병들이 완전히 불태워버린 것이다.

이 같은 의병항쟁의 혼란기에 상원사에 있던 종도 다른 곳으로 옮겨지게 되었다. 상원사에 있던 종은 원래 보리사의 중보重寶였는데 보리사가 쇠퇴하게 됨에 따라 상원사의 주승인 보월이 이것을 걸ㅎ하여 상원사로 옮기게 되었다고 전해진다.[57]

『대정5년도 고적조사보고』에는 "이 사에 있었던 고려시대 범종은 현재 경성 동본원사 설교장에 걸려 있다"라고 밝히고 있다. 또『경기지방의 명승고적』에는,

남산 본원사에 있는 현재의 범종은 경기도 양평군 용문산 상원사에서 구한 것으로 조선 4대명종의 하나로 유명하다. 구경 2척9촌5분, 두께는 2촌 2분, 하부의 주위 9척2촌4분, 상부의 주위 7척3촌6분, 고는 용두를 제하고 4척4촌, 무게는 약 4백여 관이다. 종소리는 실로 미묘하며, 전설에는 지금으로부터 범 천 년 전의 것으로 신라 경순왕의 명으로 주조된 것으로 약 3할이 넘는 순금이 포함되었다고 한다. 명치40년 4월에 양도받았다. 세키노 공학박사의 감정에 한식과 중국식이 절리折裏된 진귀의 종이다.[58]

■상원ㅅ화지 거쳘 이십ㅅ 일에 양구룡문산동에ㅥ 의병파 입병이 셔로 졉젼ㅎ여 참혹훈판경은 ㅅ왕에 노 말ㅎ여긔니와 룡문산샹원ㅅ에 의병이 슘엇ㄷ가 갓다ㅎ고 병이 그 졀을즁화여 셰ㄴ 즙물이 몰ㅅ슈히 쇼화홈ㅇ로 셰죠대왕을 존봉ㅎㅇㅅ신 감실ㅆ 부쳐의 화샹ㅅㅈ지다 쇼화가되엿다더라

57 新羅初期에 形成된 所謂朝鮮鍾形式의 發生過程과 曹溪寺 銅鍾이 차지하는 位置, 南天祐, 1972, 역사학보 54집.
58 朝鮮地方行政學會,『京畿地方の名勝古蹟』, 1937, pp.43-44.

라고 하고 있다. 그리고 1931년 10월 발행의 「남산 본원사 소사 본당창건 25주년기념」에는 다음과 같은 기록이 보인다.

1907년 7월 경기도 지평군 용문산 상원사 소장의 범종을 구입하였다. 상원사는 왕석往昔 보리사의 탑중塔中이었다 한다. 지금 그 내력을 조사하건대 보리사는 신라조 경순왕이 창건한 명찰로서 그 개기開基를 대경大鏡이라한다(高麗朝 尚書 左僕寺 崔彦撝 撰의 僧 大鏡 玄機塔碑가 있다). 왕의 귀의歸依가 불천不淺하였으므로써 일시 융성을 극極하였으나 성이星移 물환物換하여 쇠퇴함에 이르러 상원사의 주승인 보월寶月이 보리사의 중보인 범종 등을 얻어서 상원사로 옮긴 것이 곧 이 종이라 한다. 그 후 조선에 와서 세조대왕은 상원사의 주승인 봉성鳳城에게 귀의하사 왕이 스스로 참행參幸하고 당탑堂塔을 재흥하여 범자梵字를 수축修築하였던바, 양근, 지평일대에 폭도가 봉기하여 상원사의 가람도 또한 오유烏有로 귀의함에 이르렀다. 따라서 당원에서 대금 800원을 야마구치 다헤이山口太兵衛 씨에 의하여 양수하게 되었는데 운반에 동대문 밖에서 일어난 폭도(한일합방 전)에 방해되어서 착수 이래 3회 째에 겨우 헌병의 막대한 원소로서 수로 용산을 거쳐 별원에 도착하였다. 그간 근 16리 가량의 도정道程에 3회의 경비를 합하여 금 515원을 쓰고 있다. 범종의 구경 2척9촌5푼, 두께 2촌2푼, 하부의 주위 9척2촌4푼, 상부의 주위 7척3촌6푼, 고 용두를 제하고 4척4촌, 중 약 400관, 전하는 바에 의하면 주조 당시 아직 금동 취분吹分의 술이 불명하였기에 황금의 혼입混入함이 약 13관, 조선3대 명종의 하나이다."[59]

총독부는 이것을 1939년 제5회 보존회 총회에서 보물로 지정하여 '청동범종'이라 하였다. 츠보다 료헤이坪田良平는 이 종에 대해 순수한 조선식 종이 아니라 "화종과 조선종의 혼혈아"라고 단정하고 있다.[60] 8·15 해방 후에는 이 종을 조계사로 옮겨 국보 제367호로 정했다. 그 후 1962년 12월 1일부터 3일간 문화재위원회에서 용문면의 노인들과 함께 조사한 결과 조계사에 있는 종이 가짜로 밝혀져 국보에서 해제하기에 이른다.[61] 진짜 상원사종은 일부 무뢰한들이 계획적으로 일본에서 급조하여 한강에서 바꿔치기 했다고는 하지만, 확실한 근거가 부족하다.[62]

59 黃壽永,「傳 龍門山 上元寺 銅鐘 鐘延」,『황수영전집5』, 1998, 도서출판 혜안에서 轉載.
60 坪田良平,「京城大谷派本願寺別院の鐘」,『考古學』第3卷 第5號, 東京考古學會, 1932.
61 「龍門山 上元寺 銅鐘搬出의 經緯調査」,『考古美術』29, 考古美術 뉴스.
   동인 정영호, 신영훈 양씨와 이호관, 문갑수, 이구열 제씨와 김화영 양은 12월 1일 양평군 용문면 연수리 거주의 고노들로부터 1908년경에 반출된 동종에 관한 자료수집 차 현장에서 1박하고 익일 상원사도 조사하였다. 동일 문화재위원장과 이홍직 위원 진홍섭씨도 도착하였다. 익 3일에는 고노 2인이 상경하였으며 오후 2시 반부터 조계사 종각에서 그들의 증언을 듣고 녹음하였는데 상기인사들이 참석하였다.
62 이 종이 가짜가 아니라는 견해는, 南天右의「所謂 朝鮮鐘 形式의 發生過程과 曹溪寺 銅鐘이 차지하는 位置」(『歷史學報』54輯, 1972)가 있다.
   남천우의 주장은, 조계사종은 "新舊 兩樣式이 지니는 특징들을 모두 거의 완전하게 구비하고 있으며, 상원사 동종보다도 제조연대가 앞서는 특징을 가지고 있다. 따라서 同종의 제조연대는 7세기 중엽 또는 후반경이라고 추정할 수 있으며 이것은 한국 最古의 것이다. 同종은 이상과 같은 형식상의 변천과정을 보여 주는 국내 唯一의 遺品이며 따라서 同종의 문화재로서의 가치는 막중한 것이며 문화사적인 측면에서 본다면 우리나라 범종으로서는 最貴의 것이다. 그러므로 조계사의 동종은 조속히 국보로서 재지정되어야 한다"라고 하고 있다.

1907년 8월

1907년 7월 19일 일제와 친일내각의 강제에 의해 고종황제가 순종황제에게 양위함에 따라 8월 27일로 순종 황위즉위식이 경운궁에서 거행되고 아울러 순종이 창덕궁으로 이행移幸하자 경운궁의 궁명은 덕수궁으로 개칭하게 되었다.[63]

이마니시 류今西龍가 경남 김해군 김해면 회현리 패총을 시굴하고 유물을 채집하다.[64]

충주군 성첩을 훼철한 석재石材로 충주군 공립보통학교 건축에 수용需用하도록 내부에서 허락하다.[65]

---

63 岡良助,『京城繁昌記』, 博文社.
    近藤時司의『(史話傳說) 朝鮮名勝紀行』(1929년 博文館)에 의하면, '德壽'란 高宗의 長壽
    를 祈願하는 意味로 命名한 것이라고 한다.
64 有光敎一,『朝鮮考古學75年』, 昭和堂, 2007; 濱田耕作,『考古學研究』, 座右寶刊行會刊,
    1939, p.293; 藤田亮策, 梅原末治, 小泉顯夫,「慶尙南北道忠淸南道古蹟調査報告」,『大正
    11年度古蹟調査報告 1册』, 朝鮮總督府, 1924,
65 『皇城新聞』1907년 8월 16일자.

1907년 9월 1일

서적 및 책판 조사

학부에서 한성부 및 13도 관찰사에게 훈령訓令하되 교과 소용 도서는 물론이고 각종 서류도 필히 본부의 검열 후에 편찬할 것이며, 각 관청 및 사찰, 사가私家 등에 있는 각종 서적, 침판鋟板을 일일이 조사하여 경사經史 자전子傳 및 문집文集, 비사秘史, 소설小說 등 판板을 하나도 빠짐없이 별지양식에 의거하여 보고하라 하였다. 만약 9월까지 보고하지 않으면 그 책임을 묻겠다고 했다.[66]

보은향교를 일병이 방화

『황성신문』 1907년 9월 7일자

1907년 9월 1일 보은향교 근처에서 의병과 일병이 교전을 했는데, 의병이 퇴각한 후 일병이 보은향교에 불을 질러 대성전大成殿을 비롯한 기타 건물이 불탔다.[67] 당시 민간 가옥도 일병에 의해 5백여 호나

---

66 『大韓每日申報』 1907년 9월 1일자.
67 『皇城新聞』 1907년 9월 7일자; 『大韓每日申報』 1907년 9월 7일자.

불탔다.[68] 조선인의 원성이 높아가자 1908년에 보은향교 대성전을 재건할 때 보은군에 주둔한 일본보병단장은 건축비 300원을 내 놓기도 했다.[69]

경성박람회

1907년 9월 1일부터 11월 15일까지 경성박람회가 대동구락부에서 열렸다. 1906년에 개최한 부산박람회의 자극을 받은 영향도 작용했으리라 여겨진다. 이 기간에는 마침 일본 황태자의 방문기이기도 했기 때문에 한일 양국의 관심도가 높았다.

『경성발달사』에는 다음과 같은 기록이 보인다.

1909년 9월에 이른바 일한연합박람회 즉 경성박람회를 경성에서 개최하였다. 이에 앞서 지난 명치39년(1906)에 부산에서 박람회를 개최한 이래 경성박람회 개설의 논의는 경성관민의 여론이 되어 먼저 그 토지의 개발과 통상무역상에 지대한 호영향을 미치는 것은 물론 문예, 미술 및 산업상에 취미와 실익을 주며, 특히 일한 양국의 생산품 및 공예품을 진열하여 일한민의 공동 관람에 제공한다면 양국인 사교상의 융화는 물론 한국 산업과 문화의 진자 발전에 북돋우고 <중략>

---

68 『大韓每日申報』1907년 9월 10일자.
69 『皇城新聞』1908년 1월 23일자.

한국의 개발에 급했던 통감부는 정치적으로 다망한 때에 구애받지 않고 몸소 그 발기자가 되고 또 실행자가 되어 5월경부터 이의 개설에 대해 계획하였고 앞서 한국 정부를 설득하여 이를 개설하도록 하였던 바이였는데, 일본 측에 있어서는 당시 통감부 총무장관 츠루하라 사다요시鶴原定吉가 주축이 되고 미우라三浦 이사관, 구마가이熊谷 민장, 야마구치山口 상업회의소 회두, 와다和田 민단의장 등이 거류지 각부의 기관을 대표하여 이를 익찬翼讚하고, 한국 측에 있어서는 당시 농상공부 대신 송병준이 솔선하여 이에 진력으로 주선하였고, 탁지부 역시 크게 찬동하여 일한박람회는 이로써 일한관민의 일치행동에 의해 신속하게 개설되기에 이르렀던 것이다.[70]

통감부가 발기자 즉 주체가 되었다는 것은 이를 표면적으로 통감부 정치의 치적을 과장하여 나타내고자 하는 의도가 있었음을 짐작할 수 있다. 또한 이들의 구성을 보면 당시 서울 재주의 일본인 유지들이 총동원된 셈이다.

1907년 8월에 농상공부에서는 13도 관찰사에게 훈령하여 "경성박람회 출품 각종을 8월 15일 이전에 본부로 도착하게 하면 높은 가격으로 매수買收하겠다"고 했으나 그 기한이 너무 짧아 재차 발훈하여 "8월 20일 내로 도착할 수 있도록 하라"고 하기도 했다.[71] 또 상공부장관 송병준은 8월 11일 각도 관찰사에게 "경성에 박람회를 설립할 터인바 9월 1일부터 11월 15일 내로 관찰사는 상경하

---

70 京城居留民團役所, 『京城發達史』, 1912, pp.210-211.
71 『皇城新聞』1907년 8월 5일자, 8월 10일자.

여 관람하라"고 통보했다.[72]

경성박람회를 위해 신문에는 연일 광고를 실었는데, 그 내용은 다음과 같다.

○ 회기는 융희원년 9월 1일부터 11월 15일

○ 입장료는 금오전金五錢으로 함

○ 여흥余興은 한일기생韓日妓生의 답무踏舞와 군악軍樂이 유有함

● 경성박람회 ●

○ 진렬품은 곡물, 직물, 식료품, 금제품, 금은세공물 미술품 등과 기타 각

종 물이 여산如山히 재在함

○ 진렬품은 즉매卽賣함

○ 관람차로 왕복하는 사람은 특별히

기차비는 십분지삼을 감함

○ 환향기선비는 십분지육을 할인함

을 득함

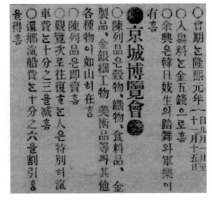

『황성신문』 1907년 8월 27일자 광고

당시 진열된 물품이 어떤 것인지 구체

적으로 알 수 없으나 황성신문 기자가 쓴 '박람회기'를 보면 대략 다음과 같다.

박람회기

경성박람회를 본월 1일부터 개회함은 본보에 이미 보도하였거니와 특별

72 『大韓每日申報』 1907년 8월 11일자; 『皇城新聞』 1907년 8월 12일자.

입장권을 보내왔기에 본 사원이 그 호의에 감感하여 재작일에 이를 관람한지라 그 경황景況을 개기概記하건데,

제1호관은 장방형 45평인데 주류와 압록강변에서 채취한 목재와 재정고문부財政顧問部에 낭엽茛葉과 각 군에서 출품한 미곡, 과실, 등과 광석과 곡물에 유해충급유익충有害虫及有益虫을 진열하였고,

제2호관은 사각형 120평인데 장유, 과자, 화장품, 약품, 지제품, 모피물, 다등을 진열하였고,

본관은 203평인데 우리 정부의 보조로 건축한 대동구락부大東俱樂部니 원형의 양옥이라 인형과 미술품을 장치하였고,

연예원에는 일주일에 3차식 아국기생급삼패我國妓生及三牌와 일본기생이 각 일일씩 가무를 진주한다는데 이일伊日에는 삼패강진三牌康津과 연심蓮心과 가객歌客 이순서李順書가 잡가雜歌를 질탕迭蕩히 하매 관객이 이 곳으로 몰려와 광장이 미만彌滿하고,

제4호관에는 사각형 120평인데 오복류吳服類, 사류絲類와 인형을 진열하였고, 그 외에 한국풍속의 사랑 한 칸을 정결히 건축하여 문방사우 제반을 비설備設하였고 각 요리점이 처처에 있는데 한국요리점으로는 명월 주인 안순 씨가 광고하기 위하여 출장하였는데 극히 염가로 음식을 공진供陣한다더라.

이상의 내용을 보면 처음 요란했던 것에 비해 그리 대단한 것은 아니었던 것 같다. 계속된 황성신문 기자의 소감을 보면,

박람회를 우리 농상부의 계획으로 실업을 발달하기 위하여 시설함인데

그 내에 진열한 물품은 대부분 외국 물품이오. 한국인은 출품한 것이 2, 3 인에 불과하니 조창한 씨가 모피물을 출품하고 백인기 씨는 주렴珠簾이오. 정두한 씨는 지류紙類오. 박영두 씨는 선자扇子를 출품한 외에 농상공부의 출품으로 각 군에서 보내온 물건 수 종 뿐이라. 한국 인민이 대저 실업에 종사하는 사람은 그 소유물품을 박람회에 보내어 세인으로 하여금 미려함을 알게 하고 세인이 이를 알게 하여 상업이 흥왕하는 것이거늘 인민이 몽매矇昧하여 출품치 아니하고 외국인에게 탈점奪占한 바 되었으니 실업의 쇠잔衰殘함이 우연함이리오. 오호라 지방 군수도 박람회의 하물何物됨을 알지 못하여 생금生擒한 앵아鶯兒와 구갑舊甲 등을 보내옴이 외국인의 소병 笑柄이 되었다.[73]

『황성신문』 1907년 10월 13일자의 '박람회에 대한 관감觀感'이란 논설의 일부를 보면, 다음과 같이 기술하고 있다.

제1호관 내에 약간 아국산我國産의 물품을 배설排設하였는데 각종 광석, 금, 동, 매탄煤炭의 류와 각 종농산물種農産物, 사, 마, 곡, 속, 연초류와 기타 수산, 삼림, 등 물이오. 그 외 각호관내는 대개 외국산품이오. 아국물품은 간혹 배설排設이나 불과 추균야립麁菌野笠 등 망분지물莽笨之物이오. 1건도 제조품에 가칭할 것이 없고 불연不然이면 고습루풍故習陋風의 우상급기구偶像及器具 진설陳設이라. 관람이 지止함이 개연慨然함을 불감不堪하도다.

73 『皇城新聞』 1907년 9월 7일자.

이 박람회는 경성박람회라 했으나 실제 그 박람회의 취지와 출품 물품에 대한 홍보가 부족했음인지 한국인의 출품이 많지 않았던 것이었다. 다음과 같은 기사에서 잘 드러나 있다.

박람회출품

숙천, 문의, 부여 등 삼군에서 박람회출품소에 물품을 송치하였다는데 숙천군에서는 구파갑舊破甲 1건이오. 문의군에서는 해군 읍내 양성산 하록에서 산출한 수정 5괴오. 부여군에서는 백제국 창고 소신미燒燼米 1두一斗라 더라(『황성신문』 1907년 9월 4일자).

황앵환비黃鶯還飛

익산군수 김정기 씨가 박람회물품 3종을 농상공부에 납정納呈하였는데 생금황앵生擒黃鶯 1수와 맥수량기麥穗兩歧 1본과 구립자舊笠子 1립인데 황앵은 박람물품 건이 아니라 하여 환하송還下送하였다더라(『황성신문』 1907년 9월 4일자).

군수가 이 정도이니 일반인들이 박람회에 어떤 물품을 출품해야 하는지를 알 리 없는 것이었다. 따라서 경성박람회라 했지만 이는 외국인들의 박람회라 할 수 있으며 그 규모에 있어서도 부산박람회에 미치지 못한 것으로 보인다.

그런데 이번 진열품 중에는 특별한 것이 있었으니, 황철 강원도관찰사가 출품한 금불이다.[74] 박람회가 끝난 1년 후인 1908년 11월에 일본에서 건너온 쓰

---

74 『大韓每日申報』 1907년 8월 22일자에, "강원도관찰사 黃鉄氏가 農商工部博覽會物品을

마키妻木 공학박사를 궁내부차관 고미야 미호마츠小宮三保松가 대동하고 동현박
물관銅峴博物館에 진열한 물품들을 관람했다. 쓰마키 박사는 한 모퉁이에 진열
된 금불을 보고 크게 놀라 "이 물건이 어디에서 온 것이냐?"고 물으니 박물관
주인이 답하기를 "작년에 강원도관찰사 황철黃銕 씨가 출품한 물이라" 하니, 쓰
마키 박사가 "이 불상은 이천년 전에 제작한 것인데 현재 시가로 논하더라도 8
만여 환의 가치가 된다"고 했다.[75]

여기서 말하는 '동현박물관'이라는 것은 골동상점을 말하는 것인지 '동현'이
란 이름의 박물관이 있었는지 구체적으로 어떤 것인지를 알 수 없다.

『황성신문』1906년 5월 24일자에는 "광무기감 거지부鑛務技監巨智部 충승忠承

경성박람회가 개최되었던 건물(중앙의 원형 건물이 전 대동구락부 건물로 경성박람회의 중심 건물이다.
『매일신보』1912년 5월 4일자에 실린 사진이다. 사진에는 '남부구리개의 조선귀속회관'이라
설명을 하고 있는데, 간판은 '농상공부'란 간판이 남아 있어 귀족회관이 들어서기 전의 모습이다.)

上述하였는데 一千四百餘年된 金佛이라더라" 라는 기사가 부이다
75 『皇城新聞』1908년 11월 26일자.

씨가 농상공부에 공함公函하되 대동구락부 인가鄰家 외교고문관저에 진열관을 설립하겠고 장차 박물관을 설設하겠다 하였더라"는 기사가 보이고 있는데, 앞에서 '박물관주인 운운'으로 보아 혹 이것을 지목하는 지 의문이다. 또 『대한매일신보』 1908년 12월 10일자에는 "농상공부는 명년도에 위수병원 내 신축청사로 이전할 터인데 현 청사는 대동구락부大東俱樂部에서 매수하여 상품진열관을 설비할 계획이라더라" 라는 기사가 보이고 있어 대동구락부의 진열관에 있는 금불을 보았는지 모두 의문이다. 이후 금불의 행방에 대해서도 미상이다.

동현銅峴은 속칭 '구리개'라 부르기도 하고, '구리현九里峴'이라고도 불렀는데, 1914년 이후 황금정 2정목 입구의 부근으로,[76] 현재 을지로 입구 부근에 해당된다.

경성박람회가 개최되었던 대동구락부 건물은 얼마 지나지 않아 농상공부가 이곳으로 청사를 옮겨 왔으며, 1911년에는 조선귀족회관으로 사용되었다.

1907년 9월 3일

**일본군의 방화로 도성암(道成菴)과 낙사암(落寺庵)과
동암(東庵) 등의 사찰이 소실되다.**

1907년 9월 2일에 풍기군에서 의병과 일본군 니시오카西岡중대와 교전을 하였는데 일군은 패퇴하고 의병들은 각화사 부근에서 일군의 군물을 다수 징수

---

76 李重華, 「京城市廛의 變遷」, 『별건곤』 제23호, 1929년 9월.

하였다. 의병대장은 원주 진위대 특무정교 민영호閔泳鎬인데, 격문을 비전飛傳하여 문무양반을 소집하고 군량을 수취하여 일군과 항전하였다. 3일에는 각화사에서 전투를 하는데 의병은 태백산 방면으로 퇴각하였다. 일병은 도성암道成菴과 낙사암落寺庵과 동암東庵 등 사찰에 방화하였다. 이유는 승려가 의병과 합세하는 것을 방지하기 위함이라고 했다.[77]

『대한매일신보』1907년 9월 20일자에는 다음과 같은 기사가 있다.

풍기군에서 의병義兵이 지난 2일에 일본 니시오카西岡중대와 교전을 하였는데 일본 중대는 패퇴하고 의병은 각화사覺華寺 부근에서 일군日軍에 군물軍物을 다수多數히 징수徵收 중이라 하고 수괴首魁는 원주진위대 특무정교特務正校 민영호閔泳鎬인데, 격문을 비전飛傳하여 문무양반을 소집하고 군량을 수취하며 일군日軍이 래도來到하면 험루險壘를 견수堅守하여 항전한다하고, 3일 미명未明에 삼면으로 연락한 의병이 일군을 박축迫逐하는데 승려僧侶에 일행 3백여 명과 한병韓兵 백여 명이 일본 오쿠스大楠 분대와 각화사에서 전투하는데 포성이 수시數時을 불절不絕하다가 의병은 태백산 방면으로 패각敗却하였다하고 일군日軍이 도성암道成菴과 낙사암落寺庵과 동암東庵 등 사찰에 방화放火하여 승려僧侶가 의병과 합세할 후려後慮를 제제除함이라하고.

방화의 이유는 이후 의병과 승려가 합세하여 지항해올 것을 우려함이라고 하고 있다. 이는 보복적 차원에서 승려들이 머물 수 있는 근거지를 없애기 위

---

77 『대한매일신보』1907년 9월 20일자.

함은 물론이고 차후 다른 사찰에 대해서 의병에 협조하면 사찰을 방화하겠다는 경고성의 악랄한 수단을 사용한 것이다.

당시 각화사 근처에서 치열한 교전이 있었으나 『대한매일신보』 1907년 9월 20일자 기사에는 각화사를 방화했다는 기사는 보이지 않는다. 그런데 1912년 11월 30일자로 각화사와 태백산사고를 조사한 야쓰이 세이이치谷井濟一의 기록에 "봉화군 태백산 각화사 건물은 명치41년(1908) 폭도의 불지른바가 되어 유물이 볼만한 것이 없습니다"[78]라고 하고 있다. 또 아사미 린타로淺見倫太郎는 태백산사고를 설명하면서 "경상북도 태백산성의 사고는 산성제는 타산성과 동일하니, 사고 참봉 2인은 관찰사가 본 지방인으로 차출한다하였고 곁에 각화사가 있는데 사의 본당은 명치41년에 폭도토벌 시에 소실되었으나 사각史閣은 무사하여 이 실록은

태백산사고

---

78 谷井濟一, 「朝鮮通信4」, 『考古學雜誌』 제3권 제9호, 1913년 5월.

그 후 경성으로 옮겨 총독부문고에 보관하였더라"[79]라 하는데 1908년에 각화사가 불탔다면 1908년 5월에 변학기, 성익현, 김상태 등이 이끄는 의병들과 일본군의 교전이 치열했던 점으로 미루어 보아 1908년 5월경이 아닌가 한다.

1907년 9월 9일

9월 9일 진천군에서 의병과 일본군이 교전을 하였는데, 진천군의 관아 건물 중 내아內衙만 화를 면하고 나머지는 몰소沒燒되었다. 뿐만 아니라 민가 역시 200여 호가 불탔다.[80]

1907년 9월 12일

일본군에 의해 수원 용주사가 피해를 입다.

1907년 9월 12일에는 수원 용주사가 의병대에게 점심을 토색당한 후 토벌대에게 소각되었다[81]는 보도가 있었다.

『大韓每日申報』1907년 9월 15일자

---

79 淺見倫太郎,「舊政府의 秘藏한 기록2」,『每日申報』1916년 10월 4일자.

80 『皇城新聞』1907년 9월 14일기.

81 임종국,『신록 친일파』, 돌베개, 1991. p.28.

『황성신문』 1907년 9월 18일자에는 다음과 같이 와전된 것이라고 하고 있어, 피해가 소문보다 적었던 것으로 보인다.

소사와전燒寺訛傳. 수원군에 있는 용주사龍珠寺에서 일병 및 의병이 상호교전互相交戰하다가 충화몰소衝火沒燒하였다고 각 신문에 게재되었더니 이 도의 참서관 김한목 씨가 내부 부군과장 송지헌 씨에게 통첩하되 이 사찰의 피소사被燒事는 시내와설是乃訛說이라 하였더라.

1907년 9월 18일

도쿄국립박물관에서는 9월 18일 청자과형병靑磁瓜形瓶 1점을 구입했다.[82]

1907년 9월 19일

일본군에 의해 나주 신륵사가 불탔다.[83]

---

82 『東博圖版目錄』, 2007, 圖16.
83 韓國佛敎總覽編纂委員會, 『韓國佛敎總覽』, 1993.

1907년 9월 23일

일본군이 봉복사(鳳腹寺)를 소각하다.

1907년 6월부터 리건하, 원룡팔, 원진석, 등이 이끄는 의병들이 봉복사를 중심 거점으로 하여 일제에 맹렬히 저항을 했다.[84] 1907년 9월 22일부터 의병 350명이 횡성 봉복사에서 일본군과 접전을 하였다. 9월 23일에는 일본군이 의병의 근거지인 갑천리와 봉복사를 습격하여 350명의 의병을 후퇴시키고 봉복사에 불을 질러 소각했다.[85]

봉복사鳳腹寺는 강원도 횡성군 청일면 신대리 덕고산德高山에 있는 절이다. 화재 이후 봉복사에는 「월정사본말사재산대장」[86]에 의하면, 목조아미타존상 1구, 부도 6좌, 고문서 1점, 고서화 1점, 범종 1점, 법화경 7권, 불기 5개 등이 있었던 것으로 기록하고 있다.

원래의 절터는 밭이 되었고, 현재의 봉복사는 이곳에서 400여 미터 산쪽으로 올라가 자리 잡고 있다. 지방유형문화재로 지정된 통일신라시대의 3층석탑이 있다.[87]

---

84 『皇城新聞』1907년 6월 18일자.
85 文敎部國史編纂委員會, 『高宗時代史6』, 1968.
86 국립중앙박물관 소장 총독부박물관 공문서 목록번호 : 96-029.
87 신종원, 「철원 심원사 石臺庵의 累石臺에 대하여」, 『역사민속학』, 한국역사민속학회, 1992.

1907년 9월 28일

일본군이 여주 신륵사 방화

『황성신문』 1907년 10월 5일자

1907년 9월 28일에 의병 수십 명이 여주 군 신륵사에 들어가 점심을 먹고 즉시 다른 곳으로 이동을 하였으나 일본군이 뒤따라와 의병들에게 점심을 제공하였다는 이유로 사찰에 불을 질렀다.[88]

학부學部에서 각 지방에 훈령하여 서책을 수집하는데, 즉 각 지방 사찰이나 군에 소장하고 있는 가관可觀할만한 책판冊板이 있으면 이 책판을 수상收上하여 서책을 인쇄할 계획이라 한다.[89]

---

88 『大韓每日申報』隆熙元年 10월 5일자
　古刹回祿. 陰本月 12日 日兵이 神勒寺를 衝火하여 수백년 古刹이 一朝에 沒燒되었다더라
　皇城新聞 隆熙元年 10월 5일자.
　驪州傳說. 傳說을 得聞한즉 9월 28일에 義兵 幾十名이 여주군 神勒寺에 突入하여 점심을 토색하여 먹고 즉시 타처로 떠났는데 일병 수명이 뒤따라 가서 의병들에게 점심을 제공하였다는 이유로 該寺刹을 衝火沒燒하얏다더라.
89 『大韓每日申報』1907년 9월 18일자.

1907년 9월

숭례문 북측 성벽 철거

1907년 10월에 숭례문 북편 성첩은 훼철에 착수하였고, 숭례문 밖 연지는 메워버렸다.[90]

1907년 6월 21일에 총리대신 이하 각부 대신이 내각의회를 열고 안건을 제출하였는데 그 회의 건은 4대문의 성첩을 헐어내고 그 기지에 가옥을 건축할 건이었다.[91] 내각총리대신 이완용이 상주하여 숭례문과 흥인지문의 좌우 성첩을 헐어내는 일은 이미 재가裁可를 받았으며, 그 밖의 성벽도 운수에 방해가 되는 곳은 내부·탁지부로 하여금 훼철케 할 것을 청하였는데 재가했다.[92] 그리고 훼철한 성벽의 재료는 경매에 붙이기로 했다.[93]

숭례문의 좌우 성벽을 헐어버리고 부근 가옥을 매입하는 건은 이미 1907년 3월부터 의논되었던 것으로,[94] 그 이유는 숭례문의 좌우 성벽을 헐어버리고 도로를 만들어 인민의 왕래를 편하게 하겠다는 것이다.[95] 이에 대한 것을 의정부 참정대신 박제순, 내부대신 이지용, 군부대신 권중현이 상주上奏했다.[96]

---

90 『皇城新聞』 1907년 10월 5일자.
91 『皇城新聞』 1907년 6월 24일자.
92 『官報』 1907년 6월 25일자.
93 『大韓每日申報』 1907년 6월 28일자.
94 『皇城新聞』 1907년 3월 30일자.
95 『皇城新聞』 1907년 4월 1일자.
96 『皇城新聞』 1907년 4월 4일자.

숭례문 밖 전경

1907년 7월 30일 성벽처리위원회를 거쳐[97] 1907년 9월부터 세관공사부에서 남대문 북측 성벽 제거에 착수해 10월 초순 남대문 앞에 있던 연못南池[98]을 메웠다. 이에 일본 황태자가 입성하기 직전 이곳은 완전히 개수되었다.[99] 조선 500년의 금성양지金城陽地는 이때부터 인위적으로 파괴되어 갔다.[100]

숭례문 남편 성첩은 1908년 3월 7일부터 헐기 시작했다.[101]

---

97 ‘城壁處理委員會 件’(1907년 7월 30일), 官報 光武11년 8월 1일.
98 崇禮門 밖에 있었는데 연꽃을 심어 蓮池라고 이름했다. 민간에서는 김안로의 집터라고 한다(東國與地備考 第2卷, 漢城府 條).
99 서울특별시 시사편찬위원회, 『國譯 京城府史』 제2권, 2013.
100 京城府, 『京城府史』, 1936년 3월, p.51.
101 『皇城新聞』 1908년 3월 10일자.

송림사(松林寺) 책판 조사

학부에서 각종 서적침판書籍鋟板의 유
무를 조사보고하라고 13도에 훈령하였
는데, 칠곡군수 금상섭金商燮이가 내부에
보고하기를 다른 책판册板은 없고 다만
송림사松林寺에 충장공유사忠壯公遺事 책
판이 있는데 사패승산寺敗僧散하여 보관
하는 사람이 없으므로 거개擧皆 유실遺失
하여 전부의 책 수는 알 수 없고 현존하
는 판수板數가 15개라고 보고하였다.[102]

송림사(국립중앙박물관 소장 유리건판)

《비도초멸(匪徒剿滅)에 관한 고시(告示)》를 발하다.

일제에 대한 줄기찬 저항은 의병을 중심으로 항일전에 거족적으로 참여하자
당시 정부는 의병봉기에 대한 대응책의 일환으로 각도에 의병 해산의 선유문宣
諭文을 보내고[103] 선유위원宣諭委員을 파견하였으며,[104] 그래도 의병들의 항전이

---

102 『皇城新聞』1907년 9월 21일지, 『大韓每日申報』1907년 9월 21일지.
103 1896년 2월 18일(官報 建陽元年 2월 18일 條), 1896년 2월 27일(官報 建陽元年 2월 27일 條).
104 洪淳權, 「奎章閣 所藏의 韓末義兵運動 關係資料에 대한 調査報告」(『奎章閣11』, 서울대
학교도서관, 1991)에 의하면,
1907년 5월부터 1909년 6월까지 전국 각 도, 군에서 내각에 올린 〈各道各郡報告書〉에,
각도에 선유위원을 파견하여 이른바 조선황제의 御意와 詔勅을 각 지방 인민에게 직접

가라앉지 않자 초조한 일군사령부는 1907년 9월 한국인 일반에 대하여 《비도초멸匪徒剿滅에 관한 고시告示》를 발하였는데, 그 내용은 다음과 같다.

비도匪徒를 섬멸하고 중서衆庶를 도탄으로부터 구하고자 하는 목적을 분명히 하여 비도로서 귀순하는 자는 그 죄를 묻지 않고 이들을 잡거나 또는 그 소재를 밀고하는 자에게는 반드시 중한 상을 줄 것이며 만일 완루頑陋를 깨닫지 못하고 비도에 가담하거나 이들을 은피시켜서 또 그 흉기를 숨겨주는 자에 한해서는 엄벌하되 추호도 용서치 못할 뿐 아니라 그 책임을 현행범이 사는 온 촌읍에 물어 전 부락을 엄중히 처치한다는 것을 말해야 한다. 그리하여 특히 사건발생 초기에 있어서는 부락민 역시 피등彼等 폭동에 동정하여 이것을 비호하는 경향이 있었으므로 토벌대는 이상의 고시에 의거 책임을 현행범의 촌읍에 물어 엄중히 처치한다.[105]

'엄중한 처치'란 부락민 전체에 대한 처형과 부락의 소각燒却을 의미하며 의병부대의 최대의 잇점이던 민중으로부터의 원조와 보호를 차단하기 위해 공동책임을 부과하여 의병에게 도움이 되는 행위를 했을 때에는 동일하게 처벌하였다.

선유하고 '폭도'(의병)의 귀순을 권유하는 활동을 추진하였으며 선유위원들은 그 활동 결과를 정기적으로 중앙에 보고하였다. 이들 보고서에는 각 지방 민심의 동향은 물론 의병들의 항일활동, 해산군인의 동태, 귀순자의 명단 및 귀순동기에 관한 설명 등 당시 의병운동과 관련된 다양한 내용이 포함되어 있다.

또 〈軍部來去文〉에는 1908년 4월 당시 조선인 관리나 유지 가운데 의병 토벌에 공적이 있는 자를 敍勳, 賜金하기 위하여 작성한 「韓國官民敍勳賞賜」란 제목의 문건이 있다고 한다.

105 統監官房, 『韓國施政年報』, 1908년, p.144.

그래서 의병에 대해서는 물론 그 가족과 의병이 살던 마을, 또는 의병이 진숙陣宿하고 간 마을의 사람도 죽이고 집을 불태웠다. 당시 일제의 통감부에서 발행한 『제2차 한국시정년보韓國施政年報』에서 소각한 호수戶數를 6681호라고 수록하고 있다.[106]

1907년 7월 19일에 있었던 고종퇴위와 이어 체결된 정미조약, 그리고 8월 1일 군대해산으로 이어지면서 국권수호를 위해

『황성신문』 1907년 10월 23일자

각 지에서 의병이 봉기하여 일제에 항쟁했다. 이에 일병들은 그 보복행위로 의병이 지나간 마을이나 사찰을 거침없이 방화했다.

당시 한국에 왔던 영국인 기자 맥켄지F. A. Mckenzie는 다음과 같이 일본군의 잔악한 행위에 대하여 기술하고 있다.

---

106 『江原總攬』(1974 江原道 企劃管理室)에 의하면, 강원도 내에서 1907년에 일군에 의해서 소각된 마을로 손 곱을 수 있는 곳은 다음과 같다.

9월 11일,	洪川郡 東面 束草里	(100여호)
9월 11일,	洪川邑	(300여호)
10월 7일,	春川郡	(10여호)
10월 9일,	安峽	(60여호)
10월 23일,	洪川郡內	(118호)
11월 14일,	鐵原郡內	(22호)
11월 15일,	洪川, 春川郡內	(66호)
11월 21일	楊口郡 善安里	(30여호)
12월 20일	楊口郡 綠浦	(3호)
12월 20일	楊口郡 鶴浦	(20호)
12월 27일,	橫城郡內	(27호)

충주까지 곧장 가는 도로 연변의 마을 가운데 거의 반은 일본 군대에 의해서 파괴되고 있었다. 충주에서 산길을 지나 제천에 갔다. 이 두 고장을 잇는 간선 도로변과 촌락과 마을은 8할이 잿더미로 되어 있었다.

그들은 제천을 그 지방 일대의 본 보기로 삼기로 결정하고 온 도시에 불을 질렀다. 일본 군인들은 불꽃을 살피며 이 고을의 재물을 닥치는 대로 불위에 쌓아 올려 태워 버렸다. 불상 하나와 관아를 제외하고는 아무 것도 남지 않았다. 내가 사방에서 탐문한 바에 의하면 각 지방 전투에서 일본군은 부상자 전부와 항복자 전부를 상습적으로 죽였음이 판명되었다. 또한 일본군은 곳곳에서 가옥을 태웠을 뿐 아니라 의병을 도왔다는 혐의가 있는 사람을 수없이 사살하였다.[107]

또한 의병들이 머물고 간 사암寺庵이 일병들에 의해 소각되어 수많은 문화재가 불타버렸다. 의병 토벌의 핑계를 대고 산간벽지의 유산을 소각하거나 유물을 약탈하는 경우도 비일비재했다. 한 예로 전라도 지리산 일대를 중심으로 활동한 의병들 중에는 1907년 일본 쓰시마(대마도)에서 순절한 최익현崔益鉉의 문생들이 많았다. 그 활동이 두드러지자 일병이 감히 의병의 근거지는 들어가지 못하자 일병은 일진회를 비밀리 투입시켜 와해하려 했는데[108] 그 방법이 잔인했으며, 문화유

---

107 李求鎔의「韓末義兵抗爭에 대한 考察 - 義兵鎭壓의 段階的 收拾對策」(『國史館論叢』 第23輯, 1991년 6월)에서 재인용.

108 『해조신문』 1908년 3월 15일자에 의하면, "전라도 지리산에 근거지를 삼고 둔취한 의병은 전라, 충청, 경상 삼도에서 일어난 의병인데, 이 의병은 작년에 일본 대마도(쓰시마섬)에서 순절(殉節)하여 돌아가신 최찬정 익현(崔贊政益鉉)의 문생이 많이 들었는데 장졸이 도합 팔천 명가량이오. 모두 충의 열심으로 하기를 맹세하고 나섰는데 그 복장은 이

산의 소화와 약탈이 뒤따랐다.『해조신문』에는 다음과 같은 기사를 남기고 있다.

또한 일병은 다만 일진회원을 시켜 향도를 삼고 머리를 길러 의병에 투입
하여 은밀히 사정을 정탐할 뿐이오. 또한 깊은 산촌에 들어가서 무죄한 촌
락을 불 질러 찬재를 만들며 무죄한 백성을 의병의 간련이라 칭하여 잡아
다가 포살하기와 또한 참혹한 것은 우리나라 자고로 전래하는 명산대찰에
들어가서 공연히 의병의 와굴이라 집탈하고 무죄한 중들을 형벌하기와 총
살하는 참화를 행하며 그 절에 있는 고적을 수탐하여 가져가고 또 심한 자
는 부처까지 집어간다 하며 또한 수천 년 된 옛 절을 소화하기와 별별 참
혹한 일이 많다 하니 실로 참혹한 일이라더라.[109]

당시의 처참함을『황성신문』(1907년 10월 15일자) 논설에는 다음과 같이 기
술하고 있다.

의도초토義徒勦討에 대ᄒ야 일본당사제공日本當事諸公에게 충고함
토벌대로 출정하는 일병의 행동도 기 전설대로 약기하건데 작일에는 모

왕 진위대 복장도 입고 혹 전립쓰고 협수군복에 동개찬 군사도 있고 혹 대샷같세 지게진
군사도 있어 낮이면 군기를 조련하고 밤이면 적진을 습격하는 연습도 하며, 혹 별안간
밥먹다가 일제히 일어나서 석군과 싸우는 형상노 익히며 잠사다가도 그러하며 혹 높은
데 올라 후망하는 자도 있고 혹 십리, 이십리, 사, 오십리 밖까지라도 사방으로 돌아다니
며 후망하는 자도 있어 일병이 사, 오십리 밖에서 오더라도 능히 먼저 밀통하여 아는 고
로 일병이 감히 의병의 근거지는 들어가지 못한다 하고 또한 일병은 다만 일진회원을 시
켜 향두를 삼구 머리를 길러 의병에 투입하여 은믹히 사정을 정탐할 뿐"이라고 하다.
109『해조신문』1908년 3월 15일자.

군, 읍 기백호를 충화ᄒᆞ얏다 금일에ᄂᆞᆫ 모동리 기십호를 충화衝火ᄒᆞ얏다 ᄒᆞ야 충화지성衝火之聲이 연속 끊어지지 않는지라 기충화의 이유를 들은즉 現今 사처四處에 출몰하는 의병義兵이 한번 지나간 곳은 그 곡절을 불문하고 칭운 폭도를 영접하였다고 그 촌락을 분탕ᄒᆞ야 훼신에 도부都付케 한다하며 또 다른 설에 전하기를 일병이 하동하리何洞何里에 입래入來하는 時는 그 동네에 거주하는 남녀노소가 거개광겁분찬擧皆怯怯忙奔竄하고 가옥이 공허함으로 그 가옥을 수색하여 군물여부軍物與否를 물구勿拘하고 금전, 포백, 패물, 기명, 서화, 고품 등속等屬을 병개략취수거幷皆掠取輸去ᄒᆞ고 그 가옥은 소화燒火홈으로 혹 고가세족故家世族의 조선유전祖先遺傳ᄒᆞ던 고물고적古物古蹟을 회록回祿에 탕소盪掃케 하며 또 다른 설에는 인가사묘人家祠廟에 장장藏한 신주神主도 취거取去ᄒᆞ더란 일소화一笑話도 有하며 차향곡중且鄕曲中에 초초히 혐의를 받은 자는 기정절其情節을 불구하고 칭이의병稱以義兵의 간련干連이라 하여 부자父子 혹 종족宗族을 포살砲殺하거나 지중에 생매生埋하거나 함으로 사람마다 전율위구戰栗危懼하여 침식을 잠안暫安키 불감不敢하고 그들이 지나간 곳은 촌리교숙村里校塾과 고사명찰古寺名刹이 일절 잔회랭신殘灰冷燼에 참독慘毒이 극렬劇烈이라 자곡기부子哭其父하며 부곡기부婦哭其夫하여 류리산곡流離山谷에 애호창천哀號蒼天하니 원한이 철골徹骨하고 분울憤鬱이 새응塞膺ᄒᆞ야 산천운물山川雲物도 역개함비처량亦皆含悲悽凉ᄒᆞ니 기긍측정경其矜惻情景은 참불인견慘不忍見이라고 축일逐日 사방으로 래전來傳ᄒᆞᄂᆞᆫ 설이 이공耳孔에 번괄煩聒ᄒᆞ도다.

양민들의 희생이 극심해지자[110] 결국 의병들의 항전은 차츰 심산으로 숨어들면서, 조선 사찰은 의병대와 토벌대 틈에서 진퇴양난이 되어 버렸다. 의병을 원조하면 토벌대가 불을 질렀고 거절하면 의병이 약탈하려 했던 것이다.

『황성신문』 1907년 10월 23일자에는 "현재 각 지방의 전문을 근거하건데 의병이 지나간 곳은 그 관계 여부를 논하지 않고 일병이 도착하여 촌락가호를 일체 방화 소탕하므로 무고한 인민이 모두 집을 잃고 참담하기가 이루 말할 수가 없다" 라고 하며 그 비참함을 고발하고 있다.

이와 같은 의병항쟁기에 있어서 일본군에 의한 국토의 유린과 그에 따른 산중 고찰의 파괴 및 전래하던 고문화재의 약탈상은 이루 헤아릴 수가 없었다.

●일병이 불을 놋타 전호 논 말을 드른즉 려쥬군 령양등디 논 의병의 근거디라ᄒᆞ야 일병이 충화ᄒᆞ엿는디 혼동리가다 쇼화ᄒᆞ엿고 지평군 쟝 슈동에셔는 의병과 일병이 졉젼ᄒᆞ다가 일병이 불을 노 고 이빅여호가 몰수히 두 화로약을 병ᄒᆞ야 이십여명 이 죽엇다더라

『대한매일신보』 1907년 8월 29일자

---

110 統監官房, 『韓國施政年報』, 1908, p.145에 의하면,
1907년부터 동년말까지 토벌대(수비대 및 헌병)의 피해는 전사자 38명, 부상자 80명, 합계 118명이고, 1907년부터 1908년 1월까지 폭도(의병)의 피해는 전사자 2,968명, 부상자 1,248명, 死傷不明者 898명, 포로 647명이며, 양민의 피해에 대해서는 일본이 피해는 전사자의 수배에 이르며, 한민의 피해는 계산할 수 없을 정도라 한다.

1907년 10월 2일

수원 용주사 중종 도난

수원 용주사에서 중종과 운판을 찾는다는 광고
(『대한매일신보』 1907년 10월 6일자)

10월 2일에 어떤 일본인 2명이 수원 용주사에 와서 저녁을 먹고 해가 저물어 돌아갔다가 밤이 깊어 다시 와서 묵고 갔는데 이튿날 중종中鍾과 운판雲板 2개가 없어졌다. 용주사 측에서는 사방으로 찾던 중 수원 화산리에 도착하니, 일본인 2명이 중종과 운판을 고용인 1명에게 15냥5전을 주고 군포정차장으로 지고가 승차한 후 경성으로 갔다고 한다.[111]

1907년 10월 4일

4일에 일병이 양근군 객사에 불을 질러 몰소하였다.[112]

---

111 『大韓每日申報』 1907년 10월 6일자.
112 『大韓每日申報』 1907년 10월 6일자.

1907년 10월 7일

1907년 10월 7일 궁내부로 하여금 창덕궁을 수리하라고 하여(관보 융희 원년 10월 8일 호외) 그 수선의 감독은 고미야 미호마츠小宮三保松 궁내부차관이 맡았다.

도쿄국립박물관에서는 청자인화국화문명青磁印花菊花文皿 등 청자 8점과 백자 탁白磁托 1점을 구입했다.[113]

1907년 10월 13일

10월 13일 밤에 양복을 입은 일본인 2명이 경성 신문 밖 정토사淨土寺에 들어가 사찰에 걸려 있는 종을 훔쳐 달아났다. 이에 사찰의 승려 수십명이 모화현慕華峴에 숨어서 지키고 있었는데 일인 2명이 하차荷車에 실고 오는 지라 승들이 일제히 달려들자 이에 겁을 먹은 일인 2명은 장검을 휘두르며 도주하여 종만은 찾을 수 있었다.[114]

---

113 『東博圖版目錄』, 2007, 圖43, 86, 95, 100, 107, 112, 132, 142.
114 『大韓每日申報』1907년 10월 15일자 ; 『皇城新聞』1907년 10월 16일자.

1907년 10월 16일

일본 황태자 방한과 일본거류민의 헌상품

일본 황태자의 방문 소식이 전해지자 한국 측에서는 조야를 막론하고 환영에 분주했다. 이근명, 민영규 외 10명이 발기하여 신사회紳士會를 조직하고, 각부, 원, 청 관리의 동의를 얻어 환영 준비에 임했다. 또한 민간에서는 황태자의 환영준비를 계기로 한성부윤 장헌식과 그밖에 유길준, 조진태, 예종석 등의 주창에 따라 새로이 한성부민회를 조직하였다.[115]

일본 황태자는 10월 16일에 인천에 도착하여 경성으로 향했는데, 인천 측후소장 와다和田도 수행에 함께 했다.[116] 『경성발달사』(1912)에는 다음과 같이 기술하고 있다.

16일 오후 3시 30분에 경성에 도착했다. 남대문 정거장 플랫폼에는 한일 문무 고위관리, 각국 영사, 일본 거류민장과 민회의장, 상업회의소 회장, 종6위와 훈6등 이상 관민이 나왔다. 경성소학교 학생들은 남대문 방향으로 왼편에 걸쳐, 각 종교단체와 경성부인회 회원들은 소학교 학생들 왼편에 무리를 이루고, 경성의사회 회원들은 민단사무실 앞 욱정1정목 출구 오른편에서, 적십자사 직원과 애국부인회 회원들은 일출정에서, 유치원은

---

115 서울특별시 시사편찬위원회, 『國譯 京城府史』 제2권, 2013.
116 加濱和三郎, 『皇太子殿下韓國御渡航紀念寫眞帖』 1907년 12월.

숭례문 앞에 일진회에서 설치한 봉영문(『皇太子殿下韓國御渡航紀念寫眞帖』)

소학교 체조장에서, 민단사무실 직원과 고령자들은 일출소학교 문 앞에서, 모두 반듯하게 정렬한 채 열광적으로 전하를 환영하였다.

10월 16일 일본 황태자가 경성에 도착하자, 일본거류민은 봉영의 뜻을 표하기 위해 다음과 같은 물품을 헌상했다.

한국제 고검古劍 1점

한국산 대호大虎 가죽 1매

기타 5점

헌상품 중 한국 고검은 한국인이 단련한 것으로 어느 시대의 것인지는 알 수 없다. 검신檢身에는 '사진참사검四辰斬邪劍'이라는 다섯 글자와 '건륭정곤원령일월상악단형휘뢰전운현형추산악현침정방乾隆精坤援靈日月象岳澶形攝雷電運玄型推山惡玄斬貞放'이라는 25자가 새겨진 진귀한 보검이다.[117]

117 서울특별시시사편찬위원회 편저, 『국역 경성발달사』, 2010, pp.292-293.

1907년 10월 17일

연곡사(鷰谷寺) 소각(燒却)

9월에 전라도에서 일어난 금동식, 고광순의 의병 300여 명이 경상남도로 이동하여 거창, 안의 부근에서 맹렬히 활동하였다. 이들은 지리산 부근의 칠불사, 연곡사, 문수동을 근거로 하여 10월 4일에는 하동경무서를 습격하는 등 활동이 극성極盛하였다. 10월 17일 새벽 일본군이 연곡사를 포위 공격하여 의병장 고광순 등 수십 명을 사상케 하고 연곡사鷰谷寺를 소각燒却하였다.[118]

일본군이 청곡사(靑谷寺) 소각

10월 17일 진주 칠불사七佛寺와 청곡사靑谷寺 부근에서 의병 백여 명이 일본군과 교전을 하다가 퇴각 하였는데 일본군은 청곡사에 불을 질렀다.[119]

진주시 금산면 갈전리 월아산 자락에 위치한 청곡사는 6·25전쟁 때 대부분 소실되었으나 수차례 걸쳐 중수와 보수 등을 거쳐 지금에 이르고 있다. 현존 당우堂宇로는 대웅전·산신각·요사채 등이 있으며, 국보인 영산회괘불탱을 비롯 보물인 목조석가여래삼존좌상, 목조제석천대범천의상과 도 유형문화재인 삼층석탑 등이 있다.

---

118 文敎部國史編纂委員會, 『高宗時代史 6』, 1968.
119 『大韓每日申報』1907년 10월 22일자.

청곡사 대웅전(국립중앙박물관 소장 유리건판)

일본군에 의해 심원사(深源寺)가 소각되다.

1907년 10월 17일 철원 심원사에 있던 의병 약 300명이 일본군의 습격을 받고 후퇴하였는데, 일본군은 심원사가 의병의 근거지라 하여 소각하였다.[120]

심원사를 중심으로 한 의병들의 항쟁은 이후에도 계속되었는데 일본군은 의병의 근거지에 대해 잔혹하게 보복을 가했다. 의병들을 정탐하기위해 우치다 료헤이内田良平를 파견했는데, 1907년 12월 21일자 우치다 료헤이内田良平가 통

---

120 『大韓每日申報』 1907년 10월 26일자; 『皇城新聞』 1907년 10월 26일자, 30일자; 『皇城新聞』 1907년 11월 2일자; 文敎部國史編纂委員會, 『高宗時代史 6』, 1968.

감 이토伊藤에게 보낸 보고서 「강원도 연천지방 시찰보고서 제출 건」[121]에 의하면 그 잔혹상이 잘 나타나 있다. 다음은 그 보고서의 내용이다.

12월 2일 연천을 출발하여 철원으로 향하였음. 각종 보고를 종합하여 보건대, 폭도들은 보개산 중에서 출몰하는데 혹은 2~30명, 혹은 4,50명으로 모두가 낮에는 쉬다가 밤에 행동하면서 잠복하다가 점차 북상하여 이동한 의심이 듦. 그들의 실정을 확실하게 알려면 이 길로 곧 따라간다 하여도 토벌할 수 없을 것 같음. 여기에서 일행 중에서 강건한 장정 7명(일인 3명, 한인 4명)을 선발하여 행군하면서 보개산 속을 수색하고는 철원에서 상봉시킴. 연천에서 철원에 이르는 60리에 교행喬沿의 뿌리는 갈라져 넘어지려고 하고, 본아本衙는 소실되고 각 관방官房은 와동瓦棟째로 무너져서 퇴락되고 담장은 반이 남음. 연천 산군의 소읍을 철원에 비교하면 대도시에 나온 것 같은 느낌이 있었음. 전자의 쓸쓸함은 120호에 불과하였지만 본 군은 1,000호 이상이고 관아의 굉장함은 예전 모양이 그대로 존재하고 있고 시가도 역시 은성殷盛하여 진정 진동방영鎭東防營이라는 명칭에 손색이 없었음.

그렇지만 숙소를 결정하지 못하였음. 수차 토색하여 겨우 하나의 큰집을 얻어서 정하였음. 군수 금창현이 직접 와서 주선한 것임. 황혼이 되어 포천, 영평에 분파하였던 원호회 특파위원장 일행이 내회하였음. <중략> 이날 밤 오전 1시 보개산에 파견한 일행도 내회來會함. 일행은 험준한 산을 등반하면서 이미 병화를 입은 심원사深源寺에 도착하여 이 산중에 있는 적의 소굴을 찾아가면서

---

121 國史編纂委員會 編纂, 『駐韓日本公使館記錄』 26권, 國史編纂委員會, 1992.

적정을 정탐하였는데, 8월 이후 수차 적화賊禍를 당한 비구니로 윤간을 당하기까지 하였다 함. 근일에 와서는 전날 밤 30, 40 명의 적도들이 동쪽에서 서쪽을 향하여 잠행하는 것을 보았을 뿐, 또 아무런 피해도 입지 않았다고 하고 이 산중은 간도間道 중의 간도로서 서쪽으로 향하면 영평, 포천과 연천 등지로 통하게 되므로 3읍 중, 그 어느 곳으로 향한 것은 알 길이 없다고 함. 다만 적도들은 토벌을 만나 도망하는 자임을 헌병들의 행동에 비추어 보아 분명함.

심원사는 1907년의 병화로 25칸의 사우와 불상이 소진되고, 이듬해부터 복구를 했다.[122] 해방 이후 심원사 전역이 군사지역에 속해 있는 관계로 1955년에 철원군 동송면 상로동에 새로이 심원사를 중창했다. 원 심원사터에는 비나 부도 등 일부의 석조물만 남아 있다.[123]

1907년 10월 21일

와세다대학 도서진열전람회

1907년 10월 21일에서 23일까지 와세다대학도서관에서 도서진열전람회를 개최했다. 동시에 회화진열실, 역사지리참고품진열실을 개방했다. 당시 도서전

---

122 鄭泰爀,「금강산 深源寺를 찾아서」,『북한』통권 제134호, 북한연구소, 1983년 2월.
123 신종원,「철원 심원사 石臺庵의 累石臺에 대하여」,『역사민속학』, 한국역사민속학회, 1992.

람에는 『금석보록金石譜錄』,『김씨족보金氏族譜』 등 상당수의 조선서가 진열되었다. 또 역사지리참고실에는 쓰바이坪井 박사 출품의 한국 대구발견의 토기 등이 진열되었다고 한다.[124]

1907년 10월 27일

일본군이 사라사(舍那寺) 방화

한국군대 해산 후 사라사를 근거지로 활동하던 의병 150명과 한강 연안의 의병을 토벌하려고 파견된 일본군 제51연대 11중대가 사나사 인근에서 교전을 벌렸다. 1907년 10월 27일의 교전에서 일본군이 피해를 입자 의병의 근거지인 사라사를 방화하여 사찰이 전소되었다.[125]

그 후 1910년 용성龍城 화상이 새로 대방大房과 요사를 중건하고, 다시 1923년 4월에 중경법 선사中京法禪師에 의해 법당을 건축하였다.

원래 이곳에 안치되어 있던 철불에 대해서는 전설에 의하면 화주승化主僧이라 칭하는 한 법사가 이곳에 사찰을 세우고 불상을 조성하기 위해 백일간 기도를 드렸다고 한다. 그랬더니 공중에서 천장로사나불天藏盧舍那佛이 나타나 불상

---

124 古谷淸,「早稻田大學圖書館展覽會に就いて」,『考古界』第6篇 第10號, 1908년 1월.
125 『朝鮮暴徒討伐誌 第4編』,『朝鮮獨立運動1』국사편찬위원회 데이터베이스; 대한불교조계종 총무원,『한국전쟁과 불교문화재(서울 경기편)』, 2007.

을 제작하였다 하여 사찰명을 사라사라 하였다고 한다.[126] 공민왕6년에 이르러 원증국사가 불각佛閣을 중건한 후부터 번창하였다. 그 후 계속하여 법등法燈이 이어왔으나 1907년 의병봉기시에 일본군대에 의해 완전히 전소되어 버리고 철불 또한 파괴된 것이다.

이 철불에 대해서는 1916년의『고적조사보고』에 사진 1매와 함께 다음과 같이 기록하고 있다.

폭도토벌 때 병화兵火당하여, 오늘날 겨우 소당을 재건하여 승려 4인이 기거, 철불은 조선철불 중 우수한 것이다. 시대는 신라 말 또는 고려 초의 작일 것이다. 화재로 우측 팔꿈치부분 양손 손가락부분 우측 무릎부분 및 두정頭頂이 결실缺失되었으며 2조수의 구열상龜裂傷이 있다. 지금 사역寺域의 한 구석에 초라하게 있는 가소옥내假小屋內에 안치하여 우로雨露를 피하고 있으나 완전치는 않으며, 이같이 우수한 불상은 관부官府에서 특별 수리 보호를 간절히 희망한다.[127]

여기에서 '병화'는 의병들이 일본군에 항전하였을 때 일본 토벌대가 방화하여 사찰을 전소시킨 것을 가르킨다. 이 조사보고에 실려 있는 사진 1매를 보면 창고와 같은 파괴된 소옥小屋에 안치되어 왔을 것으로 추측할 수 있다.

그 후의 행방에 대해서는 1937년에 발간한『경기지방의 명승사적』에는,

---

126 朝鮮地方行政學會,『京畿地方の名勝史蹟』, 1937, pp 416-417
127 今西龍,『大正5年度 古蹟調査報告』, 朝鮮總督府, 1917, pp.152~154.

1916년 고적조사 당시의 사나사철불
(『대정5년도 고적조사보고』)

잔철편殘鐵片을 법당의 후정後庭에 있는 석탑 아래 묻었다고 한다.

하는 기록이 있으며, 그 이후 계속 방치되었을 것으로 짐작된다. 6·25 때는 또 다시 사라사가 화재를 입게 되어 이 철불도 재난을 당하게 되었다.

1960년 이곳을 방문한 정영호 교수의 기록에 의하면, 두부頭部는 좌부左部가 완전 파손되고 동체胴體도 산산조각이 나서 각 부의 파편을 모아 흉부 등을 짐작할 수 있도록 겨우 수습하였다. 철불의 잔편들은 법당 뒤쪽 돌담 쪽에 방치한 상태였다고 한다. 그리하여 정 교수는 이러한 상태를 안타깝게 생각하여 사찰측에 조속한 수습과 보존대책을 강구할 것을 건의하였다고 한다. 그런데 1970년 4월에 정 교수가 재차 이곳을 방문하였을 때는 철불의 파편은 하나도 없이 사라지고 사찰에는 이 철불의 행방을 아는 사람이라고는 한 사람도 없었다고 한다.[128] 현재 사찰에는 원증국사석종圓證國師石鐘, 동비同碑, 3층석탑 등이 남아 있다.

---

128 鄭永鎬, 「楊平 玉泉面 佛蹟」, 『白山學報』 第8號, 1970.

1907년 10월

　　조선 13도 관하 각 군 사찰의 주지승을 일본 승니로 차출하여 제반찰무諸般刹務를 감독할 음모로,[129] 조선 승려의 습관을 개량하고 교육하기 위하여 경성에 관리사원을 창설하였다. 관리사장管理司長은 일본승으로 하고 부관리는 명진학교明進學校를 창설한 이현담李賢潭으로 촉탁하고 유지인사는 승속을 물론하고 사무원을 선정하여 지방 각사 사무를 정리케 하기로 모의하였다. 그 음모는 한국 각 사찰에 일본 승려를 매 사찰 마다 1명씩 고문으로 두고 제반 사무를 관리케 한다는 것이다.[130]

　　일본인 아유카이 후사노신鮎貝房之進의 집에서 고려자기연구회高麗磁器研究會를 개설하였다.[131]

함흥군 동문루 훼철

　　1907년 10월. 일본인 야마다 우키치山田宇吉가 함흥군 연극장을 설치하려고 정부로부터 허가를 받았다고 하고 함흥군 동문루東門樓를 헐어버렸다. 이에 함흥관찰사가 내부에 보고하여 이를 확인하였는데 이는 사실무근이며, 내부에서

---

129 『皇城新聞』 1907년 10월 1일자.
130 『大韓每日申報』 1907년 10월 5일자.
131 『大韓每日申報』 1907년 10월 5일자.

관찰사에게 훈령하길 문루 훼철을 금지하고 석재는 보관하라 하였다.[132] 하지만 훈령이 도착했을 때는 이미 문루는 이미 다 헐어버렸으며, 관찰사 한남규는 석재와 기와 등은 모두 압수했다고 내부에 보고했다.[133]

일병의 이퇴계 선생 사우 및 고택을 소각

1907년 10월 예안군의 의병 항거가 한창일 때 일병에 의하여 퇴계 이황의 고택과 사우祠宇가 소각되었다.

『황성신문』
1907년 10월 10일자

『대한매일신보』 1907년 10월 8일자에는

경북 예안군에 있는 퇴계선생 고택 및 사우를 일병日兵이 충화몰소沖火沒燒하였다니 선생의 도덕학문道德學問은 대한大韓서만 경앙존모敬仰尊慕할뿐 아니라 일본학가日本學家에서도 선생을 존숭尊崇하매 대한유림大韓儒林의 주자朱子를 존숭함과 같더니 금속에 고택과 사우가 일인의 충화衝火를 혹피酷被하여 가위사문可謂斯文의 일대겁운一大劫運이로다.

라는 기사를 실고 있다.

---

132 『皇城新聞』 1907년 10월 10일자; 『大韓每日申報』 1907년 10월 5일자, 10월 10일자.
133 『大韓每日申報』 1907년 10월 10일자.

『매천야록』에는 "일본인들이 의병을 추적하여 예안군을 들어간 후 문순공 文純公 이황의 사우와 고댁을 소각하였다" 라고 기록하고 있다.

소각된 사우는 1908년에 다시 중건을 하게 되는데 1908년 2월 29일자로 내부대신 임선준이 내각총리대신 이완용에게 올린 '퇴계 이황의 사우祠宇를 중건하기 위해 지방사림에게 후원을 청함'의 건을 보면, 금 300환을 도관찰사에게 송부하여 퇴계 선생의 사우를 서둘러 중건하기를 요청한다는 내용이 보인다.[134]

일진회 등이 일본 황태자에게 헌상한 한국 물품

1907년 10월에 일본 황태자가 한국을 방문했을 때 한국의 친일단체들은 아부성 환영이 극에 달했다. 일진회와 한성부민회[135]에서는 숭례문 앞에 봉영문 奉迎門을, 각 처에 환영문을 설치하고 10월 16일에 일본 황태자 일행이 남대문에 도착하자 대대적인 환영행사를 하였다.[136]

황태자 일행이 돌아갈 때는 각종 기념품과 한국 미술품을 헌상했는데, 일진회에서는 황태자의 도한을 접하고 총무위원회를 개최하여 헌상품 선택에 대하

---

135 奉迎會任員. 금회 일본황태자전하롤 봉영ᄒᆞ기 위ᄒᆞ야 漢城府民會團体룰 조직ᄒᆞ고 임원을 선정ᄒᆞ얏ᄂᆞ듸 회장 張憲植氏 부회장 洪肯燮氏 설비위원장 金宇鉉氏 장의위원장 趙秉澤氏 헌품위원장 尹晶錫氏 광무위원장 박基元氏 외교위원장 韓相龍氏 내사위원장 白寅基氏 운동위원장 鄭永斗氏 회계주임 최敬淳氏 평의원 金基永氏 조鎭泰氏 白完爀氏 等 三十餘人이오 해회고문은 総理大臣 李完用氏 農商工部大臣 宋秉畯氏 法部大臣 重趙應氏라더라(『皇城新聞』 1907년 10월 15일자).
136 加濱和三郎, 『皇太子殿下韓國御渡航紀念寫眞帖』 1907년 12월.

『황성신문』 1907년 10월 20일자 기사

『대한매일신보』 1907년 10월 20일자

여 협의하였다. 한국고대부터 현대에 이르기까지 의복, 악기, 무기, 가구, 농구, 기타 기구류 5백 개여 종을 각도 지부에 연락을 하여 전력으로 수집했다. 한국일진회 회장 이용구는 여관으로 이토 히로부미를 찾아가 헌상의 수속을 치르고, 전부의 용적은 건巾 8척의 대상大箱 9개에 달했다.

한성부민회에서는 일본 황태자에게 경의를 표하기 위해 은제70飯床 1조와 산수화첩 2건을 헌품하였고, 자선부인회[137]에서는 송학자수족자 1건을 제작하여 헌품하였다.

이 물품들은 일본에 도착하자 얼마 지나지 않아 동궁어소에서 <동궁전하어하부한국일진회헌품東宮殿下御下附韓國一進會獻品> 이라 하며 도쿄제실박물관으로 하부되어 일반 대중들이 볼 수 있도록 진열하였다. 당시 도쿄제실박물관으로 넘겨진 것은 총 300여 점으로 복식, 가구, 무기, 악기, 문방구, 농공구, 천산물에 이르기까지 넓게 일반을 망라하고 있다. 조의의 일단을 보면 면관

---

137 奉迎歡迎. 慈善婦人會에셔 再昨日 日本皇太子殿下奉迎時에 奉迎委員 十七員을 選定호야 漢城府民會의 徽章을 佩호고 南大門外府民會奉迎門下에셔 禮式을 奉行호고 同日下午四時에 歡迎會를 明月館에 開호얏더라(『皇城新聞』 1907년 10월 18일자).

조복冕冠朝服류이고, 공예는 도자기, 금속기, 직물류이고, 길이 8척이나 되는 호피, 순은의 기구, 천연사금, 부녀자의 악기, 이용구의 서장書狀 등이 진열되었다.[138]

일본 황태자에게 헌납한 물품[139]

물품명	헌납자	헌납 시기
銀製七拾飯床 1조와 산수화첩 2건	漢城府民會	1907년 10월
松鶴刺繡簇子 1	慈善婦人會	1907년 10월
이용구의 書狀	一進會	1907년 10월
虎皮(길이 8척)	一進會	1907년 10월
冕冠朝服	一進會	1907년 10월
도자기	一進會	1907년 10월
各郡의 所産各種 織組物 布帛 絲紬	一進會	1907년 10월
各種 海産物	一進會	1907년 10월
各種 獸皮	一進會	1907년 10월
各種 漆器	一進會	1907년 10월
各種 農器	一進會	1907년 10월
各種 武器	一進會	1907년 10월
各種 服式	一進會	1907년 10월
各種 器具	一進會	1907년 10월
古物	一進會	1907년 10월
各種 書册 등을 포함한 총300여 점	一進會	1907년 10월

138 「東京帝室博物館の新陳列」,『考古界』 第6篇 第10號, 명치41년 1월,
139 『皇城新聞』 1907년 10월 20일자;『大韓每日申報』 1907년 10월 20일자.

한국 황실에서 일본 황태자에게 증여한 물품

한국 황실에서는 방한한 일본 황태자에게 다음과 같은 물품을 증여했다.[140]

물품명	증여 및 헌납자	증여 시기
金三鞭盃 1건과 銀茶器俱	太皇帝(고종)	1907년 10월
甲胄(갑옷과 투구) 1부	皇帝(순종)	1907년 10월
銀燭臺 1쌍, 太極緞 4필	황후	1907년 10월
金捲烟匣 1건, 豹皮 2건	황태자	1907년 10월

일본 도쿄국립박물관의 오구라컬렉션과 야스쿠니신사에 우리나라 갑주가 소장되어 있는 것으로 알려져 있으나, 순종이 선물한 이 갑주는 이와는 별도의 것으로 보인다. 일본의 어디엔가 비장되어 있을 것으로 추정된다.

● 황실에서 주신물품
대한황실에셔 일본황태ㅈ면
하의게 주신물품이 이곳흐니
태황뎨폐하께셔 금슐잔 훈
벌 은챠관졔구 훈벌
대황뎨폐하께셔 갑쥬 훈벌
황후폐하께셔 온촉딕 훈쌍
탸국단 네필
황태ㅈ면하께셔 금 권여갑
훈벌 호피 녁장
경션궁셔셔 슈병풍 훈벌
패물 훈벌
황뎨폐하께셔 이등동감의게
하스훙신 물품이 이와굿
흐니 담비셜합 훈벌 면
황욱 두필

『대한매일신보』 1907년 10월 20일자

---

140 『皇城新聞』 1907년 10월 20일자; 『大韓每日申報』 1907년 10월 20일자.

되찾은 백련사 종

백련사白蓮寺 종을 도난당하여 백련사 승도 수십명이 무학현舞鶴峴(무학재)에서 지키고 있었더니 일본인 2명이 백련사의 종을 하차荷車에 실고 넘어와 승도들이 일제히 달려드니 일본인 도둑은 칼을 휘두르며 달아나 종은 찾았지만 도둑은 놓치고 말았다.[141]

일본 황태자 방한 때의 사진
이 사진은 『매일신보』 1912년 8월 4일자에 게재된 깃으로, 사진 설명에는 "명치40년(1907) 10월 금상폐하(大正)가 황태자가 되었던 시 경성에 행계(行啓)한 때 촬영한 것"이라 하며, 앞 열 우로부터 "아리스가와미야(有栖川宮) 전하, 이왕전하(순종), 今上폐하大正, 왕세자 전하"라 설명하고 있다

1907년 10월 말에 동경인류학회 회원 시바타柴田常惠와 고바야시小林與三郎는 김해패총을 조사했다. 이 같은 조사는 1907년 여름 김해패총을 조사하고 일본

141 『大韓每日申報』1907년 10월 16일자.

으로 돌아가는 이마니시 류를 시바타가 만나 김해패총에 대한 일단의 정보를 얻음으로 가능했다.[142]

강화 소재 고려조 고종홍릉高宗洪陵이 파굴 되다. 범인을 조속히 체포 치죄하게 하고, 해 지방관으로 하여금 파손 처를 보수하고 보수작업이 끝나면 비서승을 파견 치제케 하였다.[143]

1907년 11월 3일

경북 성주군 용산면 하사동에 화약고 2칸이 있는데, 이곳에는 예부터 전래한 폐갑獘甲과 파고破鼓를 보관하고 있었는데 11월 3일 밤에 실화로 모두 불탔다.[144]

1907년 11월 24일

과천 불성사佛成寺 주지승이 촌으로 출장을 가고 여인 1명과 평민 1명만 있는 틈을 타서 강도 2명이 들이닥쳐 남녀 2명을 결박하고 불상 1좌를 약탈해 갔다.[145]

---

142 최석영, 『일제의 조선「식민지 고고학」과 식민지 이후』, 서강대학교출판부, 2015, p.184.
143 『高宗實錄』1907년 10월 15일자.
144 『皇城新聞』1907년 11월 17일자.
145 『大韓每日申報』1907년 11월 28일자.

1907년 11월 27일

1907년 11월에는 '제실재산관리국관제帝室財産管理局官制'[146]를 정하여, 제1조에 "제실 재산 정리국은 궁내부 대신의 관리에 속하게 하고 제실 소유 동산과 부동산의 정리, 유지 및 경영에 관한 일절 사무를 장악"케 하였다. 또 제4조에, "차관은 장관을 보조하여 국무局務를 장리掌理함이라" 하여 제실의 재산을 장악하기 위한 수순에 들어갔다.

1907년 11월

안국사(安國寺) 몰소(沒燒)

경북 흥해군 운주산 안국사安國寺에 의병이 묵고 타처로 옮겨 갔는데, 그 후에 일본군이 들이닥쳐 의병이 유숙했다는 이유로 안국사를 몰소沒燒했다.[147]

---

146 降熙元年 11월 27일 條(朴志泰,『大韓帝國期政策史資料集』, 韓國人文科學院 1999)
147 『皇城新聞』1907년 11월 3일자;『大韓每日申報』1907년 11월 3일자.

상주 청계사(淸溪寺) 몰소

상주군 화서면 산성리와 동군 청계사淸溪寺를 의도義徒의 접주소接住所라 하여 상주군 수비대에서 불을 질러 민가 20호와 사찰 50칸을 불태웠다.[148] 불타버린 청계사에 있던 금불 1좌는 남장사로 이안했다.[149]

이왕직박물관 설립 계획

1907년 7월 19일 일제와 친일내각의 강제에 의해 고종황제가 순종황제에게 양위했다. 이에 따라 황제純宗께서 덕수궁으로부터 창덕궁으로 이어移御함에 따라 창덕궁의 수선이 시작되었다. 1907년 10월 7일 궁내부로 하여금 창덕궁을 수리하라고 하여[150] 그 수선의 감독은 고미야 미호마츠小宮三保松 궁내부차관이 맡았다.

1907년 11월 4일 내각총리대신 이완용, 궁내부대신 이윤용이 당시 창덕궁 수리 공사를 지휘하던 고미야 궁내부차관에게 한국 황제가 창덕궁으로 옮겨감에 대해 황제가 취미를 가질 수 있는 적당한 시설을 마련 할 것을 의논하게 되었다. 그 결과 고미야 미호마츠는 11월 6일에 이르러 창경궁의 동부 약 6만평의 지구

---

148 『대한매일신보』 1907년 11월 21일자; 『황성신문』 1907년 11월 21일자
149 商山邑誌所, 『商山誌』, 1929.
　　淸溪寺 : 在州西四十里甄萱山城下 去乙未兵火燒殘無 餘五年前甲子女僧一人刱建佛宇自南長寺移安金佛一坐
150 『官報』 隆熙元年 10월 8일, 號外.

에 박물관 및 동·식물원을 병설하는 것이 가장 적당할 것이라고 제의提議하였다. 이에 바로 양 대신의 찬동을 얻어 사업의 대강을 결정하기에 이르렀다.[151] 즉 독자적인 박물관 설립에 앞서 궁궐을 유원지화 하려는 의도가 있었던 것이다.

고미야는 1907년 9월에 궁내부 차관에 임명되어[152] 한일합방으로 관제개편에 의해 1911년에 이왕가차관으로 재직하였는데 1907년 12월부터 제실재산정리국 장관을 겸임하였다.[153] 통감부 시대에 차관이 모든 권한을 쥐고 있었던 점을 감안하면 박물관에 관한 모든 것은 고미야의 지휘 하에 이루어졌다고 볼 수 있다.

창경궁을 일본화로 만들기 위해 한국에 건너온 시모코리야마 세이이치下郡山 誠一는, "내가 창경원을 건조하기 위해 조선에 건너왔다. 이때 궁내부차관으로는 고미야 미호마츠小宮三保松로 이때 총리와 상담한 결과 위안 장소를 마련하기 위해 정원식으로 만들고 진귀한 식물 동물을 수집하고 고화, 고기물을 수집하고자 했다"[154]고 한다.

말이 위안 장소이지 여기에는 젊은 순종의 취미 생활을 구실로 정치에 대한 관심을 멀어지게 하려는 의도가 깔려 있었다. 이 당시는 일제관리들과 친일 내각이 모든 것을 좌우하던 때이니 만치 그들의 의견을 반대해온 고종을 강제 양위케 하고 민족정신의 정점인 왕궁을 오락장으로 만들어 민족정신을 말살하려는 책동에서 나온 것이다.

151 李王職, 『李王家美術館要覽』, 1938, p.1.
152 『官報』隆熙元年 9월 26일.
153 『官報』1907년 12월 2일자
154 下郡山誠一, 「昌慶苑の今昔感」, 『朝鮮及滿洲』 제35호, 1937.

1907년 11월 13일 순종황제가 창덕궁으로 이어하였다.[155] 이는 일본인이 황제와 태황제가 함께 있으면 태왕제가 정치에 간섭할까 염려하여 압력을 가한 결과이다.

석물 도적

동대문 밖 우이동 등지에 있는 각 무덤에 있는 석물을 몰래 훔쳐 일인에게 파는 고로 경시청에서 그 도적놈들을 잡았는데 그 석물만 해도 천여 개라고 한다. 『황성신문』 기사에는 "그곳에서 잃은 자들은 경시청에 와서 고하면 찾아준다더라" 라는 기사까지 실고 있다.[156]

석물 투매(偸賣) 성행

우리나라에서 조상의 무덤을 조영할 때 남의 무덤에서 쓰던 것을 사용하지는 않는다. 또한 이 같은 석물을 사용하여 집안 정원을 꾸미는 일은 있을 수 없었던 일이다. 그러나 일본인들이 한국에 들어와 그들의 정원을 장식하거나 일본으로 반출하기 위해 묘소의 석물 매매행위가 성행하게 되었다.

『황성신문』 1907년 11월 20일자에는 다음과 같은 기사가 있다.

---

155 『純宗實錄』 隆熙元年 11월 13일 조.
156 『大韓每日申報』 1907년 11월 13일, 14일자; 『皇城新聞』 1907년 11월 13일, 22일자.

석물투매자피착石物偸賣者被捉

동문외 부근지에 있는 타인의 묘소 석물을 투매偸賣하는 폐가 비비유지比比有之한다 함은 전보前報에 이미 게재하였거니와 이 폐단이 갈수록 심하므로 경시청에서 해투매자該偸賣者를 착치심사捉致審査한 즉 개개자복個個自服에 소실所失이 합이 천여 개라 해該묘주인은 현금 탐지探知하는 중이라 하더라.

황실재산정리국 설치

1907년 7월 내각내內閣內 임시황실소유臨時皇室所有 및 국유재산조사국國有財産調査局을 특설特設하고 황실재산과 국유재산을 분리하는 작업을 시작으로 동년 11월에 황실재산정리국帝室財産整理局을 설치하였다.[157] 일제가 구한국 황실의 재산을 소유한 것으로 간주하고 국유화 시켜[158] 1908년 6월에는 모든 재산을 관리하였다.[159]

---

157 '帝室財産整理局官制(1907년 11월 27일)', 高宗實錄 隆熙元年 11월 27일.
    '臨時帝室有 及 國有財産調査局官制(1907년 12월 27일)', 高宗實錄 隆熙元年 12월 27일.
158 勅令 第39號(1908년 6월 25일).
159 1908년 內閣記錄課에서 편찬한 『隆熙二年(1908)六月職員錄』을 보면, 궁내부차관인 小宮三保松이 帝室財産管理局 長官을 兼任하고 있었으며, 整理課 과장은 權藤四郎介이었으며, 또 탁지부 차관이던 荒井賢太郎은 臨時財源調査局 국장, 회계검사국 장관, 건축소 소장을 겸임하였으며, 임시재원조사국 조사과 직원 29명 중 한국인은 5명에 불과했다.

1907년 12월

경남 진남군 통영에 거주하는 일본인이 심상고등소학교 교사가 좁아 내각에 청원하여, 통영에 소재한 공해公廨 중 경무당景武堂, 운주당運籌堂 및 기타 부속 사附屬舍를 신교사를 건축하기 전까지 사용하기로 했다.[160]

충청남도 청양 정혜사(定惠寺)가 소각되다.

『대한매일신보』1907년 11월 8일자를 보면 의병 3백여 명이 정산군 정혜사定 惠寺에 집합하여 부여분파소를 습격했다는 기사가 보이고 있다. 그리고『대한매 일신보』1907년 12월 11일자에 의하면. "산문피소山門被燒. 남래인南來人의 전설 傳說을 들은즉 정산군 정혜사에 의병이 유련留連하였던지 일병이 래도來到하여 해사該寺를 충화몰소衝火沒燒하였다더라" 하는 기사로 보아 1907년 11월부터 정 산군의 정혜사를 중심으로 한 의병의 항쟁에 대해 일본군은 그 보복 행위로 의 병의 거처였던 정혜사를 12월에 방화를 한 것이다.

『매천야록』에는 다음과 같은 기록이 있다.

일병들은 정산 정혜사를 소각하고 또 청풍, 진천, 상주, 제천 등 제군아諸郡 衙를 소각하였다. 그중 제천의 한 군은 소각된 관아가 절반이나 되었다. 그

---

160 『皇城新聞』1907년 12월 13일자.

리고 그들은 또 청주로 들어가 화양동에 있는 환장암煥章菴을 소각하였다. 이때『우암문집尤菴文集』판각板刻도 모두 소실되었다.

정혜사는 소실 후 이듬해 재건하였으며, 충청남도 정산군은 1914년 행정개편으로 청양군으로 통합되었으며, 현재의 행정구역은 충청남도 청양군 장평면 화산리에 소재한다.

청주 화양동 환장사(煥章寺)가 소각되다.

청주 화양동 환장사煥章寺에는 우암 송시열의 문집 송자대전宋子大全 목판木板을 보관하고 있었는데 청주수비대가 의병을 공격하면서 환장사에 불을 질러 건물 9채 66칸을 태우고 대응전만이 남게 되었다. 또한 송시열의 문집 판본도 불타 없어졌다.[161]

이 절에서 앞의 도명산道明山 골짜기에는 고려 때 창건된 채운암綵雲庵이 있었는데, 1948년의 큰 홍수로 도괴된 뒤 두 절을 합치기로 하고, 그 재목을 옮겨 환장사의 요사채를 세우고 절 이름을 채운사라 하였다.

도쿄국립박물관에서 청자앵무문발靑磁鸚鵡文鉢 등 청자 2점과 청화화과문병靑花花果文瓶 등 2점을 구입하다.[162]

---

161 黃玹,『梅泉野錄』李章熙 譯, 大洋書籍, 1973;『大韓每日申報』1907년 12월 12일자;『大韓每日申報』1908년 9월 14일자.
162 『東博圖版目錄』, 2007, 圖31, 127, 圖348, 393.

진천군에서 의병과 일병日兵이 교전을 하면서 객사서고客舍西庫, 동헌東軒, 아랑衙廊이 불탔다.[163]

평양의 일영재日影齋를 관찰사 박중양이 일본인에게 1천6백환에 몰래 팔았다.

이로 인해 평양의 송룡섭宋龍涉이 내부에 고발하기를 "본군에 있는 일영지日影池를 본인의 7대조 송규운宋奎運이 준청濬淸하여 이 못가에 일영재日影齋를 건축하고 청년자제를 회집會集하여 교육을 면려勉勵하던 처소處所인데 본도 관찰사 박중양이 일영재 기지를 외국인에게 일천륙백환에 절가매도折價賣渡하였으니 관찰사를 압상징치押上懲治하라"는 내용이다. 이 같은 내용의 고발은 1908년 1월부터 4월까지 수 차 행해졌으나 통감부나 내부에서는 회답이 없었으며, 이후 어떻게 결론이 났는지는 미상이다.[164]

용문산 소재 사찰을 일본군이 모조리 불태웠는데, 그 중 황귀비皇貴妃가 거액을 하사하여 건축한 정일관正一觀도 역시 불탔다.[165]

---

163 『皇城新聞』1907년 12월 10일자.
164 『大韓每日申報』1907년 12월 6일자;『大韓每日申報』1908년 1월 11일자;『大韓每日申報』1908년 1월 19일자, 1월 31일자, 4월 16일자.
165 『大韓每日申報』1907년 12월 14일자.

같은 해

광개토대왕비 반출 미수

일제는 광개토대왕릉비문廣開土大王陵碑文에 대한 조작 날조뿐만 아니라 이 비를 통째로 일본으로 옮기려고 하였다.

1905년 5월에 북관대첩비를 일본으로 가져가자, 『고고계』 1905년 9월호에서는 "우리들은 이 거사를 찬양하며, 계속해서 저 만주 회인현 통구에 있는 고구려고비도 이와 같이 본방(일본)에 수송하여 지기를 희망한다"[166]라고 하며 광개토대왕비를 일본으로 반출할 것을 부추기고 있다.

1905년 시라토리 구라키치白鳥庫吉는 광개토왕릉비를 일본으로 실어갈 것을 제안하였다.

1905년 도리이 류조鳥居龍藏가 광개토대왕비의 현지조사를 하기 2개월 전 시라토리 구라키치白鳥庫吉는 『중앙공론中央公論』에서 다음과 같은 내용을 발표했다.

이 비문이 유명한 것은 조선 남부에 치우쳐 있는 신라, 백제, 신라, 임나 삼국이 일본의 신민이었음을 명백히 쓰고 있기 때문이다. 이는 역사상 매우 가치 있는 것이다. 물론 일본 역사에도 이 3국이 일본에 조공했다든지 혹은 속국이 되었다든지 하는 기록이 있긴 하지만 일본 역사 등은 소위 전설이며 역사상의 가치가 적은 것이다. 그런데 이 비문은 당시에 있어서 가

---

166 「北關大捷碑の輸送」, 『考古界』 第5篇 第2號, 1905년 9월, p.49.

장 신용할 역사상의 유물이다. 이에 대하여 일본이 조선 남부를 지배한 것을 확실히 알수 있는 것이다. 이는 우리나라의 역사의 중요한 재료를 재공하는 것이다. 나는 이 비를 일본으로 가지고 와서 박물관이나 공원에 세우는 것은 실로 재미있는 것으로 생각한다.

‥‥‥‥ 그 관계는 마치 일본이 지금 조선을 충분히 제압하려면 북쪽의 러시아를 치지 않으면 안되는 것과 조금도 다를 바 없다. 일본은 조선에 세력을 얻고 싶은 희망 때문에 앞서는 지나와 싸우고 지금은 러시아와 싸우는 것처럼 정치상의 관계에서 일본은 고구려와 싸움을 벌렸던 것이다.[167]

그는 비석에 새겨져 있는 내용의 중요성과 「임나일본부任那日本府」 설說의 억지 조작의 날조에 이를 이용하려고 했던 것임을 짐작 할 수 있다. 시라토리白鳥는 비록 학자이기는 하지만 그가 제안한 생각은 일본 군국주의 분자들의 주장을 반영한 것이다.

시라토리白鳥는 또 1906년에 "비를 갖고 돌아오는 일은 민정서民政署의 승낙을 얻었을 뿐 아니라 나의 우인友人인 오하라군大原君도 마찬가지로 그 희망을 갖고 있다"[168]라 했다고 하는데, 여기서 말하는 오하라大原를 사에키 아리키요佐伯有淸는 육군참모본부 편집과장을 역임하고 영희본榮禧本을 수집한 오하라大原里賢으로 추정하고 있어, 시라토리白鳥의 배후에는 육군참모본부가 있었음을 짐작할 수 있다.

167 白鳥庫吉, 「滿洲地名談附 好太王の碑文に就いて」, 『中央公論』 제20권 8호. 明治38년.
168 「滿鮮旅行日記」, 『輔仁會雜誌』, 明治39년. 佐伯有淸, 『研究史廣開土王碑』, 吉川弘文館, p.46에서 轉載.

그리하여 1907년 이후에 군함으로 이 비를 일본으로 실어가려고 압록강 입구에 군함을 대기시켜 놓고 일본 제57연대장 오자와 도쿠헤이小澤德平(元 참모본부 구성원)는 집안현 지사 오광국吳光國에게 이 비석을 사서 일본으로 운반하고 싶다고 요구한 일이 있다. 이 기사는 1915년에 간행한 『집안현향토지輯安縣鄕土志』에 수록된 「외교공독外交公牘」에 실려 있는 바, 그 내용은 다음과 같다.

일본군 57연대 연대장 오자와 도구헤이小澤德平가 군대를 거느리고 국경에 임하여 부여고비를 발견하고 부러운 듯 기화奇貨로 여겨 몇 번 이를 사서 일본 박물관에 옮겨 진열하겠다고 했다. 이에 지사는 이 비는 민간의 것이기 때문에 관이 마음대로 할 수 없으며 더욱 비는 무거운 것이기 때문에 옮길 수 없을 것이라고 대답했다. 오자와小澤는 "전차와 비교하면 어느 것이 무겁습니까? 전차가 바다에 빠져도 끌어올리

『집안현향토지(輯安縣鄕土志)』

는데 이 비 정도야 쉬운 일입니다. 군병을 동원한다면 쉬운 일입니다" 라고 했다. 지사는 그들의 뜻이 매우 심각함을 알고 이 비를 그렇게 아낀다면 먼저 탁본 몇 장을 보내니 평화가 이루어지기를 기다려 물주를 찾아 다시 편지하겠노라고 답했다. 일본군이 물러나자 다시 와서 실러 가겠다고 요구할까 두려워 이 비에 정자亭子를 세워 보호했다. 그리고 그 정자를 '열

래정悅來亭'이라고 했다.[169]

오자와小澤 육군대좌가 현지에 뛰어 들렀을 때는 제57연대가 평안북도 정주에 주둔하고 있었으며 해군은 압록강 하구까지 군함을 파견하기로 되어 있었다.[170] 이런 용의주도함을 보았을 때 준비를 철저하게 하였음을 알 수 있다.

후에 퇴역 육군중장 오시아게押上森藏는 1918년 일본 역사지리학회례회歷史地理學會例會에서 포병대위 사코酒匂景明의 이름을 거론하고, "현역시대現役時代에 호태왕비를 운반할 계획이었으나 아무래도 컸기 때문에 운반이 곤란했으며 또 자면손상字面損傷이 우려되어 중지했다"[171]고 그 이유를 말했으나 실은『집안현향토지輯安縣鄕土志』에 나타난 바와 같이 오광국의 완강한 저항에 부딪쳐 반출이 좌절되었던 것이다.

집안현 지사 오광국은 다시 실어 가겠다고 요구할 것이 두려워 정자까지 지은 것을 보면 그들의 요구가 얼마나 집요했는지를 알 수 있다. 만약 당시 이 비가 일본으로 실려 갔더라면 오늘날 어떻게 되었을까 생각만 해도 정말 아찔한 일이다.

민응식閔應植의 고향 집 소각

민응식의 고향 집은 여주에 있는데 그 집은 세 개로 나누어 무려 300여 칸이나 되었다고 한다.『매천야록』1907년 조에 의하면, 의병들이 그곳을 출입하고 있었으므로 일본인들이 그들의 뒤를 따라가 그 집을 포위하자, 민응식의 아들 민병승閔丙昇은 즉시 도주하여 죽음을 면하였다. 일본인들은 그 집에 소장된 물

건을 모두 구경하고 진귀한 보화만 택하여 40여 필匹을 싣고 가고, 병풍 800접
摺과 그 서화書畵를 모두 떼어 갔다. 그리고 우포芋布, 세단細緞, 동철銅鐵 등을 모
두 불에 태우고 그의 집도 모두 불에 태워버렸다. 그들은 서로 돌아보면서 "작
은 나라에도 이렇게 부자가 있을까?" 라고 하였다. 이때 여주, 지평, 양근, 원주
사이에서 사망한 백성들은 3천여 명이며, 소실된 가옥은 5천호라고 한다.

의병과 교전을 하던 일본군에 의해 이천 영월암映月庵과 부근의 소암자, 그리고
신흥사新興寺ㆍ약사사藥師寺가 불탔으며,[172] 사자사獅子寺가 일본병에 의해 불탔다.[173]

아카보시 사키지赤星佐吉가 골동상점을 열었다.

1896년에 인천으로 건너와 과자상을 시작하여 1904년에 개성으로 옮겨 과자
상, 잡화상을 하다가 1907년에 고물상을 시작하여 서울에 올라와 아카보시赤星
상점이라는 잡화상 및 골동상을 하였다.

이 자는 동경국립박물관에 상당수의 한국유물을 기증하기도 하였다. 『동경국립
박물관 소장품 목록』을 보면 '최충헌묘지崔忠獻墓誌(유물번호 27412)', '금동제도금옥
(유물번호 19296)', '지석(유물번호 6511)'을 비롯한 토기 4점(유물번호 6512, 6510,
6676, 6509)이 아카보시 사키지赤星佐吉가 기증한 것으로 나타나 있다.

---

172 今西龍, 『大正5年度古蹟調査報告』, pp.100~102.
173 今西龍, 『百濟史 研究』, p.566.

1913년에 간행한
『(조선연구회 3주년기념)조선』에 실린 광고

닛다 이노스케新田谷伊之助가 골동상점을 열었다.

1907년에 한국에 건너와 서울 명동에서 닛다新田상점이라는 골동상을 운영하면서 五十경매소까지 하였다. 닛다야 이노스케新田谷伊之助는 1863년 생으로 1907년 9월에 한국에 건너와 서울에서 닛다야상점新田谷商店이라는 고물상을 운영하면서[174] 이도 히로부미伊藤博文의 도자기 수집에 앞잡이 노릇을 하였다.

이토 토이치로伊藤東一郎가 골동상점을 열었다.

일본에서 시계 골동품상을 하였는데 1906년 한국에 건너와 시계점을 운영하다가 1년 만에 그만 두고 골동 점문점으로 업종을 바꾸었다. 그의 골동상점에는 특히 우수한 고려자기가 많이 있었다고 한다. 어릴 때부터 서화골동에 취미가 있고 골동품상들 사이에는 골동에 대한 안목이 아주 높은 것으로 알려져 있다.[175]

174 『朝鮮在住 內地人 實業家人名士辭』, 朝鮮實業新聞社, 1913, p.14.
175 정규홍, 「유랑의 문화재」.

朝日修好條規

大日本國與
大朝鮮國素敦友誼歷有年所
洽欲重修舊好以固親睦兹以
日本國政府簡特命
全權辦理大臣陸軍中將兼參議開拓長官黑田淸
隆特命副全權辦理大臣議官井上馨
華府朝鮮國政府簡列中樞府事申櫶副摠管尹滋
承各遵所奉諭旨議立條款開列于左

第一款
朝鮮國自主之邦保有與日本國平等之權嗣後兩

우리 문화재
수난일지

1908년

1908년 1월

제실박물관 진열품 수집

박물관이 처음 출발할 때는 공식적인 명칭이 없어 일본의 제실박물관의 명칭을 그대로 가져와 제실박물관帝室博物館이라 부르기도 했던 것으로 보인다.[176] 1908년 1월 제반의 건설 준비에 착수하고 박물관 시설에 앞서 진열품 수집에 전력을 경주하였다. 조선 고래의 국서國書와 미술품 등을 망라할 뿐 아니라 "인민의 지식을 계발하기 위하여 광대한 세계 현재 문명적 기구 진품을 수집하여 관람케 할 목적"[177]이라고 하며 1월부터 본격적으로 수집에 들어갔다.

1938년 5월에 발행한 『조광』(4권 5호)지에 실린 「덕수궁으로 옮겨진 유서 깊은 이왕가박물관」을 보면, "박물관에 진열할 조선의 고미술품 수집을 시작한 것이 1908년 정월부터라고 하는데 어찌된 셈인지 왕실에서는 박물관에 진열할 만한 보물이 별로 남아 있지 않음으로 그 해 봄에 취임한 현 원장 시모고리야

---

176 宮內府에셔 本年度부터 繼續事業으로 帝室博物館과 動物園과 植物園等을 設置홀 計劃으로 目下에 調査中이라더라(『大韓每日申報』 1908년 1월 9일자).
　各園設實說 宮內府에셔 本年度에 帝室博物館,動物園,植物園等을 設實홈을 現今計劃中이라눈 說이 有ㅎ더라(『皇城新聞』 1908년 1월 10일자).

177 宮內府에셔 帝室所屬博物舘을 設置홀 計劃으로 韓國古來의 國書와 美術品等을 網羅홀 쑌 外라 人民의 智識을 계발ㅎ기 爲ㅎ야 廣大훈 世界現在 文明的機具珍品을 蒐集ㅎ야 觀覽케 홀 目的이라더라(『大韓每日申報』 1908년 2월 9일자).
　帝室博物館 帝室博物舘을 設立ㅎ다홈은 已爲報道하얏거니와 其目的인즉 國內古來의 各圖書美術品과 現世界에 文明的機關珍品을 收聚供覽케하야 國民의 智識을 啓發케 홈이라더라(『皇城新聞』 1908년 2월 12일자).

마下郡山씨가 스에마츠末松씨와 함께 항간상인巷間商人의 손으로부터 구입한 물품과 개성 부근에 있는 분묘로부터 발굴한 도자기 기타 고귀품의 다수와 이조시대 불상 등을 다수 수집하였다"한다.

고미술품 수집은 주로 시모고리야마 세이이치下郡山誠—와 스에마츠 구마히코末松熊彦가 맡아 상인들로부터 구입하기 시작하였다.

시모고리야마는 1908년 3월에 어원사무국 촉탁으로 임명되어,[178] 1911년 2월 이왕직 기수, 1928년 6월 이왕직 기사에 임명되고 창경원 주임에 임명되었다.

스에마츠 구마히코末松熊彦는 1904년에 한국에 들어와 인천미두취인소 지배인으로 근무하다가 1908년 5월에 궁내부 촉탁으로 발탁되어[179] 얼마 후 1911년에는 궁내부 사무관으로 임명되었다. 1922년에는 조선총독부 직속기관 박물관 협의원, 고적조사위원회 위원으로 활동하였다.

고미야 미호마츠小宮三保松는 『이왕가박물관소장품사진첩』(1912)의 '서언'에서, "스에마츠 구마히코末松熊彦, 시모고리야마 세이이치下郡山誠— 양씨를 맞아 당시 전후무비 다량이 발굴되었던 고려도자기, 고려공기류를 구입하고 회화 불상 등 조선 제 각종 예술품을 매수하였다"고 한다.

---

178 1908년 3월 7일자로 博物調査 日本人 下郡山誠一氏로 博物舘調査事務를 囑托ᄒᆞᆺ다더라(『皇城新聞』 1908년 3월 12일자),

179 『皇城新聞』 1908년 6월 4일자.

시모고리야마는 "조선 고미술품들의 많은 것은 골동품상들로부터 매입한 것으로 10여 년에 대부분 수집한 것이다. 어떤 것은 몇 천원 몇 만원 가는 것도 있지만 박물관에서 매입할 당시에는 몇 백원 몇 십원에 매입한 것인데 어떤 것은 오늘날 1품으로 시중에서 몇 만원 부르는 것도 상당수 있다"[180]고 한다.

박물관에서 미술품을 매입할 당시에는 일본인 골동상과 부호들이 한국의 고미술품에 흥미를 가지고 수집이 한창일 때였다.

·개성 부근에 있는 분묘로부터 도굴한 도자기, 기타 미술품을 다수 수집하였다. 분묘에서 도굴품으로 나온 것은 옥석, 도자기, 금속품 등이 대다수였으며, 기타 조선시대의 회화, 공예품과 삼국시대, 신라시대의 불상 등도 수집하였다. 특히 개성 일대에서 도굴품으로 나타난 고려시대의 도자기 중에는 우수한 것이 많았다. 『이왕가미술관요람』의 '서언'에 그 수집에 대해서,

1908년 1월부터 먼저 진열품의 수집에 전력을 경주하였다. 이때 마침 경성에 고려자기 분묘에서 나온 찬란한 고려문화를 볼 수 있는 다수의 도자기, 금속품, 옥석류가 많이 매매되고 있어서 그것을 호기로서 예의 그러한 출토품과 함께 삼국시대, 통일신라시대의 작과 관련 있는 주건遒健되는 조상彫像의 구입에 노력하고, 혹은 조선시대의 회화, 공예품 등도 수집하였다.[181]

라고 하고 있다. 고려분묘에서 출토된 청자와 금석품들이 흥하게 매매되고 있

180 下郡山誠一, 「昌慶苑の今昔感」, 『朝鮮及滿洲』 제35호, 1937.
181 李王職, 『李王家美術館要覽』, 1938.

어 이런 호기에 많은 고려자기 등을 수집하였으며, 그 외 삼국시대에서 조선시대에 이르는 각종 유물들을 수집하였다. 이 같은 "호기로서" 수집에만 열을 올려 마구잡이로 사들이는 바람에 시중의 고려자기의 가격판도가 달라졌다고 한다. 미야케 쵸사쿠三宅長策는 당시 이왕가박물관의 고려자기 수집에 대해 다음과 같이 증언을 하고 있다.

고려청자가 비싸진 것은 이왕직이나 총독부가 박물관을 세우기 위하여 마구 사들이기 시작하면서부터의 일이다. 관청의 예산 내에서 사는 것이기에 물건이 좋으면 마구 돈을 썼다. 덕분에 호사가는 뜻하지 않은 타격을 받게 되었다. 당시 가장 비쌌던 것은 지금 이왕가박물관에 소장되어 있는 유명한 청자유리홍포도당자문표형병靑磁釉裏紅葡萄唐子文瓢形瓶으로 분명 천엔 정도였다고 기억한다. 그러나 지금과 비교하면 싼 것이다. 발굴이 성행하면서 일반 조선인의 반감도 이와 함께 높아졌다.[182]

시중에 도굴품이 버젓이 나돌았으며 이왕가박물관에서는 이러한 시중의 도자기들이 불법으로 도굴한 것임을 알면서도 마구잡이로 사들인 것이다. 또한 대부분의 도굴품을 쉽게 구입하기 위해 출처를 묵인하여 사들이는 바람에 대부분의 도자기나 불상들이 출처 미상으로 되어, 사료적인 증징자료를 사멸시키는 과오를 범하였다.

182 三宅長策,「そのころの思ひ出 '高麗古墳發掘時代'」,『陶磁』第6卷 6號(高麗特輯號), 東京陶磁研究所, 1934년 12월.

당시 몰락귀족 내지 양반계급의 수장품을 이왕가에서 매입한 것이 많았는데 특히 양반들은 가명家名이 외부로 빠져나가는 것을 부끄럽게 여겨 비밀히 매각하고자하여 전력轉歷, 유서由緖에 대해 상세히 밝히기를 꺼렸으며, 또 고사古寺의 불상佛像, 불기佛器 등을 일부 주지住持들이 몰래 가지고 나와 사재私財하려 했기 때문에 불상이나 불기가 출처불명出處不明의 이유[183]가 되었다. 이처럼 많은 도굴품의 대부분은 은밀히 거래가 이루어져 자세한 출처出處도 없이 마구 사들인 까닭에 오늘날 중요한 학술적 자료가 되어야 할 많은 귀중문화재貴重文化財가 그 단서端緖를 찾지 못하고 있다. 뿐만 아니라 이러한 일련一連의 수집방법蒐集方法은 도굴을 크게 조장助長하는 우를 범하기에 이르게 되어 많은 도굴꾼이 번성하였으며, 한 밑천 잡아보겠다고 우리나라에 건너 온 많은 일인 무직자, 깡패, 상인들이 대거 도굴에 참여하여 도굴품의 일부는 이왕가박물관에 비싼 가격으로 팔아치우고 일부는 일본으로 반출하여 갔다.

『이왕가박물관 소장품 사진첩』(1912)의 '서언'에서 고미야 미호마츠小宮三保松는 "박물관 사업은 스에마츠 구마히코末松雄彦와 시모고리야마 세이이치下郡山誠一에 맡겨 당시 '어떤 사정'으로 전후무후하게 많이 발굴된 고려자기와 고려공기류를 구입하고 회화와 불상 등 조선의 각종 예술품을 사들였다"고 한다. 여기에서 말하는 '어떤 사정'이라는 것은 '도굴'을 의미하는 것으로, 도굴을 방지하지 못하고 있는 당국의 책임을 은폐하기 위해 '어떤 사정'으로 기술한 것으로 보인다. 이때는 이미 통감부 고관들을 비롯한 일본인들이 고려자기 수집에 혈안이 되어 있었던 만큼 이를 제지할 의지가 없었던 것이다.

---

183 中吉功, 『朝鮮回顧錄』, 1985, pp.54~56.

조선연구회 진서 간행

재한국 경성의 가와이河合문학사, 하라다原田법학사, 도키오釋尾 조선잡지주필 등의 발기로 한 조선연구회에서 금회 그 사업의 하나로 "근래 조선본의 비상한 고가로 쉽게 입수하기 곤란하여" 조선의 진서를 등사판謄寫版으로 하여 실비로 회원 동호인들에게 배포하였다. 등사판으로 간행한 고서는 성현成俔의 용재총화慵齋叢話 3책(2원50전), 이긍익李肯翊 편의 연려실기술練藜室記述 40책(금20원)이다.[184]

경주의 일본인 수

『대한매일신보』 1908년 1월 31일자에 의하면, 경북 각 군의 일본인 가옥과 이구를 조사하여 내부에 보고하였는데, 그 중 경주에는 일본인 가옥 11호, 인구 21명으로 나타나 있다.

경주에는 언제부터 일본인들이 거주하기 시작했는지 명확하지 않다. 1902년 세키노의 한국고건축조사 시에는 경주의 일본인에 대한 언급이 없다. 그 후 1906년의 이마니시가 경주에 왔을 즈음에는 계림학교 후지타로伊藤藤太郎의 도움을 받았다는 것으로 보아 일부 일본인들이 거주하였던 것으로 보인다.

---

184 「彙報」, 『歷史地理』 제13권 제2호, 1908년 2월.

1908년 2월

성벽처리위원장 및 위원을 임명하다.

성벽처리위원장에 내부차관 기노우치 주시로木內重四郎이 맡고 위원에는 위생국장 류맹, 탁지부서기관 후지카와 도시사부로藤川利三郎, 번역관 한규복, 그외 현보운, 민용기, 권보상 등이 피임되었다.[185] 이어 경향 각지에 소재한 성벽이 교통에 불편을 주는 경우 이를 모두 철거하기로 했다.[186]

사사사찰(社祠寺刹) 조사

내부에서 각도에 훈령하여 국내 사사사찰社祠寺刹에 대하여 조사할 안건을 발훈發訓하여 보고하라 했는데, 그 조건은 다음과 같다.

1. 사직려우독제단소재지명社稷廬雩纛祭壇所在地名, 관리자차임방법管理者差任方法, 관리급유지방법管理及維持方法

1. 역대제왕선성명歷代帝王先聖名 장충신렬녀전묘사將忠臣烈女殿廟祠 각당소재지閣堂所在地, 제신명관리자명차임祭神名管理者名差任 방법관리급유지방법方法管理及維持方法

1. 사명소재지명寺名所在地名 종고본존불명연혁관리자명宗派本尊佛名沿革管理者名, 관리차임방법관리管理差任方法管理 및 유지방법승니수포교방법維持方法僧尼數布

---

185 『皇城新聞』1908년 2월 18일자.
186 『皇城新聞』1908년 2월 19일자;『大韓每日申報』1908년 2월 19일자.

진노陣之内吉次郎가 골동상점을 열다.

일본에서 미곡상을 하다가 1908년 2월에 한국에 건너와 서울 본정(충무로)의 토지를 매수하여 골동품상을 하였다.

충무공사우(忠武公祠宇)의 현판 도난

1908년 2월에 충무공 사우祠宇의 현판을 분실했는데, 진남군수와 경찰서장이 다녀간 후에 없어졌다고 한다.[188]

분실 후 이규익이 내부에 "충무공승서당현판忠武公勝捷堂懸板을 해 군수 및 경찰서장이 1차 관람한 후 현판을 견실見失되었으니 조사하여 추급推給"해 달라고 요청했다. 이에 내부에서는 진남군에 훈령하여 현판을 찾아주라고 했으나, 진남군수는 "현판은 1차 관람하였을 뿐이오. 견실한 종적踪跡은 돈연불지頓然不知"하다고 내부에 보고했다.[189] 도난과 관련

『황성신문』
1908년 5월 29일자 기사

---

187 『皇城新聞』 1908년 2월 6일자.
188 『皇城新聞』 1908년 5월 29일자.
189 『大韓每日申報』 1908년 5월 29일자.

통영 충렬사(『朝鮮の今昔歷代編』, 1927)

의혹을 가진 진남군수의 보고는 개운치가 않다.

진남군은 현재의 통영으로 통영의 충무공사우忠武公祠宇(충렬사)에 있던 승첩 현판이 구체적으로 무엇을 지목하는 지 명확하지 않다.

1908년 3월 6일

경복궁 내의 선원전을 훼철하고 안동별궁으로 이건할 예정으로 3월 6일부터 그 공사를 시작하다.[190]

1908년 3월 8일

숭례문 북편성첩은 이미 철거했고, 남편 성첩은 8일부터 훼철에 착수했다.[191]

대한문 파수를 3월 8일부터 일본병으로 교체하였다.[192]

---

190 『大韓每日申報』 1908년 2월 29일자.
191 『皇城新聞』 1908년 3월 10일자.
192 『皇城新聞』 1908년 3월 10일자.

3월 8일부터 경복궁을 일반에게 공개하기로 했다. 경복궁을 배관하려는 사람은 매주 일요일과 수요일 오전 7시부터 오후 5시까지 광화문주전원파출소에서 궁원배관표를 발급받아 경복궁을 구경할 수 있었다.[193]

1908년 3월 11일

동대문 좌우 성곽을 3월 11일부터 철거하기 시작하다.[194]

일본인 7명이 장단군 송청면에 있는 김 모씨의 무덤을 도굴하다가 개성경찰서에 체포되었다.[195]

일본인 마에다前田, 나카시마永島 외 5명이 11일에 장단군 송상면에 있는 개성 김종대 씨의 무덤을 파고 고려자기를 도적하다가 개성경찰서에 체포되었다.[196]

193 『官報』 1908년 3월 5일자.
194 『大韓每日申報』 1908년 3월 12일자.
195 『大韓每日申報』 1908년 4월 1일자.
196 『大韓每日申報』 1908년 4월 1일자.

1908년 3월

동물원을 건축하기 위해 창경궁 선인문宣仁門 내 전각을 철거하다.[197]

일본승이 보현사(普賢寺) 주지 권한을 탈취하다.

평북 영변의 보현사를 일본승 후루가와 코우古川大航에게 양여하기로 계약하여 일본승이 주지권한을 탈취했다.[198]

『매천야록』에는 "후루가와 코우古川大航가 보현사普賢寺의 주지권한을 탈취하였다. 이 사찰은 묘향산에 있다. 이곳은 단군이 거주하던 옛터이며 사찰의 규모는 700칸이나 되고, 조정에서 정한 사방의 면적은 길이가 15리, 넓이가 10리이며 화세火稅는 900여 원이었다. 그러나 이때 후루가와 코우古川大航는 내부를 위협하여 300원으로 감하였다" 라고 하고 있다.

성벽처리위원회에서 경성의 성벽을 처리하기 위하여 회집을 했는데, 각 성문에 인마人馬의 왕래에 긴요한 곳은 우선 몰수 훼철하고 그 외 성곽도 차제 훼철하기로 했는데 그 기한은 4년으로 했다.[199]

---

197 『大韓每日申報』1908년 3월 6일자.
198 『大韓每日申報』1908년 3월 4일자.
199 『大韓每日申報』1908년 3월 10일자.

차후 궁궐 이하 각 관청의 단청은 금지하고 양칠로 수리하기로 궁내부에서
결정하였다.[200]

삼척 삼화사(三和寺) 복구 신청

삼척 삼화사三和寺는 1907년 의병과 토벌대의 교전
때 일본군에 의해 200여 칸에 이르는 전각이 모두 불
탔다. 이후 1908년 3월에 절간을 잃은 승들이 상경하
여 다시 중건할 수 있도록 내부에 신청을 하였다. 삼화
사 승려 영명影明 등이 내부에 청원하기를 "본사가 병
화를 혹피酷被한 후로 중건할 길이 없어 본 군 각 면에
권선걸립勸善乞粒하겠으니, 이 같은 뜻으로 삼척군에

『皇城新聞』
1908년 4월 2일자 기사

훈칙訓飭하겠다"고 했다. 즉 군의 부호들로부터 수 냥씩 징수徵收하여 복구하려
했던 것이다. 하지만 이 같은 요구는 "의연기부義捐寄付는 개인의 자선적덕의慈
善的德義에 있는 것"이라 하여 내부에서는 인준하지 않았다.[201]

이후 힘들게나마 1908년부터 대웅전을 비롯한 일부의 전각을 다시 건립할
수 있었다. 현재의 위치는 1977년에 옮겨온 것이다. 주요문화재로는 삼층석탑
과 철불, 목조지장보살상, 부도 및 비가 있다.

---

200 『皇城新聞』 1908년 3월 5일자.
201 『皇城新聞』 1908년 3월 26일자, 4월 2일자.

1908년 4월 20일

창덕궁원유회秘苑園遊會

창덕궁에서 원유회를 가졌는데, 주합루宙合樓에 명明 태조어필太祖御筆과 숭정황제어필崇禎皇帝御筆과 기타 고화고서古畵古書를 걸어놓고 누 앞에는 화분과 고기물를 다수 진열하였다.[202]

조긔도적 지난 이십일에
양복닙운쟈 소명이 경쥬군
에잇눈 신라션덕왕 릉침을
파고 고려즈긔돌 가저갓다
러라

『대한매일신보』
1908년 4월 24일자 기사

선덕왕릉 도굴

4월 20일에 양복 입은 자 4명과 한복을 입은 2명이 경주군에 있는 신라 선덕왕릉을 파고 부장품을 훔쳐갔다.[203]

1908년 4월

운현궁雲峴宮을 양옥으로 건축하기 위하여 3월에

---

202 『大韓每日申報』1908년 3월 31일자.
203 『大韓每日申報』1908년 4월 24일자;『皇城新聞』1908년 4월 24일자.

100칸을 6만 냥에 방매하였는데, 기와 및 목재는 한국인이 매수했다.[204] 그러나 4월에 다시 변경하여 전면으로 수 십 칸만 철거하여 양옥으로 건축하기로 하고 공사에 착수했다.[205]

1908년 4월에 평양 풍경궁豊慶宮 태극전太極殿과 중화전重華殿에 봉안하였던 어진을 덕수궁 정관헌靜觀軒에 이안했다.[206]

이토 통감과 함께 온 해군 장졸을 4월 18일 법부대신 조중응 주전원경 이겸제가 인솔하여 경복궁을 배관하였는데, 이겸제는 장안당長安堂 문고리를 도끼로 파괴하고 그 안으로 들어갔다. 당시 각 전각을 봉쇄封鎖하고 열쇠는 승녕부에 유치하였는데 열쇠를 가져와 문을 열지 않고 이 같이 문고리를 파괴한 문제로 시종이 궁내부대신에게 고한 즉 궁내부대신은 궐내의 일은 주전원에서 총찰總察하는 것이니 궁내부와는 관계없는 것이고 하였다.[207]

204 『皇城新聞』1908년 3월 19일자.
205 『大韓每日申報』1908년 4월 22일자.
206 『大韓每日申報』1908년 4월 4일자; 『純宗實錄』1908년 4월 2일자 기사.
   『高宗實錄』1903년 11월 10일자 기사에 의하면, 풍경궁의 태극전과 중화전에 모신 어진은 1903년 11월에 태극전과 중화전이 완공되자, 음력 10월 13일에 봉안한 것이다.
207 『大韓每日申報』1908년 4월 21일자.

4월에 '신문지단속규칙'을 개정·추가하여 치안의 방해를 규제하였다.[208]

아카보시 사키지赤星佐吉가 골동상점을 열다.

1896년에 인천으로 건너와 과자상을 시작하여 1904년에 개성으로 옮겨 과자상, 잡화상을 하다가 1907년에 고물상을 시작하여 서울에 올라와 1908년 4월에 아카보시赤星상점이라는 잡화상 및 골동상을 하였다.[209]

이 자는 동경국립박물관에 상당수의 한국유물을 기증하기도 하였다.『동경국립박물관 소장품 목록』을 보면 '최충헌묘지崔忠獻墓誌(유물번호 27412)', '금동제도금옥(유물번호 19296)', '지석(유물번호 6511)'을 비롯한 토기 4점(유물번호 6512, 6510, 6676, 6509)이 아카보시 사키지赤星佐吉가 기증한 것으로 나타나 있다.

1908년 5월 5일

도쿄국립박물관에서 청자상감국화문합자青磁象嵌菊花文盒子 1점을 구입하다.[210]

---

208 서울특별시 시사편찬위원회, 『국역 경성부사』 제2권, 2013.
209 朝鮮實業新聞社, 『조선재주 내지인실업가 인명사전』, 1913
210 『東博圖版目錄』, 2007, 圖136.

1908년 5월 7일

강도 수십 명이 동대문 화계사에 돌입하여 승들을 포박하고 불기佛器 및 즙물汁物을 몰수 약탈해 갔다.[211]

1908년 5월

평안남도 관찰사 박중양은 성첩을 헐어버리고 석재를 운반하여 선화당 후원에 쌓아 놓았다.[212]

신채호의『을지문덕』이 간행되다.

『황성신문』1908년 6월 3일자 광고란의 내용은 다음과 같다.

무애생無涯生 신채호申采浩 저
을지문덕乙支文德 (揷眞本寫眞)
진부 구십륙혈

---

211 『大韓每日申報』1908년 5월 10일자·『皇城新聞』1908년 5월 10일자.
212 『皇城新聞』1908년 5월 8일자.

정가 금 삼십전

을지문덕은 고구려대신으로 지나支那: 중국) 괴걸 수양제를 전양戰攘하여 국위을 선양하며 국강國疆을 광척廣拓하고 명예적 기념비를 동국역사상에 장수長豎한 사천재제일위인四千載第一偉人인데 불행히 고구려유사는 병화에 탕진하고 후래에 유전하는 을지문덕 사적事蹟은 지나사支那史의 타여唾餘를 습拾하여 살수전역 일절만 호찬胡撰함에 불과하매 차광광此光光한 위인의 력사가 위인을 수隨하여 묘하墓下에 동장同葬하였더니 금에 본서는 아 동문헌중 범 을지문덕에 속한 사실과 평찬을 박수병집博蒐並集하며 간혹 수서隋書도 참고에 자하며 또 려수麗隋의 형세와 을지문덕의 위치를 정구력색精究力索하여 저출著出한 바라 거연 이천년 이상의 을지문덕이 지상에 활현하여 우리들 후인이 그전에 막배膜拜하며 조국 대영웅의 진면목을 앙첨仰瞻케 하니 어찌 일성규쾌一聲叫快할바 아니리오. 차서此書가 출出에 노재배奴才輩의 비렬성근卑劣性根을 일봉一棒에 갈파喝破하고 무골자無骨者의 골骨을 주며 냉혈자의 피를 뜨겁게 할 무가無價의 기저奇著이온지라 자에 전서의 정채를 략술ᄒᆞ야 강호유지제군자江胡有志諸君子에게 소개하옵

발매원

황성포병하 광학서포 금상만

발매소　평양종로야소교책사平壤鍾路耶蘇敎册肆

법교대동서관法橋大同書館

경향각유명서점京鄕各有名書店

신채호申采浩가 지은 전기소설『을지문덕』이 1908년 5월에 국한문으로 광학

서포廣學書鋪에서 간행하였다. 전기형식으로 기술하고 있으나 광고문에도 나타나 있듯이 풍부한 자료를 바탕으로, 당시 한국 강점을 진행하는 일제에 대한 저항의식을 바탕에 두고 일제에 편승하는 매국노에게 일침을 가하고 민족의 자존을 찾으려는 민족정신과 단합을 일깨우려 하고 있다.

이 책은 당시 황성신문에 6월 24일까지 연일 광고가 나가고 전국의 각 서점에 배포가 되어 일반인들에게 번져나가게 되었다. 이 후 7월에는 다시 국문으로 간행되어 황성신문과 대한매일신보에 연일 광고가 나갔다(압수되기까지).

이렇게 되자 경시청에서는 한일경관을 동원하여 1908년 7월에『을지문덕』,『이태리삼걸전』,『월남망국사』기타 수종의 서적을 수거하여 조사를 하고, 1910년 11월 19일에는 1909년 2월에 법률 제6호로서 제정한 구한국 출판법을 적용하여, 『을지문덕』을 비롯한 51종의 서적을 불온서적으로 분류하여 모두 압수해 버린다.

1908년 6월 5일

사원관리 요청

1908년 6월 5일에 일본 조동종曹洞宗 관장 아가사와石川素童는 통감 이토 히로부미伊藤博文에게 조동종에서 한국사원을 의병의 침해로부터 보호하겠다는 명분으로 한국 사원을 관리하겠다는 청원서를 제출했다.[213]

의병 토벌의 소동 속에서 점심이나 바치면 되는 의병보다는 절을 홀랑 불태우곤 하는 토벌대 쪽이 더 무서운 것은 사실이다. 따라서 조선 사찰 측에서 볼 때 이런 더 큰 피해를 막는 길은 일본에게 사찰 관리권을 맡김으로서 토벌대의 배려와 보호를 받을 수밖에 없다고 생각했던 것이다.[214] 이들은 일본 절 행세를 함으로써 토벌대나 헌병대의 배려를 입고 소각을 면하려 했다.[215] 묘향산 보현사는 일본 승려를 주지로 취임케 할 목적으로 통감부에 그 인가신청서認可申請書까지 제출하였다.[216] 보현사와 같이 큰 사찰에서 이런 청원서를 낸 것을 볼 때 당시 조선 사찰의 절박함과 아울러 일본불교에 대하여 상당히 호감을 가지고 있었음을 알 수 있다. 이렇게 하여 조선사찰의 승려는 일본 본원사별원本願寺別院, 정토종개교원淨土宗開敎院에 청원請願하여 그 말사末寺의 증문證文을 얻어 본원사별원말사本願寺別院末寺 모사

---

213 김광식 편저, 『한국불교 100년』, 민족사, 2000, p.52 사진 55.

214 주승적탈(主僧赤奪). 지방 각 군에 소유한 사찰에 주지승을 일본승니로 택임한다는 항설이 있다더라(『대한매일신보』 1907년 10월 1일자).

215 임종국, 『實錄 親日派』, 反民族研究所刊, 1994.

216 김광식 편저, 『한국불교 100년』, 민족사, 2000, p.47. 사진 42.

某寺, '정토사개교원말사淨土寺開敎院末寺 모사某寺' 등의 간판을 사문寺門에 달았다.[217]

이렇게 되자 각 종파의 왜승倭僧들은 앞을 다투어 조선 사찰의 횡령橫領 점탈占奪을 획책劃策했다.

1908년 6월 9일

건물 공매 입찰 광고

서소문 내 전 시위대 병영 내 소재 1고실古室 6좌 계27동 매각.

『황성신문』
1908년 6월 6일자 광고

1908년 6월 11일

헌병보조원 모집

일제는 1908년 6월 11일에 칙령 제31호로 헌병보조원을 모집하여 의병과 양민들의 탄압에 동참시켰다.

칙령 제31호 '헌병보조원 모집에 관한 건' 제1조에, "폭도暴徒의 진압과 안녕

---

217 高橋亨, 『李朝佛敎』, 國書刊行會, 1973, p.919.

질서의 유지함을 위하야 헌병보조원을 모집하야 한국주차일본헌병대에 의탁하고 해 대장의 지휘를 따라 복무케함" 이라고 되어 있다.[218]

보조원은 전국 각지에서 모집하여 그 지방소재의 헌병분견소에 부속케 하여 의병을 토벌하기 위한 것인데, 경성헌병분대에서 6월 20일에 모집한 헌병보조원은 2백여 명이더니 23일에는 450여 명에 달하였다고 하니, 전국적인 수는 엄청난 수이다.[219]

1908년 6월

적한이 헌릉獻陵에 돌입하여 능참봉을 무수히 난타하고 전량錢兩을 탈거하였다.[220]

강릉향교에 모셔두었던 문선왕文宣王: 孔子 진상眞像을 도난 당했다.[221]

1908년 7월 4일

고려무덤 도굴

1908년 7월 한국주차군참모장이 경무국장 시쓰이 시게松井茂에게 보낸 '적정

218 『官報』隆熙2년 6월 11일; 『皇城新聞』1908년 6월 13일자.
219 『皇城新聞』1908년 6월 24일자.
220 『皇城新聞』1908년 6월 16일자.
221 『大韓每日申報』1908년 6월 19일자.

통보' 내용 중 일부는 다음과 같다.

> 7월 4일에 적(의병) 20여 명과 마주치자 교전하여 이를 괴란시켰는데 적
> 속(의병)에 2명의 일본인이 부상했음을 발견하고 즉시 개성으로 후송하여
> 치료했음, 그 일본인은 고려자기를 발굴하기 위해 그 지역에 있었다고 말
> 하나 혹시 적도에 합류하여 행동하고 있는 것이 아닌가 의심함. 그리하여
> 그 복장 등은 일견 적도賊徒와 같이 분장했다고 함.[222]

 당시 경기도 일대에서 활동하던 의병들의 눈에 일본인들이 도굴하는 현장이
자주 목격되어, 일본 도굴배들이 주살되는 사례가 많았다. 교묘한 일인 도굴배
들은 의병들로부터 위험을 모면하기 위해 의병의 복장을 하기도 했다.

1908년 7월 6일

 7월 6일에 내부에서 성벽처리위원회를 열었는데 동대문 북벽을 훼철하여 석
재를 한성위생회에 이용케 하는 건, 동대문(흥인지문) 5칸 수문을 철거하는 건,
평안북도 동림진성벽을 경의철도개축을 위해 철거하는 건을 의결하였다.[223]

---

222 「韓國獨立運動史 資料 18」,『統監府文書 6』, 國史編纂委員會, 1999.
223 『皇城新聞』1908년 7월 8일자.

1908년 7월 16일

서적 압수

경시청에서 각 분서에 명하여, 각 서점에 있는 『금수회의록禽獸會議錄』이란 책자를 수색하여 압수해 갔다.[224]

1908년 7월 22일

서적 압수

경시청에서 『국문 을지문덕전』, 『가정잡지』, 『이태리삼걸전』, 『월남망국사』 등의 책자를 압수 수거하였다.[225]

---

224 『大韓每日申報』 1908년 7월 18일자.
225 『皇城新聞』 1908년 7월 24일자.

1908년 7월

창덕궁 인정전을 반서양식으로 개축하다.

창덕궁昌德宮은 태조 때 창건한 별궁으로 임진란 때에 또한 병화兵火에 소실되어 1609년에 중건하였다. 그 후 인정전仁政殿이 또 파손되어 순조4년(1804)에 다시 수축하고 또 내전을 건축하였다. 고종이 덕수궁에 있는 동안에는 경복궁과 같이 폐궁으로 있다가 고종의 양위에 이어 순종이 덕수궁에서 이 궁으로 이어移御하면서 대수리를 하고 부속청사도 새로 건축하야 왕궁의 면목을 새롭게 했다.

1908년 7월에 창덕궁 내의 인정전仁政殿의 중수공사가 일본인 노시미츠 고사후로利光小三郎에 의하여 착수되었다. 그 양식은 반서양식으로 중수하여,[226] 『매천야록』에는 "창경궁의 인정전을 철거하고 절반 양장洋裝으로 개축하였다. 이때

개축 전의 인정전

---

226 『大韓每日申報』 1908년 7월 7일자, 7월 19일자, 10월 8일자; 『皇城新聞』 1908년 7월 21일자.

동북 양 궐兩闕은 예전처럼 웅장한 모습을 드러내고 있었지만, 일본인들은 혹 부러뜨려 훼손하거나 혹은 철거하여 새로 건립하였으므로 그 경비는 무한히 들어도 용도에는 아무런 이익이 없었다. 이것은 국고를 낭비한 사례 중 하나라고 할 수 있다. 이 공정工程으로 인하여 경비가 12만 8천원이 소요되었다"고 한다.

이 같이 창덕궁의 중수공사에서 전각을 반서양식으로 개축한 데에는 통감 이토伊藤의 입김이 컸던 것으로 보인다.[227]

실내장식 역시 서양식 위주로 개조되었다. 인정전 용마루에 다섯 개의 오얏꽃 李花문양을 인정문에는 세 개의 오얏꽃 문양을 만들어 넣은 것도 이때이다. 그 뒤 1917년 창덕궁 대화재로 창덕궁 전각의 중건 시에도 많은 전각이 심하게 왜곡되었다. 그 뒤 현재 인정전의 모습은 1999년 복원하여 오늘에 이르고 있는 것이다.

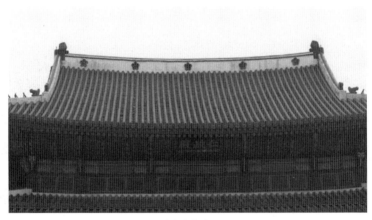

인정전 용마루

---

227 『大韓每日申報』 1907년 10월 11일자에는 다음과 같은 기사가 있다.
　　昌德宮으로 移御ᄒ시ᄂᆞᆫ 事에 對ᄒ야 伊藤銃監이 贊成不已ᄒ고 列聖朝게셔 臨御ᄒ시던 殿
　　閣은 仍舊置之ᄒ고 外他院廊은 毁撤後에 洋製로 建築ᄒᄂᆞᆫ 것이 妥當홀듯ᄒ다ᄒ얏다더라

사찰재산보호령을 각도에 훈령訓令하다.

그 내용은 다음과 같다.

각 지방 사찰의 소유전답 및 산림은 본시 부근 사민의 자선적 기부금과 고금 승려의 성심구취誠心鳩聚한 금액으로 매치買置하여 혹 천여년 수호하고 혹 기백년 보관한지라 만근이래挽近以來로 지방관헌이 물권物權의 유재攸在를 불고不顧하고 교육실비에 보용補用한다 자칭하고 사유재산을 학교에 이부移付하는 폐가 종종히 있는 고로 각 사 승려가 호상의구互相疑懼할 뿐 불시不是라 승려의 오해가 록차자생綠此滋生하니 관하 각 부군에 즉위령칙即爲另飭하여 사후嗣后로는 지방관헌이 천자擅自히 사유전답 및 산림을 이부移付하는 폐가 없게 할지며 사유재산보수寺有財産保守함에 대하여 령가주의另加注意하고 此 훈사訓辞를 각 사찰에 일일지칙——指飭하여 일반승려로 하여금 함수지실咸須知悉케ᄒ고 소암小菴이라도 무일유루無一遺漏하여 일승이라도 불문불지不聞不知하는 폐가 없게 하라.[228]

『매천야록』에는 다음과 같이 기술하고 있다.

사찰재산보호령을 반포하였다. 일본 풍속은 본래 불교를 존숭하고 있으므로, 그들은 우리나라에서도 그들을 보호하는 데 매우 힘을 기울였다. 승도들도 그들의 세력을 믿고 날마다 심한 행패를 부려 평민들은 감히 그들

228 『皇城新聞』 1908년 7월 29일자.

을 저항하지 못하였다. 그들은 통감부에 부탁하여 이 영을 내리게 하였으며, 또 그들은 종종 학교를 설립하여 예술을 전공하였으나 간사한 승도들이 기세를 부려 그 계율은 하나도 없었으므로 사람들은 "우리나라가 쇠퇴해지자 석씨釋氏가 먼저 망한다"고 하였다.[229]

수원 화녕전華寧殿과 개성 목청전穆淸殿의에 봉안한 어진를 영희전永禧殿으로 이안하고,[230] 각처에 봉안한 어진을 영희전에 합설 봉안키로 하다가 다시 영희전을 폐지하고 선원전으로 합설하기로 했다.[231]

건청궁 철거

경복궁 중건사업이 끝난 이듬해인 1873년, 고종은 경복궁 북쪽 동산정원인 녹산과 향원정 사이에 건청궁을 건립케 하고 명성황후와 기거하였다. 건청궁의 건축양식은 궁궐의 침전양식과는 달리 양반가옥 살림집을 응용하여 사랑채(장안당), 안채(곤녕합), 부속건물(복수당), 행각 등으로 구성하였는데 그 규모는 양반가옥 상한선인 99칸의 2.5배나 되는 250칸이다. 건청궁이 건립된 지 3

229 黃玹, 『梅泉野錄』李章熙 譯, 大洋書籍, 1973.
230 『大韓每日申報』1908년 7월 4일자.
231 『大韓每日申報』1908년 7월 28일자.

년이 지난 1876년, 경복궁에 큰 불이 나자 고종은 창덕궁으로 생활공간을 옮겼으며, 1885년에 다시 건청궁으로 돌아와 1896년 아관파천 때 러시아공관으로 피신할 때까지 10여 년간 줄곧 이곳에서 지냈다.[232]

1895년 을미사변 때 명성황후가 옥호루에서 일본인 자객에게 시해된 후 주인을 잃은 이곳은 빈 채로 있다가 1908년부터 철거하기 시작했다.

건청궁 내의 옥호루玉壺樓는 『황성신문』 1908년 8월 4일자에 "옥대훼철玉臺毀撤. 북궐 건청궁 내 옥대루를 일전 훼살하였는데 해 기지에는 단壇을 축築한다더라" 라는 기사가 보이고 있어, 건청궁은 1908년 8월 이전부터 이미 철거가 시작되었던 것으로 보인다. 철거한 건

경복궁 건청궁 동쪽 육각정
(국립중앙박물관 소장 유리건판)

축자재는 정확히 어디로 옮겼는지 알 수 없으나 『황성신문』 1909년 3월 16일자에는 "경복궁 내 건선문建善門 밖에 적치積置하였던 건청궁 훼철 석재는 창덕궁 수리공사에 충용充用하기 위하여 재작일에 수거輸去하였다더라" 라는 기사가 보이고 있어 이때쯤이면 건청궁은 거의 대부분 철거된 것으로 보인다.

---

232 출처 : 문화재청.

1908년 8월 6일

구군물(舊軍物) 조사

1908년 8월 6일에 본부와 근위대와 무관학교에 보관한 구군물품을 조사하였는데, 조사한 이유는 이 구군물舊軍物 중에서 기괴奇愧한 군물을 선발하여 미국에서 개최하는 박람회에 출품하기 위함이라 한다.[233]

1908년 8월

『공립신문』 1908년 8월 12일자에는 "일인이 아니면 할 수 없나. 시어소 동관 대궐(창덕궁)에 인정전을 수리하는데 이것도 일본인에게 도급을 주어 일인 리광소삼랑이 역부 수백 명을 통솔하고 방금 역사한다더라" 하고 비평하고 있다.

서적 폭쇄(曝曬)

규장각奎章閣과 집옥재集玉齋에 보관한 제반책자를 강령전康寧殿에서 폭쇄曝曬하

---

233 『皇城新聞』 1908년 8월 8일자.

는데, 그 폭쇄하는 사무는 규장각 촉탁 일본인 구로사키黑崎가 담당하였다.[234]

　구로사키는 즉 구로사키 미치오黑崎美智雄란 자로 『융희2년6월직원록隆熙二年六月 職員錄』(1908)에 의하면 당시 궁내부 사무관으로 궁내부농림과장 겸 인사과 사무 관에 이름이 등재되어 있다(당시 宮內府次官은 小宮三保松). 1921년에 조선중앙 경제회에서 편찬한 『경성시민명감』에 의하면, 이 자는 일본에 있을 당시에 도쿄외 국어학교 조선어학과를 졸업하고 그 후 동경불어학교에서 불어법률과를 졸업하 고 1895년 오사카아사히大阪朝日신문사에 근무하였으며, 1906년에 한국에 건너와 국민신보에 관계하다가 1907년에 궁내부사무관으로 임명받은 것으로 나타나 있 다. 이런 경력으로 보아 한국학 관련이나 한국어가 상당한 수준이었을 것으로 보 이며 폭서과정에서 한국 귀중서적에 대한 내용파악도 겸하였을 것으로 추정된다. 당시 한국 도서가 모두 통감부에서 장악하고 일본인들에 의해 관리되고 있었던 것이기 때문에 얼마나 많은 양의 귀중본이 반출되었는지 파악할 수가 없다.

도굴범 처벌

　개성 등지에서 고려분묘를 파괴하고 부장품을 절취하다가 이사청에 체포된 일본인 요시다吉田政歲와 히라오카平岡辨大郞에 대해 징역 1개월에 처했다.[235]

---

234 『大韓每日申報』 1908년 8월 22일자.
235 『大韓每日申報』 1909년 8월 11일자.

도굴범 처벌

개성 등지에서 고려분묘를 파괴하고 부장품을 절취하다가 이사청에 체포된 일본인 오가와小川亦吉에 대해 중고금 15일에 처했다.[236]

1907년 봄에 송우암宋尤庵의 구택舊宅을 후손이 문서를 위조하여 일본인에게 매도하자 송씨들은 금액을 거두어 다시 그 집을 다시 찾았다.[237]

1908년 9월 2일

어원사무국관제 발포

9월 2일에 어원사무국관제御苑事務局官制를 발포하여 박물관, 동 식물원에 관한 사무를 관리하는 제도를 제정하고 점차 사업의 완비를 도모했다. 고미야 미호마츠小宮三保松 차관이 총장, 스에마츠 구마히코末松熊彦가 부장을 맡았다.[238]

그 내용은 다음과 같다.[239]

---

236 『皇城新聞』1908년 8월 12일자.
237 『大韓每日申報』1908년 8월 16일자;『梅泉野錄』.
238 『皇城新聞』1908년 9월 2일자.
239 『官報』제4166호, 隆熙2년 9월 2일자.

포달布達

어원사무국관제를 좌와 같이 정함이라

융희2년 8월 13일 봉奉

칙   궁내부대신 민병석

포달제180호

어원사무국관제

제1조 어원사무국은 궁내부대신의 관리에 속하야 박물관 동식물원에 관한 사무를 掌함

제2조 어원사무국에 좌개직원左開職員에 치寘함

총장	1인	칙임勅任
이사 전임	1인	칙임혹주임勅任或奏任
부장	3인	주임奏任
주사 전임	5인	임判任
기수 전임	6인	판임

제3조 총장은 궁내부대신의 지휘 감독을 승承하야 국무局務를 총리總理하고 부하를 감독함

총장은 궁내부차관으로 겸임케 함

제4조 이사는 총장의 명을 승하야 국무를 장함

제5조 부장은 총장의 명을 승하야 박물관 동물원 식물원의 사무를 분장分掌함

제6조 주사는 상관의 지휘를 승하야 서무에 종사함

제7조 기수는 상관의 지휘를 승하야 기술에 종사함

제8조 궁내부대신은 국무의 수요須要를 의하야 어원사무국에 평의원을 치

實함을 득함

평의원은 각전문의 지식에 관하야 총장의 자순諮詢을 대하거나 또는 총장
의 의촉을 응하야 국무에 참여함

제9조 궁내부대신은 국무의 실항을 의하야 필요가 유한 시에는 촉탁원을
치하야 부장 혹 주사기수의 직무를 행케 함

부칙

본 포달은 반포일로부터 시행함

이로써 황실재산관리국관제는 자동 폐지되고, 9월에 새로이 박물관 동 식물
원 사업에 관해 관장부국을 설치하고 점차 사업의 완비를 도모했다. 이후 진열
관에 금석류, 옥석류, 조상彫像, 회화, 공예품 기타 역사 풍속에 관한 수집품을
각 시대별로 진열하고 먼저 고종황제가 열람한 후 이토 통감, 각 대신 이하의
열람이 있었다.[240]

1908년 9월 20일

수원 화녕전華寧殿에 봉안하였던 정조의 어진을 덕수궁 내 선원전으로 이안
하다.[241]

---

240 李王職 編, 『李王家美術館要覽』, 1938.
241 『大韓每日申報』 1908년 9월 22일자; 『皇城新聞』 1908년 9월 22일자.

화장사 패엽경 도난

9월 20일 장단군 화장사에 3, 4명의 도둑이 침입하여 총으로 승려들을 위협하고 화장사에 전래한 패엽경貝葉經 3축을 약탈해 갔다.

화장사 보장된 패엽경은 1894년 한국을 정찰하기 위해 도한渡韓한 일본 승가토 후미노리加藤文敎에 의해 1매가 반출되고, 나머지의 패엽경은 잘 보존되었던 것으로 보이는 바, 1902년에 세키노關野가 처음 관명에 의해 화장사를 조사하였을 당시에도 패엽경이 현존하였던 것으로 조사기록에 나타나있다.[242] 또 1907년에 간행한 장지연張志淵의 『대한신지지大韓新地志』 권지1에,

약탈당한 패엽경을 찾는다는
광고(『大韓每日申報』 1908년
9월 22일자)

> 보봉산에 화장사가 유有하니 석昔에 명승 지공이
> 탁석卓錫하야 총림叢林은 대구大搆하고 패엽경과
> 전단향을 유전遺傳하얏고 <하략>

하는 기록이 있어 최소한 1907년까지는 전해져 왔다고 볼 수 있다. 그런데 1908년 9월에 패엽경 3축을 적한들에게 약탈당했다는 광고가 보이고 있다.[243]

---

242 關野貞, 「韓國建築調査報告」, 『東京帝國大學 工科大學學術報告』, 東京帝國大學工科大學, 1904, p.95.
243 『大韓每日申報』 1908년 9월 22일자.

1916년 『고적조사보고』에는, 이미 하나도 남아 있지 않아 "이 절에는 패엽경을 장藏하고 있어 유명한데, 십 수 년 전에 산일散逸되었다" 라고 보고하고 있다.

1908년 9월

규장각 관제 개정

규장각은 전모과典謨課, 도서과, 기록과, 문서과를 두었는데, 전모과에서는 선원보첩璿源譜牒과 열성어제列聖御製, 어필御筆, 봉심급제전참렬奉審及祭典叅列 사항을 관리하고, 도서과에서는 도서 및 선사사항을 관리하고, 기록과에서는 륜발綸綍 성록省錄, 십주문의十奏文儀를 관리하고, 문서과에서는 진강급대찬進講及代撰, 존호尊號, 사책기초사항史册起草事項을 관리하게 하였다.[244]

황족회관(귀족회관)을 종정부宗正府에 설치하고, 어제, 어필, 서책 18만 권을 황족회관에 장치藏置하였다.[245]

244 『皇城新聞』1908년 9월 24일자.
245 『皇城新聞』1908년 9월 10일, 12일자.

황제께서 궁내부차관 고미야 미호마츠小宮三保松에게 선원보략璿源譜略 한 질을 하사하였다.[246]

성벽처리위원회규칙을 폐지하고 이 사무는 내부 자방 토목 양국에서 처리케 했다.[247]

성벽훼철의 칸수

9월에 성벽처리위원이 훼철하는 성벽은 경성 서소문 부근 성벽 77칸間과 전라북도 남원군 성벽 일부 60칸과 전주성벽 일부 60칸과 경성 남대문 부근 성벽 77칸이다.[248]

1908년 10월 5일

5일경 의병들이 내가면 췌산동에 이르러 류박留泊하고, 적석사 방면 상하판 산

---

246 『皇城新聞』1908년 9월 23일자.
247 『皇城新聞』1908년 9월 6일자;『大韓每日申報』1908년 9월 6일자.
248 『皇城新聞』1909년 7월 9일자.

중에서 일본인 10여명이 고총古塚을 도굴하는 것을 습격하여 6명을 살해하였다.[249]

1908년 10월 18일

개성군 목청전穆淸殿에 봉안하였던 태조의 영정影幀을 덕수궁내 선원전으로
이안했다.[250]

개성 목청전(국립중앙박물관 소장 유리건판)

---

249 1908년 11월에 인천경찰서장이 경무국장 松井茂에게 보낸 '폭도의 공술 급 폭도 총살
     의 건.'(『統監府文書 6』(國史編纂委員會, 1999)의 「한국독립운동사 자료」)
250 『大韓每日申報』1908년 10월 20일자.

1908년 10월 29일

1908년 11월 인천경찰서장이 내무부 경무국장에게 보낸 '복명서'에 의하면, 10월 29일 오후 4시에 폭도(의병) 수 십 명이 산곡동에서 분묘 도굴을 하고 있던 일인을 쫓아가 두 명을 사살하여 매몰하고 갔다고 한다.[251]

1908년 11월 한국주차헌병대장 아카시 겐지로明石元二郎가 경무국장에게 보낸 '강화도 내의 적정賊情'에 의하면, 10월 29일 개성재주 일본인 12명은 고려요를 도굴 중 강화도 삼해면 고려산 백련사 근처에서 폭도(의병)의 습격을 받고 8명은 행방불명이 되었다고 한다.[252]

1908년 10월

1909년 2월 인천경찰서장이 경무국장에게 보낸 '경기도 강화군 읍내면 폭도 수괴 지홍일(당 45세)'에 의하면, 지홍일(의병장)은 1908년 10월 중 강화도 양점면에서 강화분견헌병 및 보조원의 일대와 접전 한 일이 있다. 10월 해주로부터 강화도에 건너와 외가면 삼거동에서 일본인 고려자기 도굴범 6명을 살해한 사실이 있다. 본인이 약탈한 금원金員 총액 1만여 원이라고 한다.[253]

---

251 「韓國獨立運動史 資料」, 『統監府文書 6』, 國史編纂委員會, 1999.
252 「韓國獨立運動史 資料」, 『統監府文書 6』, 國史編纂委員會, 1999.
253 「韓國獨立運動史 資料」, 『統監府文書 6』, 國史編纂委員會, 1999.

자위단(自衛團) 조직

1908년 10월에는 주민의 통제수단으로 각, 읍, 면, 동에 일제의 주구단체와 같은 자위단自衛團을 조직하여 행정말단 체계에까지 철저하게 의병들의 감시체계로 만들어 의병들과 분리시키는 한편 이를 어길 시 공동책임을 지어 동리에 대한 잔혹한 보복행위를 하였다. 1992년 총무처 정부기록보존소에서 간행한 『일제문서해제선집日帝文書解題選集』에 수록되어 있는 '폭도暴徒에 관한 편책編册'의 해제解題에 의하면, 이 자위단의 세칙은 총 26개항으로 되어 있는데 일제의 잔악한 탄압상을 엿볼 수 있는 자료로 이 중 중요한 몇 가지를 보면,

* 매 주 마을 단위로 통신 및 연락자인 갑 을을 지명 유사시 즉시 연락을 취하도록 한다.
* 연락방법은 가장 가까운 마을로부터 하되 용의주도하게 준비를 하도록 한다.
* 여행자가 여행권이 없을 때에는 주막이나 마을에서 숙식을 할 수 없게 하고 자위단 조직책임리장은 부장에게 부장은 면단장에게 통보 내사토록 한다.
* 면장, 리장, 주민 등이 의병에게 대해 동정, 보호하고 관헌에게 보고하지 않은 사실이 발견될 시에는 이유 여하를 막론하고 엄벌에 처한다.
* 매주 한 번씩 갑, 을 동리 단위로 연락을 충분히 취할 수 있도록 주의 통고하도록 한다.[254]

---

254 1908년에 작성한 '統監府 警務部' 文書番號 88-5(『日帝文書解題選集』, 총무처 정부기

의병 토벌에 앞장선 자위단 간부들(독립기념관 사진자료)

또 1908년에 통감부 경무부에서 영구 보존문서로 분류해 온 「관찰사회의 관계문서觀察使會議 關係書類」의 회의 내용 중에 '자위단自衛團의 상황狀況'이 보이고 있어 중앙조직에서 이를 관리해 왔음을 알 수 있다.[255]

1908년 11월 8일

칠불사(七佛寺) 화재

평양 현무문 밖에 있는 칠불사는 평양의 대표적 사찰로 오랜 유래와 풍취가 뛰어나기로 유명한 사찰인데, 11월 8일 밤에 실화하여 그 대부분이 소실되었다.

록보존소, 1992, pp.16-17).

255 1908년에 작성한 '統監府 警務部' 文書番號 88-9, 「觀察使會議 關係書類」(총무처 정부기록보존소, 『日帝文書解題選集』, 1992, pp.20-21).

화재의 원인은 명확하지 않으나 사찰 부근에서 흡연한 형적이 있었다고 한다.[256]

1910년 6월에 이곳을 답사한 박은식朴殷植은 "성북城北의 칠불사를 지나면서 방문하니 정실正室은 연전에 소훼燒燬를 경經하여 다만 유지遺址와 낭무廊廡만 존재한다"고 한다.[257]

『개벽』 1924년 9월호에 게재된 「평양부의 번병藩屏인 대동군」에 나타난 칠불사의 현상은 "사우寺宇의 본전本殿과 년전 신작로 닥글 째에, 역부들의 담뱃불에 소실한 바 되고, 다못 일동一棟의 누각에 얼금얼금한 처승妻僧 1인이 있을 뿐이다"[258]라고 하고 있어 1907년에 대화재를 당한 후 중수를 하지 못하고 배전拜殿 1동만 있었던 것으로 보인다.

중수 이후의 칠불사(『매일신보』 1935년 10월 1일자 화보)

256 『大韓每日申報』 1908년 11월 18일자.
257 朴殷植, 「西道旅行記」, 『皇城新聞』 1910년 6월 23일자.
258 「平壤府의 藩屏인 大同郡」, 『개벽』 제51호, 1924년 9월.

그 후 1927년에 장만호 주지가 성금을 모아 본당 등을 중수하게 되었다.[259]

1908년 11월 18일

평양 풍경궁豊慶宮에 봉안奉安하였던 어진을 선원전으로 이안했다.[260]

1908년 11월 26일

각 궁에 봉안하였던 어사위御祠位는 육상궁毓祥宮으로 이안하고, 영희전永禧殿, 냉천정冷泉亭, 평락정平樂亭, 성일헌誠一軒 등에 봉안하였던 어진을 모두 선원전에 이안하였다.[261]

1908년 11월 29일

의병장 지홍일은 황해도 평산군, 백천군, 연안군 및 강화, 개성을 중심으로

---

259 『每日申報』1930년 6월 18일자.
260 『大韓每日申報』1908년 11월 18일자; 『皇城新聞』1908년 11월 20일자.
261 『皇城新聞』1908년 11월 27일자.

한 경기도 일대에서 활동한 의병장이다. 일본군에 저항하여 의병 활동을 하는 동안 일본인 도굴꾼들을 발견하여 사살한 예가 여러 건이 보인다.

1908년 11월 29일 지홍일은 강화도 고려산 부근에서 부하 사십명을 인솔하고 배회 중 부근 주민으로부터 일인 15, 16명이 고묘를 발굴하고 있다는 소식을 접하고 부하를 2대로 나누어 이를 협격 그 2명을 총살하고 4명을 생매장했다.[262]

1908년 11월

일본인과 조선인 이모가 충청도의 여러 사찰을 돌아다니면서 불상을 절취하여 몰래 팔다가 체포되었다.[263]

노량진 사충사四忠祠에 모셔둔 영정影幀 4본을 도난당했다.[264]

근일에 일본인들이 고려무덤을 파고 고려자기를 가져가는 고로 온전한 고총이 없다고 한다.[265]

---

262 「韓國獨立運動史 資料」,『統監府文書 6』, 國史編纂委員會, 1999.
263 『皇城新聞』 1908년 11월 6일자.
264 『大韓每日申報』 1908년 11월 17일자;『皇城新聞』 1908년 11월 17일자, 24일자.
265 『大韓每日申報』 1908년 11월 11일자.

조선연구회 설립

진고개 일본인 동양협회전문학교에서 일인들이 조선연구회를 설립하고 조선에 관계되는 일을 강론하고 각국 식민지에 경영하는 역사를 연구한다고 한다.[266]

오구라 다께노스케(小倉武之助)의 부동산업

경북 대구군관사기지를 대구 공소원 건축지와 서로 교환하여 일본인 오구라 小倉가가 매득買得하였는데 11월 4일 새벽에 대구군수 양홍묵이 궐패闕牌를 도사무실로 옮겼다. 이에 군민들이 항의하여 대구관사지 단가는 민력民力으로 징급徵給하고 궐패는 환어할 뜻으로 도에 호소를 했다. 그런데 관찰사 박중양이 군민을 향하여 연설하되 "시대가 변천하였으니 관사훼철도 고사固事함은 역소불능力所不能이라 필경 폭도지목暴徒之目을 면키 어려우니 퇴산退散하라" 이라하며 내부에 1차 보고도 없이 민의를 반대함으로 군민 등이 내부에 청원하였다.[267]

대구에서 일본인 토지 매수는 1903년 9, 10월경부터 시작되었는데 그 이전에는 상업용으로 가옥의 매수자는 적었다고 한다.[268] 1903년 이후 경부철도공사와 관련하여 일본인의 수가 급등하면서 이들은 성문 밖에 거주하면서 대부분 대구

---

266 『大韓每日申報』1908년 11월 11일자.
267 『皇城新聞』1908년 11월 21일자.
268 三輪如鐵, 『大邱一般』, 玉村書店, p.61.

『황성신문』 1906년 5월 14일자

읍성 동분과 북문 외곽의 땅을 사 모았다. 오구라가 대구에 재주할 때가 바로 이 시기로 오구라도 동문 밖에 엄청난 땅을 사 모았다. 성벽이 남아 있을 때는 성안과 성 밖의 땅값 차가 컸으나 성벽이 사라지면서 성밖의 일본인들은 막대한 차액을 남겼다. 성벽을 철거하고 도로를 만들 때 대구도로위원회를 만들고 4대문에 각 3명의 위원을 위촉했다. 이 때 오구라는 동문 위원으로 활동하기도 했다.

오구라의 사업은 날로 번창을 했는데 여느 일본들과 같이 일제의 힘을 믿고 비정상적인 방법으로 부를 축적했던 것 같다.

1906년 5월 14일자 『황성신문』을 보면, "대구 재류 법학사 오구라 다께노스케小倉武之助가 1905년 11월에 대구의 정학서의 집 1천2백환 가치를 2백환에 저당 잡아 기한 안에 갚지 못하자 이 가옥을 늑탈勒奪"함에 대구경찰지부에서는 이 같은 바르지 못한 행위를 고문 마루야마丸山에게 보고했다는 기사가 보인다.

1908년 12월 16일

『공립신보』 1908년 12월 16일자에는 "백골이 무슨 죄뇨. 근일에 일인이 고려자기를 얻으려고 옛날 무덤을 파헤치는 고로 백골도 안전할 수 없다더라" 하고 있다.

1908년 12월 28일

동양척식주식회사 설립

1908년 8월 26일 법률 제60호로 발포한 <동양척식주식회사법>을 기초로 하여 항일 양국 관민이 출자한 자본금 1,000만원으로 1908년 12월 28일 설립하였다. 이 회사는 일본정부의 보호 아래 조선농업 척식에 필요한 이민자 모집과 분배, 자금 공급 등의 엄무를 담당하였다.[269]

1908년 12월 29일

가와이 히로다미(河合弘民)가 약탈해 간 서적

전등사에는 원나라 지원19년에 충렬왕 원비 정화공주 왕씨가 회인기에게 부탁하여 송나라에 들어가 인출한 대장경을 비롯한 서적이 많이 소장되어 있었는데,[270] 1908년 12월 29일 가와이 히로다미河合弘民가 헌병대장 아가시 겐지로明石元二郎 부대 소속의 일본 헌병 2명, 보조원 5명을 데리고 전등사로 가서 사고 조사의

269 서운특별시 시사편찬위원회, 『국역 경성부사』 제2권, 2013
270 『新增東國輿地勝覽』第12卷 , 江華都護府 佛宇 條.

필요가 있다고 하고 문짝을 부수고 서책 21권을 가져갔다[271] 『매천야록』에는 "일본인이 강화도의 정족산성으로 들어가 사초史草를 가져갔다" 라고 기록하고 있다.

1909년 3월 11일자로 경기경찰부장 경시 이이다飯田 章가 경찰국장 마쓰가와松川에게 보낸 '서고書庫를 발發한 건'은 다음과 같다.

경기비발제402호京畿秘發第四百二號

융희3년(1909) 3월 11일隆熙三年 三月 十一日

경기경찰부장 경시 이이다 아키라京畿警察部長 警視 飯田章

경찰국장 마쓰이 시게 전警察局長 松井茂 殿

강화도 전등사 소장所藏의 고본古本을 함부로 지출持出한 건件은 작년 11월 29일 강화군수로부터 관찰사에 보고된 요령要領에 의하면 한 일본인은 일본 헌병 2명 보조원 5명의 보호하 동사同寺에 와서 사고조사의 필요가 있다고 칭稱하여 사고寺庫의 개비開扉를 강청하여 드디어 도끼로서 고비庫扉를 타개打開하고 2, 3시간 열람 후 고내庫內에 있는 서책 21권을 가져갔음으로 군수는 이 불법행위와 그것이 누구인가를 동군同郡 헌병분견소에 규명糾明한 즉 동인同人은 동양협회 및 전문학교 간사 가와이 히로시河井弘라는 자이며 헌병대장 아가시明石 소장의 소개에 의하여 보호를 가한 것이라 한다. 관찰사는 우군수右郡守의 보고에 의하여 이것을 내각內閣에 전보하였더니 금회今回 총리대신으로부터 해서적該書籍의 반환을 강화도 파주派駐 일본 헌병대분견소 소장 및 해책자該冊子를 가져간 가와이 히로시河井弘에 대하여 조회할

---

271 黃玹, 『梅泉野錄』.

것을 지령하였다. 그러므로 관찰사는 군수의 명에 의하여 해서적該書籍 반환을 교섭시키고 있다고 한다. 고본 반출의 내용은 이상과 같으며 인천서장으로부터 아직 하등의 보고에 접接하지 않고 있으나 사건이 헌병대에 관함으로 본건의 조사에 간干하여 혹시 헌병과 충돌을 일으킬 염려도 있어서 경찰에서는 일부러 조사를 단념하였으나 자玆에 내보內報하는 바이다.[272]

일본 공사는 경찰고문 초빙의 필요를 고종에게 진상秦上하여 1905년 2월 3일 마루야마 시게도시丸山重俊를 초빙하여 경무고문으로 삼았다. 한국 조정은 이때 일본인 경시 1명씩 각도에 배치하여 경무보좌관으로 삼았으며 마루야마丸山는 경성에서 전국 경찰을 지휘 감독하였다.[273] 이미 각부차관을 임명하여 내권內權

---

272 李弘稙, 「在日 韓國 文化財 備忘錄」, 「月刊文化財」 第13號, 1972년 12월, pp.28-29에서 轉載 : 隆熙3년 1월~12월 暴徒에 關한 編册(京畿道) 발신자 : 飯田章(京畿警察部長) 날짜 : 1909년 3월 11일.
한국독립운동사 자료 13(의병편Ⅵ), 국사편찬위원회 한국사데이터베이스.

273 『京城府史 第一卷』, 1934년 3월, p.2.
1904년 일본 육군대장 長谷川는 우리 정부를 협박하여 한국의 경찰력으로는 치안을 유지하는데 부족할 뿐 아니라 도리어 방해가 되니 이제부터는 마땅히 전국의 警衛의 권한은 日本軍吏의 손으로 넘겨받겠다 하였다. 그는 일본 군사 경찰의 명령에 복종해야 한다고 말하고, 19조를 반포하여 범법하는 자가 있으면 모두 일본 사령관의 손을 거쳐서 직접 형사상의 처분을 한다고 하였다. 그 가운데 제4조는 당을 만들어 일본에 반항하려 하든가 혹은 일본군에 대하여 항거하는 자, 제15조 회사를 조직하고 혹은 신문잡지 광고로서 혹은 다른 수단으로 치안을 문란 시킨 자, 제17조 군사령관의 명령을 어긴 자. 운운하였다(黃玹, 『梅泉野錄』(李章熙 譯, 大洋書籍, 1973, p.288)). 당시 그들의 威勢가 얼마나 대단했는지 육군대장 長谷川好道가 서울에 주둔하여 사령부를 세우고, 一進會가 이에 뜻을 같이하게 되자 高宗은 그것을 근심하여 뇌물을 보냄이 그치지 않았고 또한 敍勳 할 것을 命하고 李花章까지 주었다(매천야록, p.287). 즉 그들은 1904년 7월 24일 (군사경찰 훈령)은 반포하고 같은 해 10월 9일에는 그 시행에 관하 內訓을 정하여 생활 전반에 걸친 탄압을 감행하면서 일본인의 침탈행위를 감싸는데 철저하였던 것을 잡았고, 또한 각도에 경시警視등의 관원을 임명하여 외권外權을 잡았다. 얼마 안 있어 또한 일본인을 무더기로 나누어 보내서 재무관으로 삼았고 또한 군 주사도 임명하여 있게 했다.[274] 이에 대외의 명맥을 포괄해서 일본인 손에 들어갔으며 우리나라 관리는 그들의 고용인 행세를 했을 뿐이다.[275] 통감부 설치 이후 일본인의 횡포는 더욱 심하여 1908년 당시에 한국정부가 있고 관찰사, 군수 등이 있다 할지라도 그 경찰권은 이미 일본인이 모두 장악하고 있었다. 따라서 이 사건은 헌병대의 힘에 눌려 조사를 회피回避한 것도 있지만 일본인의 죄악罪惡을 드러나지 않도록 한 일본 경찰권의 힘이 작용했다고 볼 수 있다. 결국 이 사건은 유야무야 되고 말았으며 이 귀중한 서적은 유유히 일본으로 반출되었다.[276]

가와이 히로다미河合弘民는 도쿄제국대를 졸업 후 1907년에 동양협회전문학교 경성분교에서 교편을 잡았다. 당시 조선재정에 관하여 연구를 시작하여 1916년에는 『이조세제李朝稅制에 관한 연구』로 문학박사학위를 획득하기까지 했다. 1910년에는 내부사사과로부터 국내 사사조사사무를 위임받아 조사했으며,[277] 1911년 2월에는 임시취조국 조사사무를 촉탁받아 활동하였기 때문에 한국 서적에 대해 밝았을 뿐만 아니라 우리나라 고서적, 고문서 수집에 열성적이었다.

이다(吳世卓,「日帝의 文化財 政策」,『문화재』 29호, 문화재관리국, 1996, pp.160-161).
274 勅令 第287號(1905년 12월 20일), 勅令 第295號(1907년 9월 20일) 參照.
275 그 당시 탁지부 대신이 아닌 차관이 실권자라는 것은 黃玹의 『梅泉野錄』에는 다음과 같이 기술하고 있다.
　　"伊藤博文은 각부 대신 자리를 빼앗으려 했으나 청문을 꺼려했고 민심이 두려워 이에 次官 자리를 빼앗았다. 그러나 월급이 대신보다 3분의 1이 더했고 매사는 차관이 결정했으며 대신들은 서명 날인만 할 뿐이다. 이로부터 일본인이 아니면 차관 벼슬을 얻지 못했다."
276 정규홍,『우리 문화재 수난사』, 2005, pp.24~26.
277 『皇城新聞』 1910년 8월 24일자.

1918년에 가와이가 죽자, 이마니시 류今西龍의 주선으로 교토대학도서관에서 가와이의 유족들로부터 수집 장서를 일괄 구입하였는데, 서책은 물론이고 고문서도 엄청난 숫자에 달했다.[278] 이 수장서는 약 7백부 4천책으로, 조선의 역사 및 제도에 관한 고판 등을 망라하고 있다. 고문서 약 3백통 이상으로 중요한 것은 임진왜란 이후 조선에서의 중요한 기록으로, 이마니시 류今西龍 조교수가 담당으로 정리에 착수했다.[279] 이 속에는 강화도 전등사에서 약탈한 것도 들어 있을 것으로 추정된다.

가와이문고河合文庫는 가와이 히로다미河合弘民의 이름을 딴 것으로, 분량은 한적漢籍 약 800점, 고문서 약 2,300점. 목록으로 한국서지학회에서 『해외전적문화재조사목록-河合文庫所藏韓國本』(1993)이 간행되어 있다. 교토대학 부속도서관의 가와이문고河合文庫에는 활자자로는 세종16년(1433)에 간행한 초주갑인자본初鑄甲寅字本 『대학연의大學衍義』, 임진란 전후의 주자본을 다수 소장하고 있으며, 금사자초인金史字初印 『금석집錦石集』 12권 5책, 현종실록자顯宗實錄字 『삼국사기三國史記』 등의 귀중서가 있다.

1908년 12월

경기도 장단군 고랑포에 있는 경순왕릉慶順王陵이 도굴되었다.[280]

---

278 藤本幸夫, 「河合文書 研究」, 『朝鮮學報 第60輯』, 1971.
279 「彙報」, 『歷史地理』 제32권 1호, 歷史地理學會, 日本歷史地理學會, 1918년 7월, p.65.
280 『大韓每日申報』 1909년 1월 5일자.

『대한매일신보』 1909년 1월 5일자에는 다음과 같은 기사가 있다.

무엄한 도적. 지난 월에 도적이 장단군 고랑포에 돌입하여 릉침을 파다가
날이 밝음으로 도주하였는데 그 후손들이 장례원에 보고하고 각처 자손들
에게 통보하여 다시 수보하며 그 도적을 잡기로 결의하였다더라.

한미흥업주식회사 설립

한말부터 한국에 건너온 외교관이나 선교사들에 의해 한국이 소개되면서 한국
유물이 구미 등지로 소개되면서 한국유물에 대한 관심이 차츰 고조하게 되었다.

미국인 마야가 자본금 10만원으로 한미흥업회사를 설립했다. 이 회사는 미국의
물품을 수입하고, 우리나라의 고물古物 및 수조물手造物을 수출하는 회사로 1908년
부터 1910년까지 한국의 고려자기를 비롯한 고물품을 수출한 대표적 회사이다.[281]

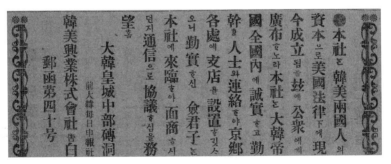

회사 설립을 알리는 광고(『황성신문』 1908년 12월 9일자)

---

281 『皇城新聞』 1908년 12월 11일자; 『大韓每日申報』 1908년 12월 12일자.

같은 해

전남 광양의 상백운암은 1908년 일본토벌대한테 전소全燒되었다.[282]

석굴암 감실 내의 보살상 도난

석굴암 굴 내에는 10개의 감실龕室이 있고 그 감실에는 10구의 보살상菩薩像이 안치되어 있었다. 그러나 현재는 제1감실과 제10감실이 비어있다.[283] 이것은 당시 이곳에 잠입한 불법자들의 약탈품이 되어 일본으로 반출되었다.

석굴감불石窟龕佛 2구가 일본에 반출된 것은 경술국치 1, 2년 전의 일이다. 이에 대하여 조선총독부가 간행한 『불국사와 석굴암』은,

제1감급제10감第一龕及第十龕 즉 전면의 2감二龕은 지금 공허로 있어서 어떤 물

---

282 黃承玹 編, 『光陽邑誌』 寺刹 條, 光陽郡鄕校, 1924.
283 이 점에 대해 처음부터 비어 있었다는 견해도 있다.
　　남천우의 『유물의 재발견』(도서출판 학고재, 1997)에 의하면,
　　주벽 상부 좌우에는 각각 5개씩 도합 10개의 소감실이 있으나 그 중에서 좌우의 첫 번째 소감실은 둘 다 비어 있으며 나머지 8개의 소감실에는 모두 보살 좌상이 한 분씩 모셔져 있다. 비어 있는 소감실을 살펴보면 이들은 모두 출입구 상부와 팔각기둥 그리고 법당천장이 함께 이어지는 복잡하고 또 구석진 곳에 위치하고 있다. 그러므로 이런 불편한 위치관계로 이들 비어있는 소감실의 내면에는 출입구 천장석이 돌출되어 있으며 따라서 이들 소감실에는 불상을 안치할 수 없도록 되어 있다. 그러므로 이들 소감실은 처음부터 비어 있었다는 견해다.

건이 안치되어 있었는지 알 수 없지만 창건 당시에 여하如何한 것이 놓여지고 또 어느 때 잃어버렸는지 알 길 없다. 항간에 다이쇼大正2년 굴내 토중에서 2구軀의 석상이 발견되어 어디론지 잃어 버렸다는 설은 신빙할만하지 못하다.[284]

하였는데 약탈을 은폐하려는 의도가 엿보인다고 할 수 있다.

오랫동안 경주에 재주하였던 오쿠다 고운奧田耕雲의 기록에,

감실龕室 보살상菩薩像은 10체十体였으나 전방前方 2체二体는 분실紛失했다[285]

라고 하고 있으며, 또 당시 경주 주석서기主席書記를 지낸 자로 데라우치寺內 총독의 불국사 및 석굴암관람을 안내했던 기무라 시즈오木村靜雄의 기록에,

나의 부임(경주군)을 전후하여 도아盜兒들에 의해 환금換金되어 내지內地 (일본)로 반출돼 있는 석굴불상 2체體와 불국사의 다보탑 사자1대對와 기타 등롱燈籠 등 귀금물貴金物이 반환되어 보존상의 완전을 얻는 것이 나의 종생終生의 소망이다.[286]

라고 하고 있다. 이 석상 2구는 불국사를 경유하여 운반되었다는 구전이 현지

---

284 『佛國寺と石窟庵』, 朝鮮總督府, 1938, p.149 '도판68해설.'(龕內諸像)
285 奧田耕雲,『新羅舊都 慶州誌』, 1919년 9월, p.216.
286 木村靜雄,『朝鮮た老朽して』, 帝國地方行政學會朝鮮本部, 1924, pp.51-52.

에 남아있다.[287]

반출시기에 대해서는 오사카의 기록대로라면 토함산에 대석불大石佛이 묻혀
있다는 소문이 1907년부터 일본인들 사이에 번져나가 1908년부터 점차 사람들
의 주목을 받게 되었다고 하니 대략 1908년경으로 소네曾禰 통감의 이곳 순시
전에 반출된 것으로 추정된다.

1912년 경주 '신라회新羅會'의 초청 강연 차 경주에 왔던 기구치 겐죠菊池謙
讓[288]는 석굴암을 탐방한 후「경주잡기慶州雜記」란 제하의 탐방기에서 다음과 같
은 기록을 남기고 있다.

동해의 바다 빛 멀리 구름 사이로 비치는 광대한 바다색을 마주한 나는 지
금 천년의 유물 위에 서서 그것을 바라본다. 그 큰 바다는 유유하고 옛 유
물은 고즈넉하다. 인생은 천년의 시대를 지나 오늘날 객으로 하여금 무량
한 감회를 말하게 한다.

스님이 말하기를 근래 이 산사에 오는 사람의 발길도 끊기고, 심한 경우에

---

287 黃壽永,『考古美術』13號.

288 기구지 겐조(菊池謙讓)는 1895년 국민신문 통신원으로 처음 한국에 들어왔다. 1899년에
漢城新聞 주필로 일제의 정책 수행에 앞장섰다. 1904년 대동신문 창간 및 사장에 취임하
였다. 1905년 숙명여학교를 창립, 1906년 통감부 촉탁으로 정보 수집에 노력하여 통감부
시설의 참고자료를 제공하였다. 1909년 조선통신사를 창립하고 함께 월간잡지『朝鮮及
滿洲』를 창간하였으며, 조선통치를 위해 항시 이면에서 활약하였다. 1912년 8월에 한국
병합기념장, 1914년 은배 1조를 받았다. 1920년 7월에는 조선총독이 조선사정의 조사를
위촉하여 조선통치에 필요한 각종 자료조사를 하여 총독부에 보고하였다. 1921년에 언
론계에 다시 들어와 대륙통신사장에 취임하였다. 1930년 4월 이왕직실록편찬 자료수집
위원에 임명되었다. 저서에『朝鮮王國』,『大院君傳』『朝鮮帝國記』,『朝鮮雜記』등이 있다.
정규홍,『우리문화재 수난사』, 학연문화사, 2005, p.128.

는 돈을 던져 놓고 굴 안의 유물을 가져가 버리는 사람도 있다고 한다. 이같이 천년 전의 문화를 헐값으로 쓸어 가버리는 사람들 때문에 지금은 국가가 나서서 보존하고 있다.[289]

위 기구치 겐죠菊池謙讓의 기술은, 석굴 중수가 있기 전 즉 데라우치의 석굴암 방문 전까지는 관리 소홀을 틈탄 불법자들이 석굴암에 침투하여 수 차 굴 내의 유물을 훔쳐 갔음을 증언 하는 것으로 당시의 상황을 충분히 짐작케 하고 있다.

* 근세 이후 주목받은 석굴암

근세에 와서 석굴암이 세인들에게 주목을 받게 된 것은 한일합방 수년전인 1907년경 이후이다. 일인들의 주장으로는 1907년경에 경주우편국에 근무하는 김 씨라는 우편배달부가 토함산에서 석굴암을 보고 와서 "석인石人들이 많이 서있다"고 전하여 일인들 사이에 주목을 받으면서, 일인들이 선전하듯 마치 지하동굴에서 처음 발굴이나 하듯 그것을 과장하여 선전하였기 때문에 오늘날까지 그렇게 믿어왔다.

오사카大坂의 기록에,

메이지明治40년(1907) 경에 '토함산정吐含山頂의 동측東側에 대석불이 묻혀 있다.'는 소문이 당시 재주 내지인內地人: 日本人 사이에 전해졌다. 일찍이 불도佛

---

289 菊池謙讓, 「慶州雜記」, 『(朝鮮研究會3周年記念)朝鮮』, 朝鮮研究會, 1913, p.229.

都였던 경주에는 석불이 여기저기 있었기 때문에 진귀할 것도 없던 때였던 지라, 이 얘기를 귀에 담는 것은 누구도 하는 것을 본 사람이 없었다.[290]

라고 하고 있고, 야나기 무네요시柳宗悅의 기록에도

세키노 타다시關野貞 박사가 직접 경주 특히 불국사에 관해 상세한 조사를 했고, 또 《계창기》를 읽고 석불사의 이름을 알고 있었는데도 불국사에서 불과 5리 밖에 떨어져 있지 않는 이 굴원을 모르고 돌아왔다는 것은 그것이 완전히 사람들의 기억에 묻혀 있었기 때문일 것이다. 이 석불사가 처음으로 우리의 주의를 끈 것은 성주의 우편국 식원이 우연히 발견했다고 한다. 지금은 도로가 수리되어 누구든지 불국사에서 쉽게 갈 수 있지만, 10년 전에만 해도 거의 길이 없었다.[291]

라고 하고 있다. 여기에서 "우연히 발견"했다는 것은 오랫동안 숨겨져 있거나 잊혀 있던 것을 찾아냈다는 이야기가 되는데, 석굴암의 존재가 일본인들 사이에 알려지면서 그들이 만들어낸 것으로 보인다. 그러나 황수영 박사는 이 같은 일인들의 과장된 발설에 대해 "당시의 석굴에는 주승 1-2인이 있기는 하지만 한말의 불안한 산중치안으로 말미암아 간혹 공사空寺로 둔 채 산하山下마을에 피신하기에 이르렀다"고 한다. 이 같은 공백기는 당시 상황이 의병의 봉기

290 大坂六村, 『趣味の慶州』, 慶州古蹟保存會, 1939, p.103.
291 야나기 무네요시, 「석불사 조각에 대하여」, 『조선을 생각한다』

와 이에 따른 일본군대에 의해 사찰의 소각과 약탈을 당하던 때였기 때문에 간혹 공포에 떤 승들이 피난 차 잠시 절을 비울 수 있을 것이다. 또 세키노關野가 1902년 8월 한국 고건축 조사차 경주에 와서 3일반을 체재하면서 불국사에 왔었으나 석굴암 조사는 하지 못했다. 1906년에는 이마니시 류今西龍이 경주고적 답사 차 불국사에 왔으나 석굴암의 존재조차 모르고 떠났다. 그 이유를 황수영 박사는 "『동국여지승람』이나 『경주읍지』 또는 『동경잡기』에 아니 보인 산중속 암山中屬庵으로서 그들의 착안着眼을 벗어나기도 하였으나 동시에 불국사 잔승殘僧이 당시 공포의 환경과 언어불통 등의 사유로 그들에게 석굴의 존재를 말하지 않았던 것이 사실이라 짐작된다"고 한다.

나카무라 료헤이中村亮平는 『경주지미술』(1929)에서 석굴암에는 연중 3월 3일, 4월 4일, 5월 5일에는 복을 빌기 위해 참예參詣하였을 것으로 추정하고, 우편국원이 우연히 발견 했다는 설은 예술품적인 발견으로 해석하고 있다.

또 석굴암의 천정 낙하와 그에 따르는 굴 내 토사의 퇴적에 대해서 오사카大坂는,

석굴암은 고려를 지나 조선에 와서 가람伽藍의 당우堂宇가 점차 파괴되어 왔다. 지금으로부터 217년 전에 규모가 축소되어 석굴암으로 고쳐졌고, 후 53년에 일대수리를 가하였고, 또 그 후 90년이 지나 제2회 수리에 착수하였으나 그때 자금력이 부족하여 공사를 반 정도하고 중지하였다. 이래 토석土石이 붕괴되고 그 입구가 막히기에 이르렀다.[292]

---

292 大坂六村, 『趣味の慶州』, 慶州古蹟保存會, 1939, p.102.

라고 하여 아주 오랜 연대로 잡고 있을 뿐 아니라 굴 입구가 막힌 것 같이 표현하고 있으나 당시 사진에도 굴 입구가 막힌 것이 아니라는 것이 잘 나타나 있다. 그것은 야나기 무네요시柳宗悅의 기록대로 아주 우연히 발견되었다는 일인들의 기록에 비중을 둔 탓이 아닌가 생각된다. 그러나 여기에 대해 황 박사는 일인들이 현장에 당도하기 불과 수년 전에 붕괴된 것임을 명백히 하고 있다.

완전한 석굴의 형태는 우담愚潭 정시한丁時翰의 『산중일기山中日記』(1688)에,

> 오랫동안 앉았다가 승통僧統이 신정信定 스님에게 시켜 뒤쪽 봉우리에 오르게 하였는데 매우 높고 급하여 있는 힘을 다하여 10여 리를 가서 고개를 넘고 1리쯤을 내려와 석굴암石窟庵에 이르렀다. 암자에 있는 명해明海스님이 맞이하여 잠시 들어가 앉았다가 석굴로 올라갔다. 모두 인공적으로 만들어 졌고 석문 밖의 양쪽 가장자리에는 모두 큰 바위 각각 4-5개에 불상을 조각하여 기이하고 교묘하며 자연스럽게 이루어져 있었다. 석문은 무지개처럼 돌이 다듬어져 있었고 그 안에 있는 큰 석불상은 위엄이 있게 살아 있는 것 같이 불좌대佛座臺에 앉아 있었다. 돌은 정제되어 기이하고 교묘하였으며 굴 위의 덮개돌 및 여러 돌들은 둥글고 바르게 되어 있어 하나도 기울거나 바르지 않은 것이 없었다. 불상은 열을 지어 서서 살아 있는 것 같아 기이하고 절묘하여 형상을 말로 표현할 수 없었다. 하나하나가 기이한 광경으로 드물게 보는 것이어서 오랫동안 감상하고 구경하다가 암자로 내려와 잤다.[293]

---

293 愚潭 丁時翰, 『山中日記(1688년 5월 15일자)』, 金成讚譯, 國學資料院, 1999.

《경주 고굴석굴도
(慶州 骨窟石窟圖)》

라고 석굴 내외의 모든 것이 건재함을 기록하고 있다. 또 겸재가 57세가 되던 영조9년(1733)의 작품으로 그가 영남 유람에 나섰을 때 도사圖寫한《교남명승첩嶠南名勝帖》(간송 미술관 소장)[294]이란 화첩 중에 들어 있는《경주 고굴석굴慶州 骨窟石窟》이란 그림 속에서 석굴에 목조건물이 가구架構되어 있는 모습을 보여 주고 있다. 따라서 최소한 1733년까지는 석굴암이 본모습으로서 건재하였다고 할 수 있다.

그러나 1767년 11월에 경주 기행에 나섰던 박종朴琮(1735~1793)은『동경기행東京紀行』에서 경주일대의 고적에 대해 기록하고 특히 불국사에 대해서는 당시의 모습을 계단의 수까지 헤아려 가며 상세히 기술하고 있으나 석굴암에 대해서는 그 명칭조차 언급하지 않고 있다. 이를 보면 당시의 석굴암은 일반적으로 알려지지 않은 불국사에 딸린 하나의 소암자적小庵子的인 성격을 지닌 것으로 보여진다.

---

294 全暎雨,「謙齋畵 嶠南名勝帖의 慶州 骨窟石窟圖」(考古美術 第5卷 第2號)에 의하면, 本『謙齋畵嶠南名勝帖』은 先考가 1931년 10월 19일 당시 영락정에 있었던 荒木朴堂이라는 고미술상에서 오봉채 씨를 통해서 입수한 두 권으로 된 화첩으로서 합천 해인사를 비롯한 안동의 청량산 동래의 해운대 등의 영남 각처의 명승 절경을 그린 것으로 표제의『嶠南』도『嶺南』을 칭하는 것으로 생각된다. 제1권은 30면 그 2권은 28면, 도합 58면 비교적 큰 화첩으로 후미에 題跋 1면을 加하고 있다.
이 경주 골굴석굴도는 제1권의 23면에 실려 있는 크기 38센티×26센티의 견본에 淡彩한 것으로서 겸재 57세 때의 작품이다.
화면을 통해 보면 동남쪽의 어느 언덕에서 골굴과 석굴을 바라본 것으로 석굴은 토함산 중턱에 자리 잡고 있으며 여기에서 우측으로 매우 험난한 斷崖에 골굴이라 생각되는 것이 표현되어 있다.

1703년에는 종열從悅이 석굴을 보수하고 굴 앞의 석계石階를 만들었고, 1718년에는 다시 중창한 바 있었다. 최후의 중수重修는 바로 한말정세가 급박하고 일제의 침입이 심산에까지 이르렀을 때에 상당한다. 이때에도 석굴수호의 최후의 노력은 이루어 졌던 것이며, 암자에는 거승居僧이 있어 불전의 공양供養과 향화香火가 그치지 않았을 것이다. 비록 승려가 1-2명에 불과 했으나 최종의 중수가 있었으며, 오늘날 남은 상량문 현판[295]에도 나타나 있다. 이후에 불과 수년이 못되어 다시 퇴락頹落하였으며, 마침내 근세기에 들어서서는 천장일부가 낙화되어 본존불의 연대蓮臺 전면이 파손되고 토사가 굴 내에 쌓이게 되었던 것이다.[296]

이러한 증거는 1913년 구니에다 히로시國枝博 기사가 현지조사를 하고, 1차 수리공사의 기본이 된 '복명서'와 '석굴암수선공사 시방서'에서도 나타나 있다.

석굴암이 크게 파손된 것은 최근 수년간의 일로서 천장 일부가 수년 전에 추락하여 전반면前半面이 파괴되었다. 금후에 추락될 돌은 매우 위험하여 수개월을 견디기 어려울 것이며, 만약 천장 개석의 전반면이 떨어지면 석

---

295 현판의 이름은 '石窟重修上棟文'이라 하였다.
이 현판은 19세기 말인 조선조 고종 28년(1891)에 趙巡相에 의하여 석굴이 중수되고 그 前室이 수리되었을 때 만든 것으로서 일제시대에 들어 그들에 의한 대규모의 중수에 앞선 우리 손에 의한 최종의 석굴중수 기록이다.
이 현판은 해방이후 석굴암 수리공사를 하던 중 1963년 8월 18일에 황수영 박사에 의해 발견되었는데 수광전 북방의 변소(화장실)벽으로 首尾切斷하여 사용되고 있었다 (수리공사일지 1963년 8월 18일 조).

296 黃壽永, 「石窟庵에서 搬出된 塔像」, 『考古美術』 2-8.
黃壽永, 「石窟庵 修理工事 報告書」, 『黃壽永全集2』

불머리 위에 떨어지게 되며 그 손상의 정도는 상상하고 남음이 있다.[297]

일인들 사이에 이 석굴암의 존재가 알려지자 가장 먼저 이곳에 몰려든 것은 보물탐색에 혈안이 된 불법자들이였으며 석굴암의 최대의 위기를 맞이하였던 것이다.

---

297 大正2년 4월 8일 附 復命書,『石窟庵修理工事 報告書』, 文敎部文化財管理局, 1967.

朝日修好條規

大日本國與

大朝鮮國素敦友誼歷有年所今

欲重修舊好以固親睦述以兩國情誼未

金權辨理大臣陸軍中將兼參議院上議黑田清

隆特命副全權辨理大臣議官開拓長官井上馨朝鮮國江

華府朝鮮國政府簡列中樞府副申櫶都摠管尹滋

承各遵所奉論旨議立條款惧列于左

一 第一欵

朝鮮國自主之邦保有與日本國平等之權嗣後兩

우리 문화재
수난일지

1909년

1909년 1월 12일

시라토리 구라키치(白鳥庫吉)의 조선서 수집

　시라토리 구라키치白鳥庫吉는 1908년 12월 26일 진서 수집을 목적으로 한국에 건너왔다가 1909년 1월 12일에 일본으로 돌아갔는데, 그 수집 결과 진서만도 무려 102부 약 1,300책을 구입했다고 한다. 이때 수집한 것은 주로 경성에 있는 홍문서원弘文書院에서 그 대부분을 매수하고 다른 2, 3명의 한국인에게 직접 구입한 것이라 한다. 홍문서원은 한국통감부도서관 건설의 계획을 듣고, 각 방면을 다니면서 고서 전적을 수색하여 모은 다음 통감부도서관에 팔려고 수집을 했다고 한다. 그런데 계획이 중단됨으로 실망하여 방황하고 있던 참이라 시라토리는 쉽게 많은 진서를 구할 수 있었다고 한다. 그 중요한 목록은 다음과 같다.[298]

　국문고략國文考略 15册, 설해說海 59책, 지양만록芝陽漫錄 10책, 반계수록磻溪隨錄 13책, 기언기言 20책, 인물고人物考 88책, 간독簡牘 6책, 호서우지湖西右志 2책, 관서지關西志 2책, 호남지湖南志 12책, 호서좌지湖西左志 5책, 관동지關東志 12책, 동원기략東援記略 2책, 총사叢史 55책, 실록제명기實錄題名記 7책, 신임기사辛壬紀事 6책, 우복집愚伏集 10책, 정축록丁丑錄 1책, 익제집益齋集 3책, 한음문고漢陰文稿 3책, 청음집淸陰集 14책, 일사집日沙集 22책, 동문선東文選 55책, 휘총彙叢 15책, 고필재집估畢齋集 9책, 집고첩集古帖 16책, 고려사高麗史,

298 「白鳥博士の朝鮮珍書蒐集」,『史學雜誌』第20編 第2號, 史學會, 1909년 2월.

板本 70책, 조야회통朝野會通 16책, 연려실기술練藜室記述 41책, 이충무공전집 李忠武公全集 12책, 광사廣史 180책

시라토리의 수집 서적 중에서 가장 중요한 것은 이 때 수집하였다.

1909년 1월

경성일본인민단에서 일본으로 돌아가는 하세가와長谷川 대장에게 호피虎皮 1령과 무다牟田 중장에게 표피豹皮 1령을 선물하였다.[299]

1909년 2월 21일

사학연구회 례회가 2월 21일 경도제국대학에서 법문과대학 제8번교실에서 개최되었는데, 이때 오가와小川塚次가 가져간 백두산부암浮嵒, 백두산용암熔嵒, 무순발굴물撫順發掘物이 진열되었다.[300]

299 『皇城新聞』1909년 1월 10일자.
300 「史學研究會例會」, 『史學雜誌』第20編 第5號, 史學會, 1909년 5월.

1909년 2월

일본인민단에서 경성중학교를 설립하기로 했다.[301]

을지문덕의 묘지 수리를 이행치 않음.

순종황제가 2월에 평양을 순행하면서 지방관에게 을지문덕의 묘지를 방문하여 묘지를 수리하고 제사를 지내라고 칙교勅敎를 내렸다.[302]

을지문덕의 묘는 평양군 대보방지大寶坊地에 있는데 칙교가 있었음에도 불구하고 관찰사는 이를 행하지 않음으로 여론이 자자하기도 했다.[303]

『황성신문』에는 연일 을지문덕의 묘에 관한 글을 실었다. 『황성신문』 1909년 4월 20일자에는 석다산 아래 있던 을지문덕의 기공비는 강 밑에 침몰하였고, 정양문 밖의 충무사忠武祠는 옛터만 남아 있음을 애통해 했다. 또한 을지문덕의 묘는 평양 대보면 태평동에 있으며 이 산을 을지공산乙支公山이라 한다고 밝히고 묘지의 석인, 석마 등은 토 중에 매몰되었음을 기재했다. 또 『황성신문』 1909년 5월 14일자 논설에는 이 군의 인사들이 묘지를 방문 한 즉 묘지는 강서군 현암산 동록에 있음을 밝히고, 을지문덕의 후예 돈영찬頓永燦 씨를 찾아가 그 후예의 성이

---

301 『皇城新聞』1909년 2월 6일자.
302 『皇城新聞』1909년 2월 9일자; 『純宗實錄』隆熙 3년 1월 31일자.
303 『皇城新聞』1909년 3월 28일자.

돈씨頓氏로 바뀐 유래를 밝히고 있다. 즉 을지문덕의 19세손 을지수乙支遂가 고려 인종 때 묘청의 란을 토평討平한 공으로 봉돈산백封噸山伯하고 잉사성돈仍賜姓頓하였다는 내용을 게재하고 있다. 하지만 이를 보수했다는 기사는 보이지 않는다.

그 후 1936년 5월에 을지문덕 묘를 보수하기 위한 모임을 조직했다(1936년 5월 22일, 乙支文德墓山守保會 참조).

1909년 3월 12일

법률 제6호로 출판법을 반포(頒布)하다.

그 전문은 다음과 같다.[304]

법률제6호

출판법

제1조 기계機械와 기타와 같이 하방법何方法을 물론하고 발매 또는 반포頒布로 목적삼는 문서와와 도화圖畵를 인쇄함을 출판이라하고 그 문서를 저술하거나 또는 번역하거나 또는 편찬하거나 또는 도화圖畵를 작위作爲하는 것을 저작자라 하고 발매 또는 반포를 담당하는 것을 발행자發行者라 하고 인쇄를 담당하는 자를 인쇄자라 함.

---

304 『皇城新聞』1909년 3월 11일, 12일자 官報.

제2조 문서도화를 출판코자 하는 때는 저작자 또는 그 상속자相續者와 및 발행자가 련인連印하여 고본稿本을 첨첨添하여 지방장관(한성부에서는 경시총감으로함)을 경유하여 내무부대신에게 허가 신청을 한이 가함.

제3조 관청의 문서도화文書圖畵 혹은 타인의 연설 또는 가의의 필기筆記를 출판하고자 할 때와 저작권을 가진 타인의 저작뭉을 출판하고자 하는 때는 전조前條의 신청서에 관할관청 또는 강의자, 저작권자의 승낙서를 첨부함을 요함.

전항의 경우에 있어서는 허가 또는 승낙을 얻은 자로서 저작자로 간주함.

제4조 사립학교,회사,기타 단체에서 출판하고자 문서노서는 해낭 학교,회사 기타 단체를 대표하는 자 및 등록자가 연인連印하여 제2조의 절차를 행함.

제5조 제2조의 허가를 얻어 문서와 도화를 출판할 때에는 즉시 제본 2부를 내부에 납부함이 가함.

제6조 관청에서 문서도화를 출판한 때는 그 관청에서 제본 2부를 내주에 송부함이 가함.

제7조 문서도화의 발행자는 문서 도서를 판매함으로서 영업 삼는 자에 한함.

제8조 문서도화의 발행자와 인쇄자는 그 성명, 주소, 발행소, 인쇄소 및 발행인쇄의 연월일을 문서도서의 말미에 기재함이 가하고 인쇄소가 영업상 관용慣用한 명칭이 있는 경우에는 해명칭該名稱도 기재함이 가함.

數人이 협동하여 발행 또는 인쇄를 영營하는 경우에는 업무허가를 얻은 문서상의 대표자를 발행자 또는 인쇄자로 간주함.

제9조 문서도화를 재판하는 경우에는 저작자 또는 그 상속자와 발행자가 연인하여 제본 2부를 첨하여 지방장관을 경유하여 내부대신에게 신고함이 가함.

단 개정증감改正增減하거나 주해註解, 부록附錄, 회화 등을 첨가하고자 하는 때는 제2조의 절차를 의함이 가함.

제10조 서간書簡, 통신通信, 보고報告, 사칙社則, 인찰引札, 광고廣告, 제예諸藝의 차제서次第書, 제종諸種의 용지用紙의 류급사진類及寫眞을 출판하는 자는 제2조, 제6조, 제7조에 의함을 불요不要함.

단 제11조, 제1조, 제2조, 제3조에 해당하는 경우에는 본법에 의하여 처분함.

제11조 허가를 득하지 아니하고 출판한 저작자, 발행자는 구별을 의하여 처단處斷함.

1. 국교國交를 저해沮害하거나 정체政體를 변괴變壞하거나 국헌國憲을 문란紊亂하는 문서도화文書圖畵를 출판한 때는 2년 이하의 역형役刑

2. 외교와 군사의 기밀에 관한 문서도화를 출판 때는 1년 이하의 역형役刑

3. 전이호前二號의 경우 외에 안녕질서安寧秩序를 방해하거나 풍속을 괴란壞亂하는 문서도화를 출판한 때는 10개월 이하의 금옥禁獄

4. 기타의 문서도화를 출판한 때는 100원 이하의 벌금

제12조 외국에서 발행한 문서도화와 또는 외국인이 국내에서 발행하는 문서도화로 안녕질서를 방해하거나 또는 풍속을 괴란壞亂함으로 인하는 때는 내부대신은 그 문서도화를 내국에서 발매 또는 반포頒布함을 금지하고 그 인본印本을 압수함을 득함.

제13조 내부대신은 본법을 위반하여 출판한 문서도화의 발매 또는 반포를 금지하고 해각판인본該刻版印本을 압수함을 득得함.

제14조 발매반포를 금지한 문서도화인 줄을 알고 이를 발매 또는 반포하거나 외국에서 수입한 자는 6개월 이하의 금옥禁獄에 처함 단 그 출판물로 제11조 제1항 제1호 내지 제3호의 1에 해당한 때는 동조례同條例에 조照하여 처단함.

부칙

제15조 본법 시행 전 이미 출판한 저작물을 재판하고자 하는 때는 본법의 규정을 의함이 가함.

제16조 내부대신은 本法 시행 전 이미 출판한 저작물로 안녕질서를 방해하거나 또는 풍속을 괴란할 우려가 있음을 認한 경우에는 그 발매 또는 반포를 금지하고 각판, 인본을 압수함을 득함.

1909년 3월 14일

경복궁 건선문建善門 밖에 적치하였던 건청궁乾淸宮 철거 석재는 창덕궁 수리 공사에 사용하기 위하여 3월 14일 옮겨갔다.[305]

1909년 3월 26일

참성단 조사

3월 26일 와다 유지和田雄治, 히라타 도쿠타로平田德太郎, 야마모토山本 기수, 호위순사 등이 강화도 마니산 참성단을 조사하고, 참성단 모퉁이에서 매몰되어

---

305 『皇城新聞』1909년 3월 16일자.

있는 와편, 도편 등을 채집했다.[306]

『황성신문』 1909년 3월 27일자에는 와다 일행의 조사와 관련하여 다음과 같은 기사를 싣고 있다.

강화도 마니산 정상에 있는 참성단塹星壇은 4천 년 전에 단군시조께서 제천祭天하던 곳이라. 여지승람에 석축단의 높이는 10척이오 상방하원上方下圓한데 상의 4면은 각 7척6촌이오. 하원은 각 15척이라 하였고, 미국인 흘법訖法 씨의 조선기행에 왈 이는 조선 최고의 건축물이라 하였는데, 금회에 일본 이학사 모모씨가 농상공부 대신의 명령에 의하여 이를 관측할 차로 사진기계와 측량기계를 휴대하고 작일 인천에서 출발하였다더라.

1909년 3월

3월 현재 발행된 서적이 280종 내외인데 법률 제6호로 발포된 출판법 제16조에 의하여 압수당한 서적이 10여 종이다.[307]

노량진의 사충사기지四忠祠基址는 원래 사충신 후예의 수백년 전래하는 사유

---

306 和田雄治,「江華島の塹城檀」,『考古學雜誌』 제1권 제8호, 1911년 4월, p.20.
307 『皇城新聞』 1909년 3월 17일자.

지인데, 어떤 일본인이 이 기지를 국유지로 인정하고 탁지부에 청원하여 전 궁내부대신 이윤용李允用이 일본인에게 인허認許하였다. 이 기지를 매득買得한 일본인은 이 기지를 수용需用하겠다하여 사충신 후예 조동희, 이용선, 김승규 등이 탁지부에 찾아가 인허한 이유를 누차 질문하고, 이 기지가 사충신 후예의 사유지임을 증명함으로써 겨우 되찾게 되었다.[308]

한미흥업주식회사의 한국 미술품 발송

『황성신문』 1909년 3월 10일자에는 다음과 같은 기사가 있다.

한미흥업주식회사에서 아국 수조물품手造物品을 시애틀대박람회에 출품차로 현재 구입하는 것은 본보에 이미 게재하였거니와 본 기자는 그 물품의 진상여하를 관찰하기 위해 흥업회사를 방문하니 과연 고려자기 10여종과 신제조한 유기鍮器 수십 종이 진열되었는데 유기 각종은 미주인美洲人의 소용으로 아국 수조공장에 견본으로 주어 미술품으로 제조하얏더라.

또 『통감부문서 6권』(국사편찬위원회 편) 1909년 3월 16일자 헌기 제568호 '한미흥업회사원의 고려소 매수' 건을 보면,.

308 『大韓每日申報』 1909년 3월 12일자, 3월 13일자; 『皇城新聞』 1909년 3월 31일자.

한미흥업주식회사에서 고려소(고려자기)를 매수한다는 정보에 의해 조사를 한 기록이 보인다. 한미흥업주식회사는 한국 고려소 및 진유제 식기를 미국으로 수출하기 위하여 경성(서울)의 골동상에게 주문 내지는 매수하기에 분주하고, 재개성의 일본 상인들로부터 고려소를 구입하였는데 총 매수액이 약 2만원이라고 한다. 그리고 현재 매득한 그 물품은 약 1,500원 정도로, 첫 번째 수출할 것을 남대문 밖 운송점 일본인 모에게 위탁하여 2일 전 미국을 향해 발송했다고 한다.

한미흥업회사는 한국의 고물 등이 미국 등지로 대량적으로 흘러가는데 가장 큰 통로 역할을 한 회사로, 1908년 12월에 설립하여 그 준비 과정을 거쳐 1909년 1월부터 물품을 매수하여[309] 1909년 3월에 드디어 그 첫 번째 수송을 했다.

한미흥업주식회사는 수출입 무역회사로 그간 수출입품에 대해서는 일본상인들이 독점해 오다가 한미흥업주식회가 설립되자 일본인들은 그들의 상권이 침해당하는 우려를 버릴 수가 없었다.

『공립신보』 1909년 1월 13일자에는 다음과 같은 기사가 있다.

한미흥업회사. 미국인 마야 씨가 자본금 10만원을 내여 한미흥업주식회사를 서울 박동에 설립하였는데 마야 씨가 이 회사를 설립함은 미국의 소산 물품을 직수입하고 한국의 미술품과 고물을 수출하야 큰 영업을 시작할

---

309 『皇城新聞』 1909년 1월 10일자에는 한미흥업 주식회사에서 "鍮器와 燭臺 1천개씩 안성 유기점에 주문했다"는 기사가 보이고 있다.

계획인데 이 회사가 설립하는 때에
는 한인의 수용하던 일본물화가 무
세하야 일본 상민은 세력이 점점 줄
어지리라 한다더라.

심지어는 동양척식회사의 사업과 동
종의 사업으로 확대해 나가자,[310] 늘 경
계 대상이 되었다.

『통감부문서 6권』 1909년 2월 13일자 헌기 제323호 '한미흥업회사의 사업목
적 선전 건'에는 다음과 같은 내용을 담고 하고 있다.

미국인 메이어는 한미흥업회사에 관하여 근래 한미흥업회사의 주요 직무
는 동 회사의 목적이라고 하며 한국인 등에게 아래와 같이 선전하고 있다
고 한다.

---

310 憲機第二三四號 '韓美興業株式會社 定款' 제2조는 다음과 같다.
　　본 회사의 업무는 礦區, 礦地, 석탄, 油礦, 삼림, 水業, 부동산 및 동산업의 계약, 의탁,
　　買得, 대여, 매매, 감정, 측량, 기타 受得, 소유, 교환, 방매, 기타 전당, 답사, 起業, 작업
　　개발과 그 기계, 鉅工業, 발전업, 철광물의 용해와 제련업 등의 買得, 대여 및 受得, 건
　　설, 소유, 작업, 매도하는 것의 각종 제조업, 무역업, 매매업을 경영하는 일 및 전매특허
　　권의 受得을 처리하는 일이다.
　　본 회사의 주권의 소유 · 변제 · 復發과 타 회사의 주권 · 어음 · 채권 발행과 그 지불 등
　　신용증권 혹은 기타 방법으로 보증하는 것과 대리, 受托, 중개, 기타 신용업무, 금전 대
　　여, 차입하는 일, 이상과 같은 제반 업무를 경영하는데 본 회사의 이사회로부터 본 회사
　　의 이익이라 인정하는 업무는 각국 법률에 저촉되지 않는 범위 내에서 장애 없이 진행
　　한다(國史編纂委員會 編, 『統監府文書 6』, 1998).

『황성신문』 1909년 4월 2일자 광고

말하기를, "본 회사의 목적은 우리 동포가 척식회사에 소유하고 있는 논과 밭을 빼앗기지 않도록 본사에서 널리 저당업을 개시하여 저리로 토지를 담보로 돈을 빌려 척식회사에 저당하는 것을 막는 데 있다. 또한 한국 재류 일본인 상인 등을 점차 한국에서 퇴거시키는 방책으로 유럽에서 직접 물품을 수입하여 그들보다도 2~3할 싼 값으로 방매하여 한국 내지에서 상업권을 장악하여 그들을 압도하려고 하는 데 있다. 그렇게 되면 그들은 자연 상업이 부진하게 되고 영업이익이 감소되어 점차 귀국하기에 이를 것이다. 이 때문에 근래 13도에도 지사를 설치하여 크게 활동할 계획이다" 라고 말했다.

한미흥업주식회사는 처음 경성, 경주, 개성, 평양 등지에 지점을 설치하고 한국인 대리인을 두었다. 이후 점차 확장하여 1909년 6월에는 한국인 주주가 500여명에 달했으며, 1909년 9월에는 대리인 및 지점은 49개소로 확대되었다.[311]

311 『皇城新聞』 1909년 9월 11일자에 의하면 다음과 같다.

皇城磚洞(京城郵便局郵函第四十号) 韓美興業株式會社
大美國애리쇼나 道法律認可駐大韓國美國総領事館登録
本社의 各處代理人은 如左흠
開城代理人 開城南門外雜貨商店 金東宣
平壤代理人 平壤大同門內店洞 鄭基煥
咸興代理人 咸興西門外 盧旻洙 張錫祚
馬山浦代理人 馬山浦客主 孫德宇
元山代理人 元山港 金以文
淸津代理人 淸津港 張樂臣
水原代理人 水原北部長安洞 金逌東
大邱代理人 大邱薪田里五十八統七戶 李相召
江景浦代理人位置未定 西部龍山坊東幕中契二十七統二戶 李寬浩
金堤代理人(位置未定) 金堤郡白石面水閣 金升基
長湖院代理人(位置未定) 陰城城山里 權泰錫
江界代理人(位置未定) 義州杷峴 張濟拭 朴奉燁
義州代理人(位置未定) 義州杷峴 崔善玉 朴奉燁 文道敬
漢江附近代理人 南部漢江十八統二戶 李宗默
安城代理人(位置未定) 水原北部長安洞 金逌東
沙里院代理人(位置未定) 漢城東部往十里旺新學校內 邦元重
金泉代理人 金泉市場共信昌店 李孝稙
海州代理人(位置未定) 漢城西部麻浦卅一統五戶 吳惟泳
天安代理人(位置未定) 水原北部長安洞 尹聖求
羣山代理人 羣山大井洞 韓相益
全州代理人(位置未定) 漢城西部阿峴二百廿二統三戶 金敎聲
釜山代理人(位置未定) 馬山浦午山里十一統九戶 辛相淑
麻浦附近代理人 西部麻浦二十七統三戶 李弼駿
晉州代理人(位置未定) 昌原舊馬山浦城山 孫德宇
永同代理人(位置未定) 漢城壽洞二統一戶 宋贊憲 徐雨錫 姜任鐸
木浦代理人 木浦南橋洞 玄德鍾
鎭南浦代理人 鎭南浦龍井洞 張應翰
漢城東部代理人 往十里上甘井洞四統五戶 金聖泰
定州代理人(位置未定) 郭山郡 金相杰 李根宅 金時漸
吉州代理人 吉州西門外第廿八号 金萬燮
禮山代理人 漢城中部外相思洞二統三号 李孝稙
延安代理人 延安郡磨玉洞 李時榮

1909년 4월 5일

사책 운반

4월 5일에 북한산성에 적치하였던 사책을 종친부로 옮기고, 7일에 다시 재차로 옮겨와 책탁冊卓 및 사책史冊 등 기타 부속 등 물이 합 70여 짐이다.[312]

浦項代理人 浦項上里十二統十二戸 李鍾龍
淸州代理人 鳥致院 漢城壽洞二統一戸 安濩 鄭彰朝
太田代理人 太田新垈 宋始憲 洪淳一 宋贊憲
兎山代理人 兎山郡兎山市 李鍾煥
城津代理人(位置未定) 吉州郡 郭寅洙
濟物浦代理人(位置未定) 開城南部都橋 金景模 曹秉德
公州代理人(位置未定) 大田新垈 宋始憲 洪淳一
論山代理人(位置未定) 公州半灘面松亭里 申商雨
洪原代理人(位置未定) 咸興郡中荷里 金晉熙
漢城西部代理人(位置未定) 西部里門洞百五十四統四戸 朴勝俊
北靑代理人(位置未定) 洪原龍源面蓮下里 金鍾麟
錦山代理人(位置未定) 宋贊憲 李觀承
密陽代理人(位置未定) 李鐸 李炳㫰
安東代理人(位置未定) 義城郡點谷面沙村 金浩昌 柳元佑
楊平代理人(位置未定) 北部齋洞三十五統一戸 權泰熙
漢城南部代理人 西部里門洞百五十四統四戸 朴勝俊 禹鍾鉉
安州代理人(位置未定) 金寬鎬 李寅英 金炳鍵

312 『皇城新聞』1909년 4월 6일자, 8일자;『大韓每日申報』1909년 4월 1일자.

1909년 4월

합천 해인사 5층탑 파괴

합천 해인사의 5층탑을 합천에 거주하는 권 모 형제와 모씨가 탑을 훼철하고 탑 가운데 있는 금은을 내어 갔는데, 해인사 승이 그 금은은 도로 찾고 그 탑을 훼파한 사람들을 대구경찰서로 압송하였다.[313]

석굴암 소석탑 분실과 소네 통감의 혐의

석굴암 본존불 뒤 즉 11면관음상 앞에는 현재 대석만 남아 있는데 이곳에는 아름답기 그지없는 5층사리탑이 놓여 있었다고 한다. 석굴 안에는 원래 두 기의 작은 석탑이 있어서 석굴의 본존대불을 중심으로 앞뒤에 안치되어 있었던 것으로 추정되는데 이는 1913년 중수공사를 할 때 두 탑이 안치되었던 화강암 대석臺石과 작은 석탑石塔(상부와 상륜부)이 수습된 사실로도 알 수 있다. 그런데 1909년 2대통감 소네가 경주의 초도순시 때 그 수행원들과 함께 석굴암을 다녀간 후 이 탑이 사라졌다고 한다.

소네는 한국 고서적에 특별한 관심을 가지고 있었는데, 1909년 11월 24일에 세키노 일행은 처음으로 남산 왜성대의 소네 통감을 방문하고, 소네 통감이 고서에

---

313 『梅泉野錄』; 『대한매일신보』 1909년 4월 27일자.

취미를 가지고 근래까지도 한국의 서적을 수집하고 있는 것을 보았다고 한다.[314] 소네는 엄청난 한국 고서적을 일본으로 반출한 장본인이기도 하다. 그런 소네의 행위로 볼 때, 소네가 개인적으로 탐이나 빼돌린 것이거나, 아니면 그의 수행원이 약삭빠른 출세욕에 소네를 부추겨서 일본으로 반출한 것으로 의심하지 않을 수 없다.

소네가 석굴암을 순시한 것은 고적조사원들의 정식조사가 있기 전으로 그가 석굴암을 순시한 직후의 석굴암 사진과 그 내용이 1910년에 간행한 『조선미술대전朝鮮美術大觀』에 실려 있다. 사진은 소네 일행의 관리들이 석굴암본존상을 배경으로 찍은 사진으로 그 해설편에서는 "선년先年 소네曾禰 통감일행이 동암同菴에 이르러 처음으로 이를 발견하였으며 이외 방인邦人의 학자 및 조사원 등은 아직

1909년 소네曾禰의 경주 초도순시(初度巡視) 때의 사진

314 谷井濟一, 「韓國はがきだより(第11信~第14信)」, 『歷史地理』 제15권 4호, 歷史地理學會, 1910년 4월.

발길이 닿지 않았다" 라고 하고 있다.[315] 여기서 '선년先年' 이라고 하는 것은 곧 1909년을 가르키는 것으로 소네가 경주를 초도순시初度巡視한 해와 일치한다.

　오쿠다 고운奧田耕雲의 기록에는,

11면관음상十一面觀音前의 소석단小石壇에는 원래 5중五重의 석탑이 있었는데 소네曾禰 통감시대에 지거持去하고 지금은 어떻게 되었는지 알지 못한다.[316]

라고 하고 있으며, 일세 강점기 초의 경주박물관장이였던 일인 모로가 히데오 諸鹿央雄의 기록에 의하면,

현존하는 대석상에 불사리가 봉납되었다고 구전口傳된 소형의 훌륭한 대리석탑이 있었던바 지난 메이지明治41년 춘(42년의 착오) 존귀한 모 대관의 순후巡後에 어디론지 자취를 감추어 버린 것은 지금 생각하면 애석하기 짝이 없는 것이다.

라고 하는데, 이에 대해 일인 야나기 무네요시柳宗悅는 "목격자의 회술에 따른다"고 하면서,

9면관음九面觀音(11면)앞에 작고 우수한 5중탑五重塔이 안치되어 있었다고

315 『朝鮮美術大觀』'第2部 彫鑄' 第1圖 및 解說, 朝鮮古書刊行會, 1910년 2월.
316 奧田耕雲,『新羅舊都 慶州誌』, 大正8년 9월. p.215.

한다. 이것은 후에 소네 아라스케曾禰荒助 통감이 가져갔다고 말하고 있으나 진위는 불명하다.[317]

모로가 히데오諸鹿央雄가 '모 대관'이라 함에 대해 야나기 무네요시柳宗悅는 2대통감 소네를 지목하고 있다. 소네를 지목하면 초도순시는 1909년의 일로서, 오사카大坂의 기록에는,

메이지明治42년(1909) 추에 소네曾禰 부통감이 순시巡視하였고, 그 사이 세키노關野박사의 조사가 있었다.[318]

라고 기술하고 있다. 가와이 아사오河井朝雄는 『대구물어』에서,

경주와 소네부통감

소네曾禰 부통감은 남북한 순시를 하고자 8월 14일 대구에 도착했다. 일행은 도착 후 달성공원으로 올라가 대구를 전망하고자 <중략> 이튿날 19일에는 오구라씨 등이 경영하는 제연회사의 공장을 시찰하였으며 정오에 대구역발 열차로 마산으로 향하였다. 마산, 부산 순시를 마친 후 해로로 원산으로 직행 다시 원산에서 발길을 돌려 26일 포항에 상륙, 육로를 경주로

---

317 야나기 무네요시, 「석불사의 조각에 대하여」, 『조선을 생각한다』
318 大坂六村, 『趣味の慶州』, 慶州古蹟保存會, 1939, p.103.
　　大坂은 曾彌의 慶州 巡視가 明治42년임을, p.221에서도 분명히 하고 있다.

잡아 신라유적을 돌아보고 또 다시 부산으로 향했다. 경주의 고적이 국보급으로 보존해야 될 가치를 소네 부통감에 의해 비로소 논의 되었던 것인데 경주고적이 대관을 맞이하기는 이번이 처음이었다.[319]

라고 하고 있다. 소네의 초도순시에 대해 모로가 히데오諸鹿央雄는 '메이지明治41년(1908) 춘' 이라고 하고, 가와이 아사오河井朝雄는 8월이라고 하고, 오사카大坂는 '메이지明治42년(1909) 추' 라고 하여 소네의 경주방문시기가 명확하지 않다. 1907년 통감부관제를 개정하여 새로 부통감제를 설치함에 따라 소네가 임명되었으며, 이토가 1909년 6월에 일본 추밀원 의장으로 전임하게 되어 일본으로 귀국하고 소

첨성대 앞의 소네 일행
(『朝鮮古代觀測記錄調査報告』에
수록)

네가 그 뒤를 이었기 때문에[320] 소네가 부통감으로 있었던 시기는 1909년 6월 이전이 된다. 따라서 '1909년 秋' 라는 것은 시기가 맞지 않다.

소네의 초도순시에 대해서 1917년에 간행한 와다 유지和田雄治의 『조선고대관측기록』에 의하면, 1909년 4월 21일에 부산항에서 순라함巡邏艦 광제호光濟號에 편승하였는데 당시 일행으로는 소네 부통감과 그 수행원, 그리고 와다和田와 그의 동료 히라타平田 학사, 야마모토山本 기수가 있었으며 헌병 순사 등이 호위를 했었다고 한

319 河井朝雄(손필헌 역), 『大邱物語』(1931), 대구중구문화원, 1998.
320 『朝鮮年鑑』, 京城日報社, 1941.

다. 그들은 포항에서 상륙하여 1박을 하고 이튿날 4월 22일 오후 8시에 경주에 도착한 것으로 나타나 있다.[321]

소네의 초도순시는 4월 18일부터 5월 8일까지 약 20일간의 여정으로 와다의 기록과 당시 신문기사에 나타난 소네 일행의 일정에는 약간의 차이가 있다. 『황성신문』에 나타난 소네 일행의 일정 일부를 보면 다음과 같다.

부통감 영만 착

증미부통감은 광제호를 탑승하고 22일 오전 11시에 영흥만에 도착하였다더라(『황성신문』 1909년 4월 24일자).

부통감의 여행기

23일 원산이사청에서 통감부에 전해온 전보를 거據한 칙則 증미부통감은 24일 오후에 원산에서 출발하여 25일 오후에 울릉도에 도착하고 동일 동지를 출발하여 26일 아침에 연일延日에 도착하여 동일同日 경주에서 2일을 숙박하고 28일 오후에 연일에서 출범하여 29일 아침에 부산에 귀착하고 5월 1일 오전 6시에 부산에서 출범한다는데 이후의 여정은 미정이라더라 (『황성신문』 1909년 4월 25일자).

---

321 皇城新聞 1909년 4월 28일자에는 曾禰 일행이 4월 26일에 경주에 도착했다는 기사가 있다. 와다(和田)는 직접 일행 속에 있었으며 첨성대 연구에 몰두하고 있었기 때문에 인정은 메모해 두었을 것으로 추정되나, 皇城新聞 기사는 전보 등에 의한 것이기 때문에 신문 기사 쪽이 더 신빙성이 있어 보인다.

부통감 여정
증미부통감의 일행은 26일 경주에 도착하였다더라(『황성신문』 1909년 4월 28일자).

부통감 경주발
증미부통감은 지난 30일 오전에 경주를 출발하여 당일에 부산으로 향하였다더라(『황성신문』 1909년 5월 1일자).

更巡南面
증미부통감은 작일昨日 오전 9시 반에 부산에 도착하였는데 금일 오후 3시에 다시 출항하여 가덕, 통영, 삼일포, 거문도, 제주 등을 시찰하고 6일 오전 9시에 목포에 도착하기로 예정하였다더라(『황성신문』 1909년 5월 2일자).

『황성신문』 1909년 4월 25일자에 나타난 원산이사청에서 전해 온 전보에는 1909년 4월 26일에 경주에 도착하여 2일간 숙박을 할 예정으로 알려 왔으나, 이후의 기사를 보면 4월 26일에 경주에 도착하여 4월 30일 오전에 경주를 출발한 것으로 나타나 있다. 소네가 경주에 머문 것은 2박 3일 정도로 예정했으나 경주에 머문 기간이 늘어난 것으로 나타나 있다. 경주에 머문 기간이 예정보다 늘어난 이유에 대해서는 알 수 없으나, 당시 사정으로는 이토 통감은 일본으로 귀국해 있었으며, 소네의 통감 내정설이 나도는 상황이었다. 그의 순시는 경주 관람이 목적이 아니라 지방행정 상태를 살피고자 했던 것이었다. 이 기간 동안에 지방행정의 보고는 물론이고 일제의 정책에 아부하기에 급급했던 경북도장관 박중앙 등의 환영행사 등으로 경주에 머문 시일이 늘어났을 것으로 추정된다.

와다和田는 이 같은 소네 일행의 일정에 함께 동행을 했으며, 와다는 당시 첨성대 연구에 몰두하고 있었지만 일정을 메모해 두었을 것으로 추정된다. 하지만『황성신문』기사는 전보 등에 의한 것이기 때문에 신문 기사 쪽이 더 신빙성이 있어 보인다.

와다和田의 기록은 경주의 전반적인 여행을 기술한 것이 아니라 경주 첨성대에 대한 기술이 중점이었기 때문에 석굴암에 대한 구체적 기록은 보이지 않지만 능묘를 비롯한 고종, 고사찰, 첨성대를 살펴본 것으로 나타나 있기 때문에 소네 일행의 석굴암 방문시기임을 알 수 있다.

와다의『조선고대관측기록조사보고』에는 첨성대 앞에서 찍은 사진 1매가 실려 있는데, 이는『조선미술대관』에 실려 있는 석굴암 앞에서 찍은 소네 일행의 복장과 일치하고 있다.[322] 또한『조선미술대관』에 수록한 사진 2매를 보면, 석굴 입구의 작은 나뭇가지에 나뭇잎이 하나도 보이지 않는다. 가을이라면 나뭇가지에 아직 잎이 남아 있어야 한다. 따라서 소네의 경주초도순시는 와다 유지和田雄治의 기록대로 1909년 4월이 정확한 것으로 보인다.

이 후 이 탑의 행방에 대해 나카무라 료헤이中村亮平는,

유설流說에 의하면 모 씨의 저택에 옮겨져 있는 것이 아닌가 하는 이야기가 있다.[323]

322 和田雄治,「慶州瞻星臺ノ說」,『朝鮮古代觀測記錄調査報告』, 朝鮮總督府觀測所, 1917, p.144~146.
323 中村亮平,『朝鮮慶州之美術』, 1929, p.36.

라고 하고 있다.

또한 이 탑을 가져간 후 이러한 행위를 은폐하기 위해 대석臺石을 뒤집어 놓았다. 이로 인해 사리공舍利孔이 은폐되었기 때문에 일제기에 이를 조사한 고유섭高裕燮은 다음과 같이 기술하고 있다.

구면관음상 앞에는 오중석탑이 있었다는 설이 있으나 본존과 구면상 간의 공간이 너무 좁아서 그곳에 탑이 있었다면 오히려 궁색한 감이 없지 않다. 지금 그곳에 무슨 대석인지 남아 있지마는 오히려 무슨 석상이나 조그만 석등이 있지 않았을까 한다. 물론 그곳에 탑이 있었다고 하여도 의미 없는 것은 아니니 ········· 탑파가 있었다는 데 교리상 무리한 바 없을 것이로되 반드시 수긍도 되지 않는다.[324]

뒤집어 놓았던 석탑대석

대석臺石 위에 석탑石塔보다는 오히려 상석床石이나 석등石燈이 있었을 것으로 오인誤認하기도 했다.

이런 사실은 1962년 석굴암 조사를 실시하였을 때 11면관음상 바로 앞의 4각형 대석을 뒤집어 본 결과, 그 하면下面은 바로 상면上面으로서 중앙에 사각형의 사리공이 있었으니 일인들이 보탑을 가져간 후 자취를 남기지 않으려고 취한 소행이

324 高裕燮,『朝鮮美術文化史論叢』, 서울신문사출판국, 1949, pp.41-42.

었음을 알 수 있었다.[325] 현재 이 대석은 금강역사상 앞에 놓여 있으며 상면 중앙에 사리공이 생생함을 볼 수 있다.[326] 이처럼 그 후에도 은폐하려고 했던 것이다.

황수영 박사는 석상 2구와 탑상의 반출에 대한 안타까움을 다음과 같이 말하고 있다.

이 석상 양구에 대하여 일제는 석굴암 수리 당시에 굴내에서 출토된 사실이 없음을 말하고 있을 뿐 그 이상의 언급은 없습니다. 필자는 일제에 의한 제 1차수리에 앞서서 불국사와 석굴암으로부터 이와 같이 운반이 용이한 탑상 등이 일본으로 반출되었고 그들이 일본에 현존하고 있다고 믿는 바입니다. 이 같이 탑상은 비록 소형의 작품이라 하더라도 우리의 지보인 석굴의 완전 복구와 그가 속깊이 지니고 있는 의의와 미에 대한 우리의 자각과 연구를 위하여서는 더욱 주목되어야 하며 현품은 원위치에 반환되야 할 것입니다.[327]

관상감(觀象監)의 유물을 박물관으로 옮김

1909년 4월에 휘문의숙徽文義塾 내에 있는 전 관상감觀象監 소유 성숙분야도星

---

325 「考古美術 뉴스」, 『考古美術』 제2권 제2호에 의하면, 1961년 8월 11일부터 8월 14일까지 공사현장을 조사한 황수영 박사는 굴내에 쌍탑을 추정한 바에 따라서 굴내의 전실에 도치되어 있는 방형대석을 각각 복원으로써 그 표면에서 모두 방형의 소사리공을 조사하였다고 한다.

326 鄭永鎬, 「石窟庵」, 『韓國의 文化遺産』, 韓國精神文化研究院編, 1997 參照.

327 『考古美術』 2권 8호.

宿分野圖와 남북극도南北極圖를 창경궁 내 박물부로 옮겼다.[328]

휘문의숙은 민영휘閔泳徽가 1906년 4월에 전 관상감 자리에 학교를 설립하기 위해 정부에 인허를 얻어 설립한 학교이다.[329] 감상감 자리에 휘문의숙이 들어서자 이곳에 있던 유물들은 때마침 이왕직박물관이 창설되면서 박물관으로 옮겨지게 되었다. 휘문의숙은 1918년 4월 1일부터 휘문고등보통학교로 개칭하고 학제를 변경하였다.[330] 휘문고보가 있는 이곳은 전에는 관상감이 있었다고 하여 관상감재觀象監峴라 부르던 곳이다. 관상감이라는 것은 천문, 지리, 역수曆數, 측후 등을 맡아 관리하던 곳, 즉 측후소이다. 그리고 휘문고보로 개칭이 된 후에도 학교 정문 서측에 옛날 천상을 보던 석대石臺남아 있었다고 하는데[331] 해방 이후 1949년 9월 5일자『동아일보』에는 다음과 같은 기사가 있다.

조선시대 천문대 관상감 유적 휘문중학교 내에서 발견

이조시대의 천문대가 서울 시내에서 발견되었다. 즉 서울시에서는 8월 15일부터 실시된 지방자치법에 의하여 특별시로 승격하게 되어 이를 기념하고 동시에 대한민국 수립 1주년을 기념하고자 해방 후 우리 손으로 키워진 국도 서울의 시사를 편찬하려고 지난 7월 시 공보과 내에 시사편찬위원회를 두고 역사가 기타 사계의 권위자를 모아 시사자료로 시내 고적 등을 탐색 중 아직까지 고적으로 지령되지 않은 이조시대의 천문대인 관상감의 유

---

328 『大韓每日申報』1909년 6월 15일자.
329 『大韓每日申報』1906년 4월 6일자, 4월 10일자, 6월 16일자.
330 『每日申報』1918년 1월 25일자.
331 「碧海桑田가티 激變한 서울의 녯날집과 只今집」,『별건곤』제23호, 1929년 9월.

적이 시내에 있다 하는 사실을 이조실록에서 발견하고 각 방면으로 문의중
의외에도 시내 계동 휘문중학교 내에 있다는 것이 판명되었다.

그런데 관상감이 동교에 있었다는 것을 학교에서는 어렴풋이 알고 있었으
나 그의 사적이 또한 뚜렷치 않고 지정 고적으로 되어 있지 않아 그다지 큰
관심을 갖지 않고 있었던 것이다. 그리고 학교 구내에 있으니 만큼 일반 눈
에 띄지도 않았을 뿐더러 현재 관상감은 돌로 쌓아놓은 돌더미밖에 없고 하
여 그다지 일반의 관심이 없었는데 관상감에 대하여서는 수선도首善圖(서울
지도)에 그 위치만이 나와 있을 뿐 그 내력은 확실치 않아 방금 관계 기관에
서는 그 내력을 각 문헌에 의하여 조사 중이라고 한다. 그런데 권위자측 談
에 의하면 관상감 위에 놓았던 물시계, 기타 기구는 현재 덕수궁에 진열되
어 있다 하는 사실까지 발견되어 새로운 이조의 문화재의 발견으로 동 위원
회에서는 그 내력을 조사중으로 머지않아 세상에 알려질 것이라고 한다. 그
리고 시에서는 문교부에 이 사실을 보고하여 지정고적물로 보호할 것도 고
려중이라는데 현재는 잡초만이 지난날의 관상감을 덮고 있을 뿐이다.

1909년 5월 5일

정족산사고 사책 등 운반

1909년 5월 5일에 강화의 정족산사고에 보관되었던 사책과 열성조의 어필

정족산사고(『조선고적도보』)

100여 궤櫃를 경복궁으로 옮겼다.[332]

정족산사고는 조선후기에 설치된 4곳의 외사고外史庫 중 하나이다. 임진왜란 당시 소실되지 않았던 원본이라고 할 수 있는 전주사고본을 인조대에 청나라 위협을 피해 묘향산 사고를 강화 마니산사고로 옮겨다가 이후 정족산성으로 옮겼다. 정족산사고는 정족산성 내부의 전등사傳燈寺 서쪽에 있었으며, 실록과 중요한 문서들을 보관하는 장서각과 왕실 족보인 선원보를 같이 보관하는 선원보각으로 구성되어 있다. 현지의 관리는 수호사찰인 전등사에서 맡았다.

정조대에 강화부 관아 위쪽에 외규장각外奎章閣이 설치되어 국왕의 초상화나 친

---

332 史筆移運. 江華郡傳燈寺에 積寘ᄒᆞᆺ던 史册及御筆을 昨日 景福宮으로 移來ᄒᆞᆺ다더라(『皇城新聞』 1909년 5월 6일자).
江華郡傳燈寺에 積置ᄒᆞᆫ 册子와 列聖朝의 御筆百餘櫃를 昨日 景福宮으로 運搬ᄒᆞᆺ다더라(『大韓每日申報』 1909년 5월 6일자).
江華의 傳燈寺에 있는 史草와 列聖朝의 御眞을 景福宮으로 옮겼다(『梅泉野錄』 제6권).

필 외에 많은 서책이 보관되었지만, 이 사고는 그것과 별개로 계속 운영되었다. 병인양요 당시 프랑스군과 큰 전투가 있어 강화유수부에 보관하던 외규장각 도서는 약탈당하거나 소실되었으나, 정족산사고본은 다행히 피해를 입지 않았다.

1909년 5월 6일

경시청에서 6일에 순사를 각 서점에 파견하여 압수한 서적의 종류는 동국사략東國史略, 유년필독병석의幼年必讀並釋義, 20세기조선론二十世紀朝鮮論, 월남망국사越南亡國史, 금수회의록禽獸會議錄, 우순소리 등이다.[333]

1909년 5월 18일

어원사무국분장규정 발표

1909년 5월 18일에는 어원사무국사무분장규정을 정하여 어원 사무국에 이사실 및 박물관부, 동물원부, 식물원부의 3부를 두었다. 이에 따라 박물관부에서는 역사, 미술, 공예 및 참고품 수집 진열 및 보관에 관한 사무를 맡았다.[334]

---

333 『皇城新聞』 1909년 5월 7일자.
334 『官報』 제4379호, 1909년 5월 18일.

그 내용은 다음과 같다.

어원사무국분장규정

제1조 어원사무국에 이사실 및 박물관부, 동물원부, 식물원부의 3부를 둠.

제2조 이사실에서는 아래 사무를 관장함.

　1. 국인局印 및 총장관인総長官印의 관수管守에 관한 사항

　2. 문서의 기안 보관 및 통계 보고에 관한 사항

　3. 회계에 관한 사항

　4. 공중종람公衆縱覽에 관한 사항

　5. 평의원회에 관한 사항

　6. 기타 각부의 주관에 속하지 아니한 사항

제3조 박물관부에서는 역사, 미술. 공예 및 천산天産의 참고품 수집, 진열 및 보관에 관한 사항을 관장함.

제4조 동물원부에서는 동물의 사양, 위생, 감수監守 및 번식, 부화孵化에 관한 사항을 관장함.

제5조 식물원부에서는 어원사무국소관지 내의 식물의 배양 및 원예, 쇄소灑掃에 관한 사항을 관장함.[335]

335 『皇城新聞』1909년 5월 19일자.

1909년 5월

출판법에 의하여 발매를 금지하고 압수한 책자의 수가 3천8백여 부나 되었다.[336]

『대동공보』 제38호는 치안에 방해가 된다고 하여 발매를 금지하였는데, 그 이유는 3월 30일 압수한『신한민보』제122호 '서적구람書籍購覽의 필요'란 제하에 기사를 전재함이라 한다.

『신한민보』127호도 치안에 방해가 된다고 하여 발매금지하였다.[337]

여기서 가장 문제가 된『신한민보』제122호 1909년 3월 3일자 논설「서적구람書籍購覽의 필요」는 소위 합방의 움직임이 본격화 되자 대한제국정부와 융희황제를 부인하는 한편, 국권회복의 주체가 '민족'임을 밝히고 있다. 그 내용의 일부는 다음과 같다.

「서적구람의 필요」

돌아보건대 금일 한국에 우리 한인의 물건이 다만 한 가지라도 있느뇨 산고수려 삼천리 강토가 있다마는 금일은 우리 한인의 강토가 아니오 강적에게 빼앗긴 바-며 <중략> 권선징악의 법률이 있다마는 금일은 우리 한인의 법률이 아니오 적국이 천단하며 지존막대의 황실이 있다마는 금일은

---

336 『皇城新聞』1909년 5월 27일자.
337 『皇城新聞』1909년 5월 23일자.

우리 한인의 황실이 아니오 적국이 조종하며 국민의 생명 재산을 보호하는 정부가 있다마는 금일은 우리 한인의 정부가 아니오 적국의 기관이 되었고 다만 남아있는 것은 이천만 국민의 형질뿐이라 하겠으나 이

것도 또한 완전치 못하여 이등박문伊藤博文의 간사한 명령과 오쿠보大久保의 포학한 호령이면 모두 박멸을 당할 터이니 <중략> 한국을 회복할 자도 이천만 동포 뿐이오 한국을 멸망할 자도 이천만 동포 뿐이오 원수의 학대를 받을 자도 이천만 동포 뿐이니 이천만 동포가 살면 이는 곧 한국이 사는 것이오 이천만 동포가 죽으면 이는 곧 한국이 죽는 것인 즉 동포동포야 경성하면 맹진하라 현금 시대는 어떠한 시대뇨 하면은 지혜있는 자 살고 어리석은 자 죽는 20세기 경쟁시대로다. <중략>

적국 일본이 나라가 강하고 백성이 자유하야 세계 열국과 동등이라 자랑하는 터이로되 신문 잡지가 또한 번다하야 외국에서 우리와 같이 노동하는 자들도 상자속에 잡지 한두 권은 업지 아니며 신문을 구람치 안는 자 별로 업거든 하물며 생명이 경각에 달려 있고 멸망지환이 목전에 급급한 한국 사람이 되야서 신문잡지를 등한히 바리고 애독치 아니할 수 잇슬이오.

발매금지한 동국략사, 월남망국사, 유년필독, 유년필독석양, 금수회의록, 우

순소리, 20세기조선론 등 각 책은 21일까지 각 도에서 3,900부를 압수하였다.[338]

『고고계』제8편 제2호(1909년 5월)에 장충의(張忠義) 석관 소개

권수에 게재한 것으로 일찍이 조선에서 발견한 것으로 석관의 개蓋 및 사방 측면에, 묘지명에 나타난 것을 보면 석관은 장충의張忠義의 유골을 납했던 것으로 발견지는 부소산록임을 알 수 있다. 관은 길이 2척6촌, 폭 1척6촌, 높이 약 1척, 석질은 점판암이다. 뚜껑의 표면에는 중앙에 연화문, 전후에 연당초문을 각했다. 내면에는 별자리의 그림을 각했고, 사방 측면에는 청룡, 백호, 주작, 현무의 사신과 당초를 각했다. 묘지는 문자의 결손이 심하여 알아볼 수 없는 글자가 많다. '정이십년경자定二十年庚子'가 나타나 있다.

1909년 6월 3일

규장각의 일본 도적

법전조사국의 고원 아카가와赤川令修는 6월 3일 오후 5시경에 규장각에 보관한 어필御筆과 기타 중요한 서류를

『대한매일신보』
1909년 6월 6일자

---

338 『皇城新聞』1909년 5월 29일자.

절취하여 가지고 나오다가 광화문파수 순사 홍길구에게 체포되어 일본이사청으로 압부押付되었다.

1909년 6월 11일

강탈당한 관촉사(灌燭寺) 유물

충남 관촉사의 주지가 소장한 유물을 약탈당했다. 충청남도관찰사 최정덕이 내부대신 박제순에게 보고한 '폭도래습暴徒來襲의 건'[339]에 의하면, 다음과 같다.

6월 11일 오전 2시경에 충청남도 은진군 화장산면 죽엄리 관촉사灌燭寺 주지 엄의산嚴義山 가에 폭도 6명이 침입하여 칼을 갖고 가인家人을 일실에 구금한 후 좌기 물품을 강탈 도주한 지늅 익 12일 보고에 접한 동지 논산주재소순사는 직시 급행 수사하였으나 끝내 득한 바 없이 목하 계속 수사 중이라고 한다.
우 보고함.
불상 1개 아미타좌상 고 2척 가량으로 토소금분도 가격 미상
불기 4개 진유제(가격 12원)
향로 1개 진유제 (가격 80전)
요령 1개 진유제 (가격 1원) 합계 13원 80전

---

339 「韓國獨立運動史 資料」,「統監府文書 6」, 國史編纂委員會, 1999.

보고서에는 '폭도'로 기재하고 있으나, 의병을 일본 토벌대의 입장에서 표현한 용어이다. 당시 의병들은 토벌대에 쫓기어 절간 등에서 식사를 제공받기는 했으나 절간의 유물을 약탈한 예는 없는 일로, 의병을 가장한 강도로 추정된다.

1909년 6월 15일

한성부민회에서 일본서 건너온 일본 관광단 일행을 경회루로 초청하여 연회를 가졌는데 구식 대취타大吹打와 신식음악을 영주하였고 여흥에 기생 등의 가무, 성진무, 항장무를 관람하고 밤늦게 산회했다.[340]

1909년 6월 17일

5월에 경성(서울) 수진동(종로구 수송동)에 있는 이목은 영정을 어떤 도둑이 훔쳐 달아났다. 6월 17일 밤에 중부동에서 어떤 일본인 거간의 집에서 경시청 형사가 이를 찾아냈다.[341]

340 『皇城新聞』 1909년 6월 17일자.
341 『皇城新聞』 1909년 6월 19일자; 『大韓每日申報』 1909년 6월 20일자.

1909년 6월

되찾은 사충사 영정

1908년 11월에 노량진 사충사四忠祠에 모셔둔 영정影幀 4본을 도난당했다.[342] 이를 훔친 도둑은 일본인에게 80원에 매도했는데, 일본인이 그의 상점에 걸어 둔 것을 사충신의 후예들이 알게 되어 다시 매입하게 되었다.[343]

중흥사 불상 이치

북한산성 중흥사中興寺에 있는 불상 12점을 칙령으로 창덕궁 내 박물관에 이치移置하였다.[344]

한국 종 탁본 전시

1909년 6월에는 고고학회 제14총집회에서는 일본에 현존하는 한국종의 탁

---

342 『大韓每日申報』 1908년 11월 17일자; 『皇城新聞』 1908년 11월 17일자, 24일자.
343 『大韓每日申報』 1909년 6월 20일자.
344 『大韓每日申報』 1909년 6월 24일자.

본을 특별전시했는데, 세키노가 한국에서 수집한 조선종 탁본 및 사진이 출품되었는데 그 목록은 다음과 같다.[345]

화장사종 사진

흥천사종 사진

원각사종 사진

해죽사종 사진 및 탁본

대흥사종 사진 및 탁본

봉덕사종 사진 및 탁본

연복사종 사진 및 탁본

다카하시 겐지高橋健自 출품의 고려석관개탁본高麗石棺蓋拓本 2점

농상공부에서는 내년 일영박람회의 일본식민관에 출품하기 위하여 통감부와 협의한 후 그 출품내용을 다음과 같이 했다.[346]

풍경풍속 사진

한국모형도(20만분의 1)

통계표(재정, 경제, 교육, 무역, 산업, 통신, 철도, 금융기관)

고대미술품, 현대공예품 각종

345 「考古學會記事」, 『考古界』 第8篇 第4號, 1909년 7월
346 『皇城新聞』 1909년 6월 26일자.

장례원에서 관리하던 숭신전 및 숭렬전에 관계한 서류를 조사하여 내부로 인계하다.[347]

경남 통영군에 있는 충렬사는 충무공 이순신의 정충旌忠한 기지인데 경남관찰사 황철黃鐵이 이곳에 공업전습소를 개설하고 부속한 전답을 방매하여 전습소의 경비에 보태게 하여 충무공의 자손 중 이민익, 이헌영, 이인영 등이 내부에 금지해 줄 것을 호소했다.[348]

우리나라 산림은 대부분이 재실소유에 속하던 것인데 작년에 국유에 편입하고 임시재산정리국에 부속하였다가 이번에 농상공부에 인계하기로 결정했다.[349]

347 『皇城新聞』 1909년 6월 10일자.
348 『皇城新聞』 1909년 6월 29일자.
349 『皇城新聞』 1909년 6월 23일자.

1909년 7월 5일

면암집(勉庵集) 압수

　최영조崔永祚 및 기타 유생들이 구인쇄활판舊制活版으로 인쇄한 면암勉庵 선생 문집 중 권4, 92, 13, 14, 16, 및 부록 권1, 2, 3, 4, 등 10종은 치안에 방해라 하여 7월 5일에 압수하였다.[350]

　『매천야록』에는 다음과 같이 기록하고 있다.

> 고 최익현의 문생들이 그의 문집을 간행하니 일본인
> 이 그 소식을 듣고 포위하고 수색하여 그의 소차疏箚와
> 일본을 토벌하라는 문자가 들어있는 책자는 모두 빼
> 앗아 갔으니 그것은 자국정부의 사주에서 나온 것이
> 다. 드디어 잔결殘缺하게 되어 널리 배포하지 못했다.

『황성신문』 1909년 7월 7일자

　인쇄한 문집만 압수한 것에 그치지 않고 이를 재인쇄할까 두려워 1개월 후에 는 원판까지 압수하였다.[351]

　『면암집勉庵集』은 1907년 봄에 맏아들 영조永祚를 중심으로 문인 이재윤李載允, 고석진高石鎭, 조우식趙愚植 등 30여명에 의해 착수하여 그 이듬해 11월에 완성

---

350 『皇城新聞』 1909년 7월 7일자.
351 『皇城新聞』 1909년 8월 14일자.

『면암집』 출판 허가 기사
(『중외일보』 1930년 9월 13일자)

을 보게 되었다. 그 내용은 본집 40권에 부록 4권, 속집 2권이 추가되어 모두 46권 23책이었다. 이것이 『면암집』 초간본으로 무신본戊申本이다. 그러나 내용에는 일제가 꺼리는 부분이 많은 데에다 이것이 발간되어 배포됨으로써 빚어질 배일사상의 점고漸高를 꺼린 일제는 당시 인쇄된 전질 중에서 상소편 4권, 서편 6권, 잡저편 2권, 연보 4권, 속집 2권 등 모두 18권이 소위 저들이 말하는 불온사상이 담긴 것이라 하여 일제 관헌에 의해 압수되고 원판은 훼판毁板되었다. 이렇듯 초간본은 일제에 의해 문집마저 할퀴고 뜯겨진 채 불완전한 모습으로 세상에 소개되었다.

그러나 당시에 인출된 초간본 3백 질 중 50여 질이 비밀리 보존될 수 있었던 것은 천만 다행이었다. 그리하여 1929년에 이르러 면암의 문인인 조우식, 오병남 등이 중심이 되어 낙장 부분의 보충과 무신본에 빠진 자료를 다시 수집해 편집을 작하여 1930년 9월에 총독부의 허가를 받아 1931년에 간행되었다. 이것이 오늘날 전해지고 있는 신미본辛未本이다.[352]

그런데 놀라운 것은 조선총독부에서 1930년 9월에 출판 허가를 했지만, 이에 앞서 상당한 난관이 있었던 것으로 보인다. 처음에는 "불온한 상소문이 있다"는 이유로 불허하였다.

1930년 9월에 발행한 『조선출판경찰월보朝鮮出版警察月報』 제25호에 의하면

---

352 民族文化推進會,『國譯 勉庵集』, 1978.

'불허가'로 판정하고 있다.[353]

> 문서 제목: 출판 경찰 개황 - '불허가不許可 차압差押 및 삭제
> 출판물 기사요지記事要旨'
> 발신일: 1930년 9월 1일
> 서명 : 勉菴集
> 지명 : 和順郡
> 이름 : 朴在湜(『勉菴集』 발행인)
> 기사 요지: 본서는 최익현의 유고로 불온한 상소문 등이 있음

1909년 7월 12일

황태자 증여품

한국 황태자는 다나카田中 전 궁내대신에게 은제화발銀製花鉢 1쌍, 하나부사花房 궁내대신에게 은제주배銀製酒盃 1조 및 신선로神仙爐 1대를 증여하였다.[354]

---

353 警務局圖書課 編, 『朝鮮出版警察月報』 제25호, 1930년 9월.
354 『皇城新聞』 1909년 7월 13일자.

1909년 7월 19일

박물관 진열품 요구

1909년 5월에 박물관과 동물원의 설비가 완료되고, 7월 19일 궁내부대신 고미야 미호마츠小宮三保松는 각도 관찰사를 인도하여 박물관과 동물원을 관람케 하고, "돌아간 후에 관하 각 군수에게 지도하여 기이한 진열품을 올려 보내라"고 요구를 했다.[355]

1909년 7월

교당 소용의 허가

전주군 남문 서편성벽 90여 칸의 석재를 미국인 교회당 건축에 훼철 수용하도록 내부內部에서 허가하였다.[356]

---

355 『大韓每日申報』1909년 7월 21일;『皇城新聞』1909년 7월 21일자.
356 『皇城新聞』1909년 7월 3일자.

이토 히로부미가 귀국 시에 가져간 것

통감 이토 히로부미는 1909년 6월에 일본 추밀원 의장으로 임명되어[357] 7월 6일에 이임인사차 한국에 들어왔다가 7월 중순에 일본으로 귀국하게 되었다.[358] 이 사이 이토의 귀국에 앞서 왕실을 비롯하여 고관들은 그의 환심을 사기 위해 선물을 증정했는데 당시 다음과 같은 기사가 있다.

황제폐하께서는 이등박문에게 하사할 차로 삼천원어치 옛그림과 서책을 사셨다더라(『대한매일신보』1909년 7월 7일자).

일진회 증정품
일진회─進會에셔 이등태사에게 급여품으로 금 백량 중을 한성미술품제작

고종황제께서 이토에게 기념품으로 주기위해 한성미술품제조공장에 의탁하여
순은제화병 및 기타를 제작한다는 기사(『황성신문』1909년 6월 19일자)

---

357 『朝鮮年鑑』, 京城日報社, 1941.
358 『皇城新聞』1909년 6월 29일자.

공장에 위탁ᄒ야 금병을 제조ᄒ얏ᄂᆞᆼ 데 해 병에 이등공작기념증정伊藤公爵
紀念贈로이라는 팔자를 각자ᄒ얏다더라(『황성신문』 1909년 7월 10일자).

금세계냐 은세계냐
이등 씨에게 선사하기 위하여 기념품을 제조함은 모두 아는 바이어니와
내각관리들이 합하여서 한성미술품공장에 위탁하여 제조한 금병, 은병과
각 대신 중에 각기 선사하는 금은동속 물품이 6만여 원어치라더라(『대한
매일신보』 1909년 7월 14일자).

이 같은 기념품은 물론이고, 이토는 일본으로 귀국할 때에도 8백여 권의 한
국의 귀중도서를 일본으로 반출했는데, 그 서목이 거의 밝혀져 있지 않다.

『신한민보』 1909년 8월 25일자에 의하면, 이토 히로부미가 귀국할 때 규장각
에 보관하였던 책자 8백여 권을 가지고 갔는데 그 중에는 태조 때 편찬한『팔역
지도八域地圖』두 권까지 포함되어 있으며, 기타 서적들도 규장각에 특별히 간수
하였던 것이라고 한다.

또한『매천야록』에 의하면, "이토 히로부미伊藤博文가 귀국하자 이완용李完用은
성묘를 한다는 핑계로 미리 출발하여 대전에서 이토 히로부미伊藤博文를 전송하
였다. 이때 이토 히로부미伊藤博文는 내각의 서책을 가지고 갔는데 태조 때 편찬
한 지도 3권이 그 속에 끼여 있었다"고 한다. 신한민보와 매천야록에는 동일한
사안을 기술한 것으로 보이는데 8백여 권 중에 구체적으로 더 이상 어떤 것이
있었는지 밝혀진 것이 없다.『대한매일신보』에도 다음과 같은 기사가 있다.

과일過日 이토씨伊藤氏가 귀국할 시에 규장각내에 재在한 책자 팔백여 권을 대왕帶往하였는데 하인何人이 증여贈與함인지 미지未知라더라(『대한매일신보』 1909년 7월 29일자).

이토伊藤가 귀국할 때 규장각 안에 있던 서책을 가져갔는데, 이 속에는 한국 고황제高皇帝 당년에 편찬한 팔역지도八域地圖라는 책 두 권도 가져갔다더라(『대한매일신보』 1909년 7월 30일자).

이토의 한국 문화재 약탈에 대해『신한국보』1909년 11월 2일자에는 다음과 같은 기사가 있다.

소위 대표적 세계 인물이라고 자랑하는 이등박문伊藤博文이 을사년 정변에 경성에 도달하던 길로 五조약을 특정하고, <중략> 황실존엄과 궁위숙청을 빙자하고 만병으로 궁문을 파수하여 실속으로는 덕수궁, 창덕궁을 감옥소를 만들고 자의대로 책명을 발하여 13도를 지휘명령하며 너의 말로 문명사상이 발전되었다는 만고역적 송병준 일진회를 교촉하여 기강을 탁란하며 국가의 역사적 보물은 모두 동경 박물원으로 운송하거나 내장성에 옮겨가고, <중략> 이는 이등박문伊藤博文이 일본의 통감으로 한국의 재류한 지 5년간에 알뜰히 망해 놓은 사적이라.

이토가 귀국하면서 가져간 서적에 대해서는 아직 행방이 묘연하다.

1908년에 이토 이토부니가 빌려간 서책 //부 1,028책 속에는『팔역지노』노는 그 외의 조선 지도로 추정할 수 있는 것이 보이지 않는다. 그리고 신한민보 기사에서 "규장각에서 특별히 간수하였던 것"이라고 하는 점으로 보아 이토가 귀국하면서 그 전에 이토 히로부미가 빌려간 서책에 포함되지 않은 별도의 것을 가져간 것으로 보인다.

이토 히로부미가 빌려간 서책

이토는 도자기뿐만 아니라 한국 귀중서에 까지 손을 뻗쳐 상당수의 한국서적을 일본으로 반출하였다. 일본의 전문 학자를 불러 폭서한다는 핑계로 규장각 서고에 있던 옛 책들을 밖으로 꺼내 조사케 하고, 한국 연구를 위해 빌려가는 형식을 취해 많은 한국 귀중서를 가져갔다.

이토는 <규장각 폭서목록>이라는 책자를 만들어 귀중본을 따로 모아 도쿄제대로 옮긴 후 조선 역사에 깊이 연구하도록 했는데, 그 목록에는 과거의 한일관계와 관련된 역사적 사건이 기록되어 있는 귀중본이 많았다고 한다.[359]

이토가 통감으로 있을 당시에 폭서한 기록이 신문지상에 1906년과 1908년 두 번의 기사가 보이고 있다.[360] 1906년의 폭서 때에는 누가 주무자였는지는 나

---

359 이구열,『문화재 수난사』, 돌베개, 1996.
360 近日 北闕內 奎章閣에서 册庫에 積置한 册子를 曝書하는데 오래 동안 검열치 아니하여 부상한 것이 많아 일제히 曝書하려면 多日이 費하겠고, 각 처 산성에 積置한 서적도 차제 폭쇄한다더라(光武10년(1906) 10월 30일자 萬歲報).
규장각의 黑崎. 奎章閣及集玉齋에 積置한 각종 서적을 日前부터 康寧殿에서 曝曬한다는데 폭쇄하는 사무는 일본인 黑崎가 擔任하얏다더라(隆熙2년(1908) 8월 22일자 大韓每日申報).
집옥재 및 규장각에 보관한 제반책자를 포서하다(1908년 8월 22일자 皇城新聞).

타나 있지 않으나 1908년의 경우에는 구로사키黑崎라
는 자가 담당한 것으로 되어 있다. 구로사키黑崎는 즉
구로사키 미치오黑崎美智雄란 자로『융희2년6월직원록』
(1908)에 의하면 당시 궁내부 사무관으로 궁내부 농림
과장 겸 인사과 사무관에 이름이 등재되어 있다.(당시
궁내부차관은 小宮三保松) 1921년에 조선중앙경제회
에서 편찬한『경성시민명감』에 의하면, 이 자는 일본에
있을 당시에 도쿄외국어학교 조선어학과를 졸업하고

그 후 도쿄불어학교에서 불어법률과를 졸업하고 1895년부터 신문사에 근무하
였으며, 1906년에 한국에 건너와 국민신보에 관계하다가 1907년에 궁내부사무
관으로 임명받은 것으로 나타나 있다. 이런 경력으로 보아 한국학 관련이나 한
국어가 상당한 수준이었을 것으로 보이며 폭서 과정에서 한국 귀중서적에 대
한 내용 파악도 겸하였을 것으로 추정된다.

당시 한국 도서가 모두 통감부에서 장악하고 일본인들에 의해 관리되고 있었
던 것이기 때문에 얼마나 많은 양의 귀중본이 반출되었는지 파악할 수가 없다.

백린 박사에 의하면, 1960년대에 규장각도서를 정리하던 중 1911년도 조선
총독부 취조국의 도서관계서류철을 발견하였는데, 이는 규장각도서의 접수관
계서류철로서 이 중에는 이토에게 대출한 도서목록이 있었다고 한다. 이 목록
에 들어 있는 도서는 현재 규장각도서 중에서도 없는 책들이고 또 당시 한일관
계에 있어서 가장 중요한 자료라 할 수 있는 것들이다.

1911년 5월 15일부로 일본 궁내부대신 와타나베 찌아키渡邊千秋가 당시의 조
선총녹 데라우지에게 보낸 소회공분의 내봉의 끌사는 "이토 히로부미가 한일

관계 사항의 조사를 위한 목적으로 한국서적을 지래持來하였던 바 이것도 이토의 사후에는 이 도서를 일본 궁내성 도서료에 보관하고 있는데 이는 일본왕족 공족 실록편수에 참고서로써 또한 이들 도서는 일본의 제실도서 중에서도 없는 책이니 양도해 달라"는 내용이다.[361] 양도를 요청한 도서는 정치, 역사, 인물에 관한 것과 문집, 읍지 등을 포함한 33부 563책에 달했다. 읍지를 제외한 이들 도서는 모두 규장각도서로서 모두 서고장서록西庫藏書錄에 수록되어 있는 것이다. 이 속에는 현재 우리나라에는 없는 유일본이거나 또는 현 규장각 도서 중에 낙질본이 많이 있는데, 백린 박사가 지적한 것은 다음과 같은 것이 있다.

서목	수량	편자	간년	비고
邑誌	八道分 74책	弘文館	英祖年刊	현재 규장각에 있는 읍지 보다 가치가 있는 것
祖鑑	4권	趙顯命	1728년	영조4년에 趙顯命에게 명하여 열조이래의 가언과 선정을 분류 산정한 것
國朝通記	10책			규장각도서 중에는 사본 1책만 남아 있다.
三忠錄	1권			

---

361 일본 궁내성 문서인 이토가 반출한 도서를 양도해 달라는 공문은 다음과 같다.
별지 목록의 조선전적은 앞서 일한관계 사항 조사 자료로 쓸 목적으로 고 이등 공작이 한국으로부터 가져온 것입니다. 동 공작이 훙거한 후에는 당성 도서료에 보관시켜 두고 있는 바 동 도서료에서는 관제상 왕족 공족의 실록편수 사무도 관장하고 있으므로 이들 편수상 필요한 참고서로도 되고 있고 또 종래 제실도서 중에는 아직 존재하지 않은 것도 많은 형편이라 이상의 전적은 제실도서 중에 편입시키고 싶다는 취지로 모두 당성에 양도할 것으로 조치를 하였으면 합니다. 이상 조회합니다.
1911년 5월 15일 궁내대신 백작 도변천추
조선총독 백작 사내정의 전
(국립중앙도서관, 『되찾은 조선왕실 의궤 도서』, 2011)

서목	수량	편자	간년	비고
嶺南人物考	17책		正祖朝	경상도 출신의 정치인과 학자의 略傳, 백린 박사는 현재 일본 궁내성 도서료에 보관으로 추정.
瀋陽日記	9책			병자호란 후 인질로 심양으로 가있던 昭顯世子와 鳳林大君 등의 滯留日記
東史補遺	4권 4책		1846년	우리나라 역사서에 부족한 점을 보충한 책
寄齋雜記	天, 人 2책	朴東亮		백린 박사는 현재 궁내성에 있을 것으로 추정

그러나 이들은 반환문화재 목록에는 하나도 들어 있지 않으며 문화재 반환 시에 이미 『서릉부장서목록』이 책자로 간행되었으나 반환문제와 직접 관계되므로 반포頒布가 중지되었다고 한다.[362]

이토가 가져간 대출 도서목록은 백린 박사의 「이등박문에 대출한 규장각 도서에 대하여」에 『국조보감國朝寶鑑』 26책, 『신임기년찬요辛壬紀年撰要』 7책, 『지봉류설芝峯類說』 10책 등을 포함하여 지세히게 게재되어 있다

백린 박사의 발표 후 2002년에 이상찬의 조사(「이등박문이 약탈해 간 고도서 조사」)에 의하면 『도서관계서류철』(규 NO. 26764)에 있는 「한국전적 양도에 관한 건」에는 77종 1,028책(한국궁내부규장각본 33부 563책, 구통감부채수본 44부 465책)을 가져갔다는 사실을 밝혀내었다(대출 도서목록은 동기록에 揭載되어 있다). 이는 백린 박사의 조사에서 나타난 숫자와는 다른 것으로 이상찬은

362 白麟, 「伊藤博文에 貸出한 奎章閣 圖書에 대하여」, 『書誌學』, 創刊號, 韓國書誌學研究會, 1968.

『도서관계서류철』(奎 NO. 26764)에 있는 「한국전적 양도에 관한 건」에는 15번과 16번이 있는데 백린 박사는 16번 문서를 보면서도 15번 문서에 전혀 주목하지 않은 탓이라고 한다. 이상찬이 밝혀낸 15번 문서에는 1911년 5월 23일자 기안으로 조선총독부 취조국이 일본 궁내성에 보낸 문서로서 이토가 반출해 간 77종 1,028책 중에서 24종 200책은 양도 가능하다는 것이고 이를 제외한 53종 828책은 돌려줄 것을 요청한 내용이다. 그러나 취조국 문서에는 이토가 반출해 간 도서를 반환 받았다는 기록이 어디에도 없다고 한다.[363]

이토가 한국서적을 반출한 시기에 대해, 백린 박사는 "이토 히로부미伊藤博文가 이 책을 언제 가져갔는지 기록이 없어 확실치는 않지만 이토가 특사로 두 번 내한한 일이 있는데 즉 1904년 2월 한일의정서가 성립된 다음 3월에 특파대사로 내한한 바 있고, 제2차는 1905년 2차한일협약 체결 시에 이토가 특사로서 내한한 바 있으니 이 양년 중에 어느 때인가 가져간 것"으로 추정하고 있다. 그러나 '통감부채수본統監府采收本'이라는 것은 통감부가 설치된 이후에 수집한 것이기 때문에 그 시기는 통감부가 설치된 1906년 1월 이후라야 맞는 것이다. 이상찬에 의하면, 이토가 가져간 규장각본 33종 563책 중에 현재 규장각이 소장하고 있지 않은 도서는 4종 8책인데, 이들은 『규장각서목』과 『폭서목록』에는 모두 동일한 제목과 책 수가 확인되고 있으나, 1912년의 『서적목록대장』에는 확인되지 않는다고 한다. 이는 1908년까지는 규장각에 소장되어 있었다는 것을 말하는 것으로 이토가 일본으로 보낸 시기는 1908년 이후로 볼 수 있다. 또 이토가 가져간 '통감

---

363 李相燦, 「伊藤博文이 掠奪해 간 古圖書 調査」, 『韓國史論』 48, 서울대학교 人文大學 國史學科, 2002.

부채수본' 중에는 1908년 11월에 간행된『면암집勉庵集』이 등이 있다고 한다. 따라서 이토가 한꺼번에 가져갔다면 1908년 11월 이후라야 맞는 것이다.[364]

1911년 5월 15일부로 일본 궁내부대신 와타나베 찌아키渡邊千秋가 당시의 조선총독 데라우치에게 보낸 조회공문에 대해 회답한 문서는 서울대학교 규장각 한국학연구원에 소장되어 있는 '조선전적 양도에 관한 건(1911년 5월 23일 기안)' 으로 남아 있는데, 그 내용은 다음과 같다.

'조선전적 양도에 관한 건'

장관

총무부장관사무취급 완

5월 22일부 조을발 제4596호로 조선전적 양도에 관하여 궁내대신으로부터 조회의 건 통지취지를 승람하고 궁내성으로부터 보내온 서적 목록 중 좌기 서적은 양도하는데 지장이 없으나 기타서적은 구규장각에서도 소장하고 있지않고 또 참고상 필요한 전적이므로 반려해 주도록 궁내성에 조회해 주셨으면 합니다. 이상 회답 드립니다.

추신 : 별지 서면은 통지한 내용에 따라 반려합니다.[365]

이 문서는 조선총독부 취조국의 공문으로 양도 가능한 도서목록을 제시하면

---

364 이상 伊藤博文의 書籍 搬出에 관한 件은 졸저『우리문화재 수난사』와『유랑의 문화재』에 이미 게재한 것이지만, 수정 보완한 것임.
365 국립중앙도서관,『되찾은 조선왕실 의궤 도서』, 2011.

서 그 외의 도서는 반려할 것을 요구하는 내용이다. 그러나 이에 대해 아무런 조치를 취하지 않고 궁내청에 그대로 남아 있었던 것이다.

2002년에 이상찬의 조사(「이등박문이 약탈해 간 고도서 조사」)에 의하면 『도서관계서류철』(규 NO. 26764)에 있는 「한국전적 양도에 관한 건」에는 77종 1,028책(한국궁내부규장각본 33부 563책, 구통감부채수본 44부 465책) 중 11종 90책은 1966년에 반환을 받았다.

이토가 빌려간 나머지 도서에 대해서는 2011년에 반환받았다. 2011년 12월 한국에 돌아온 조선왕실의 의궤 및 왕실도서를 포함하여 150종 1,205책이다. 왕실도서를 제외한 66종 938책은 이토 히로부미가 대출했다가 반납하지 않고 궁내청에 보관했던 것이다. 이로써 이토가 빌려간 총 77종 1,028책을 모두 반환받게 된 것이다.[366]

보리사 대경대사현기탑 반출

양평의 보리사는 1907년 일본군의 방화로 완전히 불타버리고 일부 석조물만 남아 있었다. 그 후 총독부 참사관실에서 금석문 수집에 박차를 가하게 되자 보리사의 대경대사현기탑에 대한 관심을 갖게 되었다. 이에 1914년에 가츠라기 스에지葛城末治를 파견하여 조사케 하였다. 가츠라기의 기록에 의하면,

비는 경기도 양평군 용문면 연수리 보리사지에 있는데 선년先年에 이것을

---

366 이상은 『경북지역의 문화재 수난과 국외 반출사』에서 옮겨옴.

조선총독부박물관으로 옮겼다. <중략> 내가 다이쇼大正3년 초봄에 미지산 용문사에 출장을 명받아 귀도歸途에 보리사지를 방문하였는데 논 중에서 비신碑身을 발견하였고 귀부는 수 칸間 떨어진 토중土中에 매몰되어 겨우 그 두부頭部만이 보이고 있었다. 사는 언제 폐사가 되었는지 미상未詳이다. 비신의 높이 5척8촌, 폭 2척8촌5분, 이수는 귀 부위에 있는데 어느 때 넘어져 매몰되었 는지 <중략> 다이쇼大正초춘 내가 사지 의 전포田圃에서 이것을 찾아냈다.[367]

보리사지 대경대사탑비 귀부

현기탑비玄機塔碑는 이같이 조선총독부 참사관실에서 추진한 금석문수집에 박차를 가하던 1914년에 발견하여 총독부박물관으로 옮겼다. 그런데 여기에는 현기탑玄機塔에 관한 언급이 없다. 이로써 이미 이 탑이 1914년 전에 다른 곳으 로 옮겨졌음을 알 수 있다.

가츠라기 스에지葛城末治의 조사 이후, 1916년 9월 26일에 이마니시 류今西龍에 의해 보리사지에 대한 조사가 있었다. 이마니시는 다음과 같이 보고하고 있다.

그 비신, 귀부, 이수는 사지의 북변 중앙부에 유존하여 수 칸 사이에 산재 하며, 현기탑으로 생각되는 1석탑―石塔은 연수리장 김선호 씨 등의 말에 수년 전에 귀부의 좌방左方 수 칸數間 지점에 있었는데 일본인이 경성으로

---

367 葛城末治, 『朝鮮金石攷』, 1935, pp.291-292.

운반해 갔다고 한다. <중략> 본 비는 현 위치에 보존하기 어렵기 때문에 경성박물관에서 이미 경성으로 운거해 갔다. 현기탑도 수색 검출하여 같이 박물관 내에 영구히 보존되기를 절망切望한다.[368]

도괴된 대경대사현기탑비

이마니시今西의 조사에서는 현지인의 말을 빌어 현기탑은 이미 경성으로 반출되었음을 기술하고 있으며, 『다이쇼5년도고적조사보고大正五年度古蹟調査報告』에는 도괴되어 있는 대경대사 현기탑비신과 일부 파손된 귀부의 사진을 싣고 있다.

현기탑은 보리사지인 경기도 양평군 용문면 연수리 용문산록 경작지에서 발견되어 매각되기 직전에는 상원사에 속하였다. 이때의 상원사도 의병봉기에 수색대들에게 완전히 소각되어 유물로는 석사, 석탑대 등이 남아 있었으며 승이 2명만 거주하고 있었다.[369]

현기탑에 대해서 이마니시는 보고서에서 "현기탑도 수색 검출하여 같이 박물관 내에 영구히 보존되기를 절망切望한다" 라고 하는데, 이에 따른 수색인지는 모르지만 1년 후에 그 행방이 밝혀진다.

현기탑은 1909년 7월에 고물상 다나카 히사고로田中久五郎와 다카하시 도쿠마

368 『大正5年度 古蹟調査報告』, pp.159-160.
369 今西龍, 『大正5年度 古蹟調査報告』, p.161.

츠高橋德松가 상원사에 이르러 감언이설로 주지에게 매수한 다음 1911년 8월에 경성 명치정의 조로구타城六太에게 매각되어 그의 정원으로 옮겨졌던 것이다.

1917년 경기도 경찰부장이 경무총감부 보안과장에게 보고한 '경기도 광주군 소재 석탑 급 양평군 소재 대경현기부도에 관한 경기도경찰부장 보고'의 내용은 다음과 같다.

석탑급부도에 관한 건 회답

3. 양평군 상서면 연동 소존所存의 2층탑은 수백 년 이전 동군 용문면 연수리 성백용 및 박?범 전전田畑의 경계에서 1개를 발굴하고 1개는 동리 박돈양의 전畑에서 발견한 것으로서 이를 동리의 보리사에 기부하였으나 그 후 동사同寺는 폐찰로 되었으므로 다시 동리의 상원사에 기부하였던바 명치42년(1909) 7월일 불상不詳 일본인 3명이 상원사에 와서 이 석탑을 고가로 매수할 것이니 매각하여 줄 것을 의뢰하였으므로 당사의 주지 최화송은 함백용, 박?범, 박돈양 등과 협의한 뒤 대금 백이십 원으로 그 일본인에게 매각하고 그 대금은 전 4명이 분배하였다고 함, 그리하여 박돈양은 1917년 3월 사망하였기 때문에 동인이 조로구타城六太에 직접 매각을 신입申込한 여부與否는 미상이다. 그리고 매각한 쪽에서는 다만 경성의 일본인이라고 칭할 뿐으로 주소씨명은 미상임.

4. 전항前項이 의하여 경기 명치정 2정목 조로구타城六太를 조사하였는데 동인은 1911년 8월 경성 본정 218번지 다나카 히사고로田中久五郎가 약초정 다카하시 도쿠마츠高橋德松라고 칭하는 고물상의 손을 거쳐 가격 5백 원으로 매수하여 7백30원 여의 운반비를 투投하여 동인댁同人宅에 운반하여 현재 농인의 소유에 속하고 현품을 소지하고 있음, 그리하여 전항 상원사에 이

르러 석탑을 매수하는 자는 다나카 히사고로田中久五郞 등으로서 동인이 조로구타城六太에게 매각한 것이라고 함.[370]

이 같이 현기탑의 소재는 확인되었으나 총독부에서는 개인의 사유물로 취급되어 아무런 조치를 취하지 않았다.

조로구타城六太란 자는 일본에서 경찰로 일하다가 1895년 한국에 건너와 경성(서울)에서 철도청부업, 전당포업을 하였으며,

대경대사현기탑

1907년부터는 민단 및 상업회의소 의원으로 활동하였다.

조로구타城六太의 집으로 옮겨진 후 현기탑은 세간에 알려지지 않은 채 해방이 되었다. 그런데 해방 후 명치정이였던 명동에서 부도는 발견되지 않았고 이곳과 매우 가까운 남산동 일본인 주택에서 석조1기가 발견되어 이화여대로 이건하였는데, 그 경위는 다음과 같다.

1955년 이대에서 총장공관을 건립하고 다음해인 1956년 정원을 만들기 위하여 정원수를 물색하던 중 남산동 일본인이 살던 집에서 수목을 판다는 소문을 듣고 찾아가 보니 나무는 이미 팔렸고 정원석을 판다고 하여 그곳 정원에 꾸며놓았던 정원석과 기타 석물을 함께 구입하게 되었다. 그때 부도는 눈에 잘 띄

---

370 金禧庚 編,「韓國塔婆硏究資料」,『考古美術資料』, 考古美術同人會刊, 1969, p.27 古蹟調査參考書類.

지 않는 한쪽 구석에 이끼가 낀 채로 놓여 있었으므로 별로 사람들의 눈에 띄지 않았다고 한다. 그러므로 그곳에 있던 근작 석등 수기와 함께 부도1기도 옮겨왔던 것이다. 이리하여 이 부도는 총장공관에 이건하고 이어서 박물관의 지정 문화재 신청으로 1960년 3월 21일 국보 제529호로 지정되었다가 1963년 재지정시 보물 제351호로 지정 보존하게 되었으며,[371] 여러 학자들의 연구에 의해 이 부도가 대경대사현기탑으로 밝혀지게 되었다.

보리사지는 양평군 용문면 연수리에 소재한다. 연수리延壽里는 구 장수리舊長壽里와 연안리延安里의 두 마을을 병합倂合하여 붙인 동의 명칭이다.
『신증동국여지승람』지평현砥平縣 불우佛宇 조에,

> 보리사는 미지산에 있다. 고려 최언위崔彦撝가 지은 승僧 대경大境의 현기탑
> 비玄機塔碑가 있다.

라고 기록하고 있어 이때까지는 건재했던 것으로 보이는데,『범우고梵宇攷』에는 "금폐今廢"로 기록하고 있다. 이마니시 류今西龍는『다이쇼5년도고적조사보고大正五年度古蹟調査報告』에서『지평현지砥平縣志』에는『동국여지승람』의 기사를 전재轉載하고 '금폐今廢'라는 두 자를 넣었다고 하는데 이『지평현지』의 편찬년대는 불명이나 그 인물조人物條에 '이단하李端夏'라는 이름을 들어 영조왕시대로 추정하고 있다. 이마니시今西의 추측대로라면 영조대 이전에 폐사가 된 것으로 볼 수 있다.

---

371 金和英,「梨大藏 石造浮屠에 關하여」,『史叢』第12輯, 高大史學會, 1968년 9월.

1842년에 간행한 『경기지京畿誌』에도 "금폐今廢"로 나타나 있으며 1871년에 간행한 『경기지』에는 나타나 있지도 않다. 따라서 보리사는 영조대 이전에 폐사가 되어 중건이 이루어 지지 않고 그대로 황폐하게 버려져 있었던 것으로 추정된다.

대경대사大鏡大師는 낭혜화상朗慧和尙의 제자로 법휘法諱는 여엄麗嚴이고 속성은 김 씨이다. 중국에 유학하여 효공왕13년(909)에 귀국하여 월악산 소백산 등지에서 수행 정진하다가 태조 왕건의 초빙으로 궁으로 나아가 교화를 펼치고 본산本山으로 돌아가려 하자 태조는 너무 멀다하여 지평에 소재한 보리사菩提寺를 수리하여 주석케 하였다. 이후 여엄麗嚴은 이곳에서 교화를 펼치다가 930년(태조13년) 2월 17일에 입적하니 문도들은 2월 19일 감실을 만들어 보리사 서쪽 300보 떨어진 지점에 유체를 入龕하여 장례식을 치렀다. 이어 여엄의 행적을 모아 탑비를 세워 줄 것을 태조에게 주청하였다. 이에 태조는 시호諡號를 대경대사라 하고 탑명塔名은 현기지탑玄機之塔이라 하였다. 이 탑비는 최언위崔彦撝가 글을 짓고 이환추李桓樞가 교를 받들어 글씨와 제액題額을 써 939년(태조22년) 4월 15일에 세우니 입적入寂 후 9년이 지난 후이다.[372]

일진회에서 이토에게 급여품으로 금 백냥 중을 한성미술품제작공장에 위탁하여 금병풍을 제작하였는데 이 병풍에 '이등공작기념증정伊藤公爵紀念贈呈'이라는 8자를 새겼다.[373]

---

372 「大鏡大師玄機塔碑」, 『譯註 羅末麗初金石文』 參照.
373 『皇城新聞』 1909년 7월 10일자.

한미흥업회사에서 경상도 모군에서 나온 신라토기 3점을 구입했다.[374]

1909년 8월 5일

『황성신문』 1909년 8월 5일자에, 총독부 건축소에서 다음과 같이 건물을 매각한다는 광고를 내다.

경시청 각 관사부지 내에 있는 고옥古屋 16좌를 8월 12일 상오 11시에 입찰로써 매각賣却하니 상세사詳細事는 5일 이후 관보 또는 본소의 게시를 내견來見할 사事

융희3년 8월 5일

건축소

1909년 8월 26일

도쿄국립박물관에서 청자과형수주靑磁瓜形水注 등 청자 3점을 구입하다.[375]

---

374 『皇城新聞』 1909년 7월 15일자.
375 『東博圖版目錄』, 2007, 圖21, 115, 141.

1909년 8월

『대동공보』제55호, 56호, 57호는 치안에 방해가 된다고 내부대신이 그 발매를 금지하고 압수를 하였다.[376]

『황성신문』
1909년 8월 11일자

도굴범 처벌

일본인 요시다吉田政歲와 히라오카平岡辨太郎는 개성군에 내려가 고려고총을 파굴하고 화로 등을 절취한 사건이 들어나 경성이사청에 체포되어 취조한 결과 이 두 사람은 징역 1개월에 처해졌다.[377]

도굴범 처벌

일본인 오가와小川亦吉를 위시한 수 명이 개성 등지에서 분묘를 도굴하고 고려자기를 파낸 사건으로 당지 이사청에서 처벌을 했다.[378]

---

376 『皇城新聞』1909년 8월 7일자.
377 『皇城新聞』1909년 8월 11일자;『大韓每日申報』1909년 8월 11일자.
378 『皇城新聞』1909년 8월 12일자.

이완용이 야스쿠니신사(靖國神社)에 기증한 고제갑주(古制甲胄: 갑옷 투구)

『황성신문』 1909년 8월 25일자 기사에 의하면, 저번에 이 총리(이완용)가 일본 동경에 있는 야스쿠니신사靖國神社 내 유슈칸游就館에 우리나라 고제갑주古制甲胄(갑옷 투구) 1습襲을 기증한 일이 있는데, 금번에 일본 육군대신 데라우치寺內正毅가 이를 사례하기 위해 일본의 미술을 살려 제작한 고갑주古甲胄 1습襲을 금번에 도한하는 신임 헌병대장에게 위탁하여 이 총리에게 기증하였다고 한다.

2010년 12월에 중앙일보팀이 야스쿠니신사에서 확인한 고려시대 것으로 추정되는 갑옷과 투구가 주목되고 있다.

『황성신문』 1909년 8월 25일자

야스쿠니신사에 있는 갑주
(『중앙일보』 2010년 12월 9일자)

1909년 9월 1일

《제3회 주금전람회》

1909년 9월 1일부터 28일까지 도쿄 우에노공원에서 도쿄주금회東京鑄金會 주최로 《제3회 주금전람회》를 가졌다. 이때 한국에서 반출한 거울 등이 출품되었는데 여러 출품자들 중에 기무라 구메이지木村久米市란 자는 조선경을 25면이

나 출품하기도 했다.[379] 여기에 나타난 것은 모두 도굴품으로 한 기의 고분에서 기껏해야 1-2면의 경이 나오는 점을 고려한다면, 한 개인이 25면을 출품했다는 것은 이외도 많은 도굴품을 소장했을 것으로 집작된다.

1909년 9월 9일

학부편집국 김영철은 학부편집국에 적치積置한 책자 120권을 절취하다가 발각되었는데, 인천항으로 내려가면서 학부로 전화하기를 일본으로 유학차 가져 가려고 했다고 한다.[380]

1909년 9월 19일

1909년 세키노 일행의 행적
1. 세키노 일행의 1909년 조선고적조사의 목적

1908년 메가다目賀田의 사임에 이어 탁지부차관이 된 고다 겐다로荒田賢太郎는 이토伊藤 통감의 후원 아래 1908년 6월 궁내부 소속의 모든 재원을 국고에 이관

---

379 「考古學會記事」, 『考古界』第8篇 第6號, 1909년 9월.
380 『皇城新聞』1909년 9월 11일자.

시킴으로써 한국 황제의 독자적 재정기반을 해체했다.[381] 사실상 국정을 완전히 장악함으로써[382] 통감부 정치가 확립되어 지방제도의 완성에 따라 고건축물을 개조하여 사용할 필요가 생기자[383] 통감부는 이에 대한 조사를 위해 전문가의 추천을 일본 대장성에 요청하였다. 일본 대장성에서는 도쿄제국대학교수 쓰마기妻木에게 조회를 요청하였다. 이에 쓰마기는 일찍이 동양건축사를 연구하고 동대 조교수로 있으면서 내무성의 고사사보존회古社寺保存會(국보보존회) 위원으로 특별보호건물의 조사 및 보존의 주임기사로 근무하면서[384] 1902년에 한국 고건축조사를 한 세키노 타다시關野貞를 적임자로 추천하였다. 이어 통감부의 승인을 얻어 1909년 8월에 세키노에게 탁지부건축소 고건축물 조사 촉탁으로 임명하여 고건축조사를 위탁하였다.[385]

좀 더 거슬러 올라가면 청일전쟁에 승리를 한 일본은 한국을 완전히 통제하기 위하여 러일전쟁을 일으키게 된다. 시라토리 구라키치白鳥庫吉는 광개토대왕 비문을 아전인수격으로 해석하고 광개토대왕 당시의 고구려-왜 관계를 러일전쟁 당시의 러시아와 일본의 관계에 빗대어 다음과 같이 주장하고 있다.

---

381 柳在坤,「伊藤博文의 對韓侵略政策」,『日帝에 對한 侵略政策史 研究』, 玄音社, 1996, p.339.
382 또한 탁지부에는 재정고문으로 하여 다수의 일본인을 고문 본부와 고문 지방부에 분속 (分屬)시켜 정부 전반의 재정, 징세 및 금융에 관한 사무를 감독케 하였다(姜昌錫,「朝鮮統監府研究」, 國學資料院, 1995, pp.86~88).
383 京城府,『京城府史 第3券』, 1934, p.346.
   藤田亮策,「朝鮮に於ける古蹟の調査及び保存の沿革」,『朝鮮』, 1931년 12월.
384 關野貞은 1892년 7월에 제국대학 공과대학에 입학하여 造家學을 전공했다. 1895년 7월에 공과대학을 졸업하고 동년 12월에 고사사수리공사 감독과 고사사보존위원을 겸임했다. 1897년에 나라현 기사로 임명되었다(藤井惠介, 早乙女雅博 외 2명 편,『關野貞アヅア踏査』, 東京大學總合研究博物館, 2005).
385 藤田亮策,『朝鮮に於ける古蹟の調査及び保存の沿革』,『朝鮮』, 1931년 12월.

일본이 조선의 남부를 지배한 것은 (광개토왕)비문을 통해 확실히 알 수 있다. 당시 일본은 삼한반도三韓半島의 남부를 지배했지만 북부의 고구려와는 반대의 지위에 서 있었다. 고구려는 마치 지금의 로국처럼 일본이 반도의 남부에 세력을 얻으려는 것을 꺾으려 했다. <중략> 이 관계는 오늘날 조선을 충분히 통재하려면 북의 노국露國을 벌해야 하는 것과 조금도 다르지 않다.[386]

이 같이 한국을 완전히 통제하기 위한 러일전쟁에서 승리를 쟁취한 일본은 동양의 패자覇者를 자인하고, 일본과 한국은 오래전부터 금일에 까지 밀접한 관계를 가지고 있는 고로 조선에 대한 연구는 일본인이 극히 필요하다고 주장하고[387] 한국을 확실히 지배하기 위한 연구와 대륙진출을 위한 연구 단계로 들어가게 된다.

1909년에는 대륙진출에 야망으로 각 방면의 연구가 활발하던 시기로 언어학, 인류학, 고고학, 역사학, 지리학 방면에서 경쟁을 하듯 학술적 연구에 종사하였다. 만철회사의 조사부에서는 시라토리白鳥 박사를 총재로 만주의 역사 지리의 촉탁으로 연구에 종사하고 그 밑에 마쓰이松井, 이나이箭内 박사가 임하여 연구를 속행했다. 또 구와하라桑原, 모리노守野 박사는 문부성 유학생으로 청국을 여행하고 지리, 인정을 시찰하는 연구 여행을 했다. 또 이찌무라市村, 쓰가모토塚本, 세키노關野는 각자 전문방면에서 만청滿淸지방의 유물조사를 했다. 시라토리白鳥 일행은 만주지방을 조사하고 한국에서 고문서를 수집하고 교토대학에서는 조선의 금석집첩

---

386 白鳥庫吉,「滿洲地名談, 好太王の碑文について」, 1905, 黃宣嘉「일제의 '神功神話' 解析과 歷史敎育」,『韓日民族問題硏究』2호, 2002, p.173에서 재인용.

387 白鳥庫吉,「韓國の日本に對する歷史的政策」,『史學界』제7권 제7호, 1905년 7월. p.1;「東洋歷史地理硏究の勃興」,『歷史地理』제11권 제3호, p.76.

金石集帖을 구입했다. 계속해서 한국 방면에서는 세키노가 탁지부의 촉탁으로 건축, 유물 조사에 종사하고, 하기노萩野 박사는 도쿄제국대학의 명으로 한국사적조사에 종사 그 풍속 등을 조사했다.[388] 이 같은 일련의 과정은 무엇을 의미하는가.

한국 탁지부에서는 고건축 조사를 요청했지만 이는 형식적인 것이고, 결국은 그 목적이 한국에 대한 각 분야의 조사와 함께 한국 지배 구축에 있었던 것이기 때문에 고건축 조사 외에 것까지 포함시켰다.

세키노는 고건축을 포함하여 타 고분까지 조사할 필요가 있음을 요청하여, 건축에 대하여 조수 공학사 구리야마 순이치栗山俊一, 고분 분야에는 야쓰이 세이이치谷井濟一를 조수로 대동하여 본격적인 조사를 시작하였다.[389] 이는 일제의 강권을 못이긴 대한제국의 초청형식으로 이루어졌으며 세키노 일행은 재정과 행동에 아무런 지장을 받지 않고 한국의 국토를 마음대로 조사 내지는 발굴을 하여 그간의 여러 보고서[390]를 간행하였다.

1909년의 고건축조사가 한국정부의 위촉을 받아 행했다고 하나 실제 그 입안은 일본인들에 의해 이루어졌으며, 일본 정부의 필요를 충족하기 위한 갖가지 조사가 겸해졌던 것이다. 그래서 형식상 한국 탁지부의 고건축 조사이나 그들

388 「時評」, 『歷史地理』 제15권 2호, 歷史地理學會, 1910년 2월, pp.88-89.
389 『朝鮮藝術之硏究』 '荒田賢太郎의 緖言', 朝鮮總督府.
　　小川敬吉, 「古蹟に就ての回顧」, 『朝鮮の建築』 제16輯 제11號, 1937년 11월, p.83.
　　藤田亮策, 「朝鮮に於ける古蹟の調査及び保存の沿革」, 『朝鮮』, 1931년 12월.
390 關野는 다음과 같은 報告書를 刊行했다.
　　『韓國建築調査報告』(東京帝國大學 工科大學 學術報告集 第6號), 1904년 刊.
　　『韓紅葉』(1909년 調査槪要 講演集), 1909년 刊.
　　『朝鮮藝術之硏究』(1909년 調査報告), 1911년 刊.
　　『朝鮮藝術硏究 續篇』(1910년 調査報告), 1911년 刊.

의 필요에 의한 일반 유물 조사와 함께 고분 발굴이 함께 이루어졌던 것이다.

세키노 일행은 1909년 8월 23일 고건축조사에 관한 사무의 촉탁을 받고,[391] 건축소 촉탁 야쓰이, 구리야마와 함께 9월 19일 경성에 도착했다.

세키노 타다시關野貞가 밝힌 그들의 일정을 보면,

소관小官은 작년昨年(1909)8월 23일 고건축조사에 관한 사무를 촉탁받아 건축소촉탁 문학사 야쓰이 세이이치谷井濟一, 공학사 구리야마 순이치栗山 俊一 양씨와 함께 9월 19일 경성에 도착, 부근 및 개성, 황주, 평양, 의주, 안주, 영변, 광주, 양주, 강화, 수원, 공주, 은진, 부여, 대구, 영천, 경주, 울산, 양산, 부산 등의 각지의 고건축물 조사를 추진하고 12월 21일에 부산을 출발 일본에 귀착歸着하였다.[392]

라고 하여 약 100일에 걸쳐 전국을 조사한 것으로 그들의 조사가 외면상 "지방제도의 완성에 따라 고건축물을 개조하여 사용할 필요"가 생겨 한 것이라고 하지만 그들이 조사한 것을 보면,

금회속回에 조사한 것은 건축물의 종류로 궁전, 성곽, 관아, 묘사, 서원, 능묘,

391 日本東京帝國大學工科大學助敎授兼內務技師工學博士 關野貞.
　　古建築物調査에 關훈 事務을 囑托흠(官報奏任待遇).
　　八月二十三日 度支部(『皇城新聞』1909년 9월 1일자).
392 關野貞,『朝鮮藝術之研究』, 朝鮮總督府, 1911, p.1.

탑파 등이 있고 기타 고적, 불상, 동종, 찰간, 석탑, 비갈, 향로, 서화 등이다[393]

하는 점으로 보아 건축물 이외 다방면으로 조사가 이루어졌다. 따라서 '건축물 개조의 필요 운운' 하는 것은 한국인을 기만하기 위한 표면적인 목적임을 알 수 있다.

이 고적조사 사업은 일본 세력이 독점적으로 한국을 지배하기 위해서는 각 분야로 한국을 세밀히 알아서 그 지배를 강화하기 위해서 그 역사적 문화유산을 조사하고자 한 것이며, 또한 당시 일본학계에서는 일본과 동아시아의 관계, 일본의 역사와 근원을 밝히기 위한 연구가 활발해 지면서 한국의 연구는 그들 학계의 의욕을 채우는데 필수적인 것이었다.

2. 세키노 일행의 조사 행적

세키노 일행은 1909년 9월 19일 경성에 도착하여 9월 21일부터 남대문루를 비롯한 서울 일대의 건축물을 조사하고 고미술 수집가들을 만나기도 했는데, "당지 재류일본인 중 수는 적으나 유물을 분업적으로 수집하고 있는데, 예를 들어 고미야小宮 궁내차관은 불상에, 미야케三宅 법무원평정관은 감경鑑鏡에, 아사미淺見 법무원평정관은 도서에, 아유카이鮎貝 씨는 고려소에 열심히 수집 연구하고 있다" 라고 기술하고 있다.[394]

일행은 세키노를 시작으로 야쓰이 세이이치, 구리야마 순이치 그 외 탁지부

---

393 關野貞, 『朝鮮藝術之硏究』, 朝鮮總督府, 1911, p.1.
394 谷井濟一, 「韓國葉書だより」, 第1信, 『歷史地理』 제14권 5호, 歷史地理學會, 1909년 11월.

만월대 회경전 석단(고적도보)

건축소 기사 및 아리카와有村가 수행했다.

10월 1일에는 개성에 도착하고 2일에는 만월대를 답사 했다. 이곳에서 상당한 와를 채집하여 도쿄대 공과대학으로 가져갔다. 그 일부는『조선고적도보』에 게재하고 있는데, 다음과 같은 것이 있다.

품명	출토지	소장처	출처	비고
만월대 발견 와	개성군 송도면	도쿄대 공과대학	조선고적도보6, 도판2745	

품명	출토지	소장처	출처	비고
만월대 발견 와	개성군 송도면	도쿄대 공과대학	조선고적도보6, 도판2747	
만월대 발견 와	개성군 송도면	도쿄대 공과대학	조선고적도보6, 도판2749	
만월대 발견 와	개성군 송도면	도쿄대 공과대학	조선고적도보6, 도판2752	

품명	출토지	소장처	출처	비고
만월대 발견 와	개성군 송도면	도쿄대 공과대학	조선고적도보6, 도판2754	
만월대 발견 와	개성군 송도면	도쿄대 공과대학	조선고적도보6, 도판2755	
만월대 발견 와	개성군 송도면	도쿄대 공과대학	조선고적도보6, 도판2758	

품명	출토지	소장처	출처	비고
만월대 발견 와	개성군 송도면	도쿄대 공과대학	조선고적도보6, 도판2778	
만월대 발견 와	개성군 송도면	도쿄대 공과대학	조선고적도보6, 도판2800	

품명	출토지	소장처	출처	비고
만월대 발견 와	개성군 송도면	도쿄대 공과대학	조선고적도보6, 도판2817	

10월 3일부터 4일까지 고려 왕릉을 답사했는데 공민왕 현릉, 동 왕비 노국대장공주 정릉, 가릉에서 다소의 고려자기파편을 채집하고, 10월 6일에는 관제묘, 성균관, 귀법사지를 보고 돌아오면서 선죽교 등을 답사했다.[395]

당시에 고려시대의 유물을 많이 수집했다. 수집한 유물 중에서 제4회전람회에 개성 만월대 왕궁지 발견 와, 고려 희종릉 발견 고와를 비롯한 왕릉 발견 도기파편, 동경 5점, 순청자, 상감청자(己巳, 庚午, 壬申등 文字銘) 수점, 흑유, 백자 등이 진열되었다.

『조선고적도보』에는 세키노가 개성일대에서 수집한 유물을 싣고 있는데 이들 유물의 상태로 보아 순전히 지표에서 수습한 것이 아니라 직접 발굴하거나 골동상들로부터 매입한 것임을 짐작할 수 있다. 하지만 보고서 등에는 고려고분을 직접 발굴했다는 기록은 보이지 않는다.

『조선고적도보』에는 다음과 같은 것이 실려 있다.

---

395 谷井濟一,「韓國葉書だより, 第2信」,『歷史地理』제14권 5호, 歷史地理學會, 1909년 11월.

소장자	유물명	출처	시대	비고
關野貞	靑瓷象嵌庚午銘雲鶴文盌	8권: 3558	고려	
關野貞	靑瓷象嵌壬申銘柳蘆水禽文盌	8권: 3560	고려	
關野貞	靑瓷象嵌壬申銘雲鶴文盌	8권: 3561	고려	

소장자	유물명	출처	시대	비고
關野貞	靑瓷象嵌己巳銘柳蘆水禽文盌	8권: 3562	고려	
關野貞	靑瓷象嵌甲戌銘柳蘆水禽文盌	8권: 3563	고려	
關野貞	靑瓷象嵌己巳銘菊花文八角혈(접시)	8권: 3564	고려	
關野貞	靑瓷象嵌庚午銘菊花文八角혈(접시)	8권: 3565	고려	

소장자	유물명	출처	시대	비고
關野貞	靑瓷象嵌癸酉銘菊花文八角혈	8권: 3566	고려	
關野貞	靑瓷象嵌菊花文盒子	8권: 3553	고려	
關野貞	翼龍八稜鏡	9권: 3845	고려	

소장자	유물명	출처	시대	비고
關野貞	雙鸚文鏡	9권: 3855	고려	
關野貞	菊花葉帶文鏡	9권: 3907	고려	
關野貞	草花文鏡	9권: 3908	고려	

10월 7일 오전에 개성을 출발하여 오후에 황가에 도착했다.

10월 8일에는 황가 남방 정방산성내에 있는 성불사 조사했다.

10월 9일부터는 평양 부벽루, 대동강안의 고분을 답사하고 연와를 채집했다.

세키노가 1902년 한국건축조사를 위해 건너왔을 때는 당시 시일 관계상 평양 일대는 조사를 하지 못하고 돌아갔다. 세키노는『한국건축조사보고서』의 서언에서 "근대에 있어서 약간 세밀함은 다과多寡 때문에 부득이한 일이 있었던

석암리고분

바 평양, 부여 기타 지방의 중요한 자료를 빠트린 것은 조사에 미치지 못한 바로써 다시 후일에 재조사할 기회를 기다려 이를 보정補正하려고 할 뿐이다” 라고 기술하고 있어, 1909년의 평양일대의 발굴조사는 그의 숙원이기도 했다.

평양에 도착한 세키노 일행은 평양일보사주 시라카와 쇼지白川正治로부터 대동강의 남안 대동강면에 다수의 고분이 있다는 말을 듣게 되었다. 이에 세키노 일행은 도관찰사 이진호 및 철도관리국장 오기小城齊, 기사 이마이즈미 이게마츠今泉茂松의 도움을 받아 대동강면의 고분에 대한 발굴을 시도하기로 했다.

10월 14일에 공부 8인을 인솔하여 대동강을 건너 그 대안 대동강면에 이르렀다. 그 부근을 시찰하니 무수한 고분이 산포해 있는 것을 보게 되었다. 석암리에 그 외형이 조금 완전한 것을 골라 공부를 지휘하여 발굴을 시작했다.

다음날 15일 다시 공부들을 인솔하여 대동강면 석암리에 와서 다수의 고분 중 규모가 큰 것과 작은 고분을 함께 발굴에 착수했다. 오후 3시에 이르러 전자는 깊이 9척에 달해 기대한 전곽에 달했으나 역시 어떤 유물도 발견하지 못했다. 후자도 동 양식의 결과를 낳아 다시 그 근방에 조금 작은 고분을 물색하고 인부들을 독려하여 종횡 2개소로 발굴을 개시 오후 5시에 이르러 정하頂下 6척 가량 되는 곳에서 전곽의 궁륭穹窿을 발견했는데 어두워져 작업을 중단했다. 16일은 지난밤부터 바람이 불고 비가 와서 조사를 중지하고, 17일에 발굴을 다시 계속하여 방8척 가량의 전축의 현실을 발견했는데 봉토가 실내에 진충하여 인부들을 독려하여 이를 밖으로 운반하고 날이 어두워 작업을 중지하게 된다.[396]

16일에 이후의 발굴은 이마이즈미小泉에게 맡기고 의주로 향했다.

세키노 일행은 그 후 의주로부터 안주, 영변, 묘향산 등을 조사하고 31일 평양에 도착하니, 이마이즈미今泉 기사가 발굴을 끝낸 상태로 이마이즈미 기사가 고분 내로부터 발굴한 유물을 보았는데 한대의 양식을 가지고 있어 놀랐다. 이튿날 11월 1일 석암리에 와 이마이즈미 기사가 발굴을 완료한 고분의 구조를 조사했다.

이 석암리 전실분甲墳[397]에서 도기, 와파편, 현실 내에서 도刀 2구, 극戟, 동경 2면, 지룬 6개, 오수전, 도증陶甑, 도옹, 도조, 동완(『조선고적도보』 제1권, 26도~47도 참조)이 출토되었다.[398] 모두 일본으로 가져간 후 1913년 4월 일본 사학회 《사료전람회》에 진열하고, 《건축학과 제4회전람회》에 출품 진열하기도 했다.

이마이즈미今泉 기사는 당시 이 고분 근처의 다른 한 고분을 발굴하여 그 내

---

396 關野貞 外 5名, 『樂浪時代の遺蹟(本文)』, 朝鮮總督府, 1927.

397 谷井濟一은 「韓國はがきだより」(『歷史地理』 제14권 5호, 歷史地理學會, 1909년 12월)에서, 대동강면 상오리 능동의 고분으로 기록하고 있다.

398 「平壤附近に於ける樂浪時代の墳墓 一」, 『古蹟調査特別報告 1冊』, 朝鮮總督府, 1919.
梅原末治, 「北朝鮮發見の古鏡」, 『東洋學報』 14-3, 1924년 11월.
關野貞 外 5名, 『樂浪時代の遺蹟』, 朝鮮總督府, 1927, pp.51-52.

부에서 도기파편, 철경 1면, 칠반, 금동구를 발견했다.[399]

이때까지만 하여도 고구려 고분으로 오인誤認하여 세키노는 1910년 1월 일본 사학회례회史學會例會에서 「한국에서의 신라이전의 유적遺跡」이라 제題한 강연에서 고구려의 전묘塼墓로 단정斷定했다. 그 강연의 요지는 『신한민보』 1910년 2월 23일자 실려 있는데 그 내용은 다음과 같다.

일본 공학박사 세키노關野는 1월 22일 동경제국대학에서 강연하는 중에 고구려 유적을 말함이 다음과 같다더라.

내가 작년 9월에 한국 탁지부의 위탁을 받아 한성으로부터 송도, 황주, 평양, 의주, 안동현까지 고적의 조사를 필하고 남으로 여주, 공주, 부여와 경주에 이르기까지 100여 일 동안 많이 보았으나 그 중에 고구려시대의 물건을 하나도 발견치 못함이 사학가의 큰 유감이 되었던 바, 이러니 이번에 평양에서 믿지 아니한 대동강 남안에 있는 두 고분을 발굴하야 화로 한개, 가락지 5개, 거울 두 개와 기타 창검 등을 찾았었는데 그 고분들은 봉분을 높이 쌓았으며 헤치고 본 즉 그 안은 방 팔척과 방 칠척의 두 합실이 있고 그 중간에 좌우실은 통하는 문이 있으니 모두 벽돌로 건축하얏고 사면 벽은 견고하기를 위쥬하야 곡선형으로 쌓은 후에 모두 시멘트 석회로 떼임을 하야 몇 천 년을 지났으되 조금도 파괴한 것이 없는지라 그곳서 찾아낸 거울 증거하건데 1천 5, 6백 년 전 시대의 일이라 그때 발달한 것을

---

399 關野貞 外 5人, 『樂浪時代の遺蹟 (本文)』, 朝鮮總督府, 1927.

생각함에 경탄함 밖에 수가 없다하얏더라.

이에 대해 도리이 류죠鳥居龍藏는 1911년 2월 동同 사학회례회에서 세키노의 고구려 분묘설墳墓說에 대하여 언급하면서 낙랑군樂浪郡의 유물 유적이라는 견해를 발표하였다.[400]

이에 대해 이마니시 류今西龍는 「열수고洌水考」에서,

평양지방에서 전광고분甎廣古墳이 낙랑한인樂浪漢人의 고분이라고 단안斷案을 가장 먼저 내린 것은 도리이鳥居 박사였다. 세키노關野 선생과 소생小生은 이를 반대하여 고구려의 고분이라고 주장했다. 메이지明治42년(1909) 소생은 하기노萩野 선생을 수행隨行하여 강북 강남의 고분을 조사하고 양자 간에 상이相異한 것을 알면서 스스로 동요를 가져오게 되었다. 그리고 기억하건데 메이지明治43년 11월 3일 전년 평양 강남의 전광분甎廣墳을 발굴하여 채집한 유물을 정사精査하면서 도금금구鍍金金具 하나에 옥통王通의 각자刻字가 있는 것을 발견함으로서 고구려설高句麗說이 틀린다는 것을 알게 되어 낙랑한인설樂浪漢人說을 따르게 되었다.[401]

라고 하고 있다.

---

400 梅原末治,「樂浪の調査と露西亞の蒙古西伯利亞に於ける 發掘に就いて」,『朝鮮』, 朝鮮總督府, 1931년 10월, p.3.
　　藤田亮策. 梅原末治,『朝鮮古文化綜鑑』第3卷, 東京 養德社, 1959, p.59.
401 今西龍 遺著,『朝鮮古史の研究』, 國書刊行會, 1970, p.216.

10월 14일에는 신의주로 향했다.[402]

10월 15일부터 평양 일대를 조사하고, 18일 대동강 방면의 고분 1기는 조사를 종결하고, 1기는 통감부 철도청 평양출장소에 의뢰하여 발굴을 계속하게 하였다. 18일에 신의주로 출발했다.

10월 21일에 신의주 출발하여 안주 일대를 조사하고, 10월 27일에는 안주 보현사를 조사했다.

10월 말에는 통감부 철도청 평양출장소에 의뢰하였던 고분조사는 계속되어 좋은 결과가 있다는 소식을 받고 대동강면으로 향했다. 대동강면 상오리 능동의 고분에서 나온 한경漢鏡, 직도, 식목령, 고전 등을 조사하고, 같은 날 오전에 통감부 기사의 안내를 받아 고분 내부 조사에 참여했다.

도쿄제국대학으로 가져간 석암동고분 출토품(『조선고적도보』)

품명	출토지	소장처 및 소장자	출처	비고
석암동고분 발견 와	평양 대동군 대동강면	도쿄대 공과대학	조선고적도보 2, 도판30	

402 谷井濟一, 「韓國葉書だより(第2信~第4信)」, 『歷史地理』 제14권 5호, 歷史地理學會, 1909년 11월.

품명	출토지	소장처 및 소장자	출처	비고
석암동고분 발견 와	평양 대동군 대동강면	도쿄대 공과대학	조선고적도보 2, 도판30	
석암동고분 전곽 소용 전	평양 대동군 대동강면	도쿄대 공과대학	조선고적도보 2, 도판33	
석암동고분 발견 경	평양 대동군 대동강면	도쿄대 공과대학	조선고적도보 2, 도판34	

품명	출토지	소장처 및 소장자	출처	비고
석암동고분 발견 경	평양 대동군 대동강면	도쿄대 공과대학	조선고적도보 2, 도판35	
석암동고분 발견 부장품	평양 대동군 대동강면	도쿄대 공과대학	조선고적도보 2, 도판36	
석암동고분 발견 대도	평양 대동군 대동강면	도쿄대 공과대학	조선고적도보 2, 도판37~38	

품명	출토지	소장처 및 소장자	출처	비고
석암동고분 부장품	평양 대동군 대동강면	도쿄대 공과대학	조선고적도보 2, 도판39	
석암동고분 부장품	평양 대동군 대동강면	도쿄대 공과대학	조선고적도보 2, 도판40	
석암동고분 부장품	평양 대동군 대동강면	도쿄대 공과대학	조선고적도보 2, 도판41	
석암동고분 부장품	평양 대동군 대동강면	도쿄대 공과대학	조선고적도보 2, 도판42	
석암동고분 부장품	평양 대동군 대동강면	도쿄대 공과대학	조선고적도보 2, 도판43	

품명	출토지	소장처 및 소장자	출처	비고
석암동고분 부장품	평양 대동군 대동강면	도쿄대 공과대학	조선고적도보 2, 도판44	
석암동고분 부장품	평양 대동군 대동강면	도쿄대 공과대학	조선고적도보 2, 도판45	
석암동고분 부장품	평양 대동군 대동강면	도쿄대 공과대학	조선고적도보 2, 도판46	
석암동고분 부장품	평양 대동군 대동강면	도쿄대 공과대학	조선고적도보 2, 도판48	

품명	출토지	소장처 및 소장자	출처	비고
석암동고분 부장품	평양 대동군 대동강면	도쿄대 공과대학	조선고적도보 2, 도판49	
석암동고분 부장품	평양 대동군 대동강면	도쿄대 공과대학	조선고적도보 2, 도판50,51	

11월 초에는 강화도 고분 및 강화도 전등사 등을 조사했다. 강화도 일대를 조사하고 경기도 광주로 향했다.[403]

『황성신문』
1909년 11월 25일자 기사

1909년 11월 11일에는 광주에서 서울로 돌아와 창경궁 등 궁궐을 조사하고, 11월 17일부터 홍릉 등 왕릉을 조사했다.

11월 20일에는 남대문에서 수원으로 가서 수원성 등을 조사하고, 정리의궤청소整理儀軌廳所 편의 화성성역의궤華城城役儀軌 및 부록 전9책을 조사하고 "대학부속도서관에도 소장되었다"고 하고 있다.[404] 21일에는 서울로 돌아왔다.

---

403 谷井濟一,「韓國はがきだより(第5信~第8信)」,『歷史地理』제14권 5호, 歷史地理學會, 1909년 12월.

404 谷井濟一,「韓國葉書だより 제9신」,『歷史地理』제15권 2호, 歷史地理學會, 1910년 2월, p.100.

11월 23일에는 탁지부 주최로 종로 광통관에서 세키노는 「한국예술의 변천에 대하여」라는 제하의 강연을 하였는데 청중이 4백여 명이 되었다.[405] 당시 『황성신문』에는 세키노의 강연회 소식을 전하면서 다음과 같은 개탄의 기사를 싣고 있다.

> 일본 모모학사 3씨는 아국의 각종 고적을 조사하여 아라이荒井씨의 소개로 광통관에서 강화회를 개최한다니 자국의 고적을 자국인은 알지 못하고 外人의 강화를 시청하니 청강 제씨의 감상이 어찌 할른지.[406]

세키노는 1909년 11월 23일 광통관의 강연에서, 국내 고대건축조사를 하면서 고구려묘를 파굴한 즉 화분 1개와 석경 1개 연와 1편을 발견하였는데 이 세 가지 물의 제작기교를 찬양하면서 지금의 퇴보됨을 애석히 여겼다고 한다.[407] 당시 세키노의 강연에 대해 『대한매일신보』는 다음과 같이 평했다.

시사평론
여보게 일인 공학자의 강론하였다
는 말을 들은 즉 참 기가 막히데,
왜 한국이 옛적에는 공장의 미술이
극히 정교하더니 점점 퇴보가 되어

405 谷井濟一, 「韓國葉書だより(第9信~第10信)」, 『歷史地理』 세15권 2호, 歷史地理學會, 1910년 2월.
406 『皇城新聞』 1909년 11월 23일자.
407 『皇城新聞』 1909년 11월 25일자.

지금은 아무것도 볼 것이 없다하니 그게 웬 일이며 그런 중에 옛적 미술품이 요행 흙 속에서 묻힌 것을 한인은 차져내지 못하고 일이들이 찾아내어 보고 연구하나니 강론하느니 한즉 그게 다 웬일인고 그러한지 기막혀 못살겠네.[408]

1909년 11월 24일에 세키노 일행은 처음으로 남산 왜성대의 소네 통감을 방문하고, 소네 통감이 고서에 취미를 가지고 근래까지도 한국의 서적을 수집하고 있는 것을 보았다.

11월 26일 남대문을 출발하여 조치원에서 1박하고, 27일부터 계룡산 갑사, 신원사 등의 유물을 조사했다.

11월 29일에는 신원사, 연산을 경유하여 은진으로, 30일에는 은진미륵상을 조사했다.

은진미륵 조사 후 논산을 경유하여 부여로, 부여에서 2일간 체유, 유인원의 비를 수색, 부소산복에 대리석 비가 3개로 파괴되어 넘어져 있는 것을 발견했다. 이 비는 이전에 세상에 알려져 있다가 소재불명이 되었던 것이다. 도쿄문과 대학에는 이미 그 이전의 탁본이 소장되어 있다고 한다. 이어 정림사지탑을 조사하고 탁본을 하는데 하루가 소비되었다. 부소산복을 조사하고, 고란사 근처에서 우수한 석불 2체를 발견했다.

12월 2일 부여를 뒤로하고 공주를 향해 출발했다.

12월 4일에는 공주를 출발하여 대구로 향했으며, 5일에는 대구의 건축물을 조사하고 6일에는 경상북도 고분에서 발견한 부장품 조사했다.

---

408 『大韓每日申報』 1909년 11월 26일자.

당 유인원비(조선고적도보4)

12월 7일에는 대구를 출발하여 영천으로 향했으며, 8일에는 영천의 건축물을 조사 후 경주로 출발했다. 경주로 가는 도중에 금척[409]동에서 수십의 고분을 목격하고 파괴된 6기의 고분에 대해 조사를 했다.[410] 조사한 고분에서 다수의

---

409 權憙奎는「慶州行」(『개벽』제18호, 1921년 12월)에서 金尺에 대해서 다음과 같이 해석을 하고 있다.
　　新羅의 神物 金尺이라는 것도 正말 金자가 잇서서 病者를 재면 病이 낫고 死者를 재면 死者가 復生하는 것이 아니라 생각건대 아마 金尺이라는 용한 醫員이 잇서서 病者를 다스리면 病든 者가 낫고 죽게 된 者를 다스리면 죽게 된 者가 살아나게 하는 新羅의 扁鵲인지도 모르겟다. 또한 金尺이란 사람의 姓名이 아니라하면 我語에 무엇을 專業하는 者, 또는 專門하는 者를 자곳장이라 하는데 장이는 漢字로 譯하야 尺이라 하얏나니 假令 소리장이를 歌尺이라 활량을 弓尺이라 漁夫한 이를 漁尺 또는 魚尺이라 밥 짓는 〈67〉 사람을 칼자(刀尺) 또는 刀자 아치라 한 따위라 그러하면 尺은 자곳장이라는 말 일 것이요 金은 그 姓이든지 그러치 아니하면 金針으로 針 놋는 針장이 일 것이라.
410 谷井濟一,「韓國はがきだより(第11信~第14信)」,『歷史地理』제15권 4호, 歷史地理學會, 1910년 4월.

금척리 고분군과 발견 토기편(조선고적도보)

서악리고분(『考古界』 제8권 제12호, 1910년 3월)

토기를 수집했다.[411]

세키노關野와 야쓰이谷井는 경주에서 왕릉이라 전하는 분구墳丘의 외면적 조사와 더불어 황남리皇南里의 한 고분과 서악리西岳里의 한 고분을 발굴하였다. 황남리의 고분은 세키노가 일주일에 걸쳐 발굴을 하였으나 중심에는 도달하지 못하고[412] 외형적 실측기록[413]만 남기고 구체적인 조사기록은 남기지 않았다.

야쓰이가 발굴한 고분은 서악리의 서악서원西岳書院의 동남방의 구릉의 끝

411 關野貞, 『朝鮮藝術之研究』, 『朝鮮文化の遺蹟』, 1910.
412 梅原末治, 『朝鮮古代の墓制』, 國書刊行會, 1972, p.80.
　　關野貞, 「新羅及百濟の古墳」, 『朝鮮之研究』, 朝鮮及滿洲社, 1930, p.289.
413 谷井濟一, 「慶州の陵墓」, 『朝鮮藝術之研究』, 朝鮮總督府, 1910, pp.78-79.

자락에 해당하는 곳으로 4기의 분이 남북으로 열지어 있었는데 이 중 외형상 가장 완전한 것을 선택하여 발굴하였다. 이 고분은 『조선고적도보』 해설편에는 현실 후부 및 좌우에 단을 설치하고 후방 단상에 석침을 안치하고, 사벽 천정에 칠식한 흔적이 있었다고 한다. 부장품으로는 곽실 내 측벽 가까이의 단상에서 석침, 고배高杯의 개蓋와 토기파편을 발굴하였다.[414] 이 고분은 석침이 출토되었다고 하여 석침총이라 이름 했다. 황남리와 서악리의

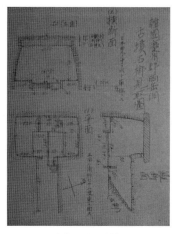

서악동고분 견취도
(『考古界』제8권 제12호, 1910년 3월)

발굴유물은 도쿄제국대학 공과대학으로 모두 가져가 1912년 4월에 동同대학 건축학과 제4회전람회에 전시하였다.[415]

---

414 谷井濟一,「韓國慶州西岳の一古墳に就いて」,『考古界』第8編 第12號, 1910년 1월.
　　梅原末治,『朝鮮古代の墓制』, 國書刊行會, 1972, p.80.
　　關野貞,「新羅及百濟の古墳」,『朝鮮之研究』, 朝鮮及滿洲社, 1930, p.289.
　　谷井濟一,「慶州の陵墓」,『朝鮮藝術之研究』, 1910.
　　谷井濟一,「新羅の墳墓」,『考古學雜』, 1915년 12월, pp.64-65.
　　谷井濟一,「韓國はがきだより」,『歷史地理』제15권 4호, 歷史地理學會, 1910년 4월.
415 「東京大學 工科大學 建築學科 第4回展覽會 陳列品槪要目錄」,『考古學雜誌』第2卷 9 號, 1912년 5월.
　　서악리고분의 출토품은『朝鮮古蹟圖譜』第3冊 도판1204-1206으로 게재되어 있는데 모두 '東京工科大學藏'으로 기록하고 있다.

품명	출토지	소장처 및 소장자	출처	비고
서악리 석침총 석침	경북 경주군 북내면	東京大學 工科大學	古蹟圖譜 3권, 도판1204	
서악리 석침총 부장 陶製 坩 殘缺	경북 경주군 북내면	東京大學 工科大學	古蹟圖譜 3권, 도판1205	
서악리 석침총 부장 陶製 坩 殘缺	경북 경주군 북내면	東京大學 工科大學	古蹟圖譜 3권, 도판1207	
서악리 석침총 부장 陶製 坩 殘缺	경북 경주군 북내면	東京大學 工科大學	古蹟圖譜 3권, 도판1206	
서악리 석침총 부장 陶製 坩 殘缺	경북 경주군 북내면	東京大學 工科大學	古蹟圖譜 3권, 도판1208	

현재 도쿄대학에 소장하고 있는 석침총의 유물에 대해서 사오토메 마사히로 早乙女雅博에 의하면, 『조선고적도보』 도판번호1206은 6편으로 깨진 파편을 접

합한 것으로, 저부에 "慶州郡 西岳洞"의 묵서가 있고, 동체에도 같은 묵서가 있다고 한다. 『조선고적도보』 도판번호1205는 4편으로 깨진 파편을 접합한 것으로 오른쪽에 보이는 작은 파편은 현재 사라지고 도쿄대학 유물에는 보이지 않는다고 한다. 『조선고적도보』 도판번호1208의 배개杯蓋는 천장부 내면에 "慶州郡 西岳洞"의 묵서가 있다고 한다.[416]

세키노와 구리야마는 12월 15일에 경주 불국사, 통도사, 범어사를 경유하여 부산으로 향했다.

아쓰이는 계속 경주에서 이미 발굴에 착수한 서악동 및 황남리 고분을 조사하고, 12월 20일에 경주를 출발하여 대구로 향했다. 대구에서 일부 조사를 하고, 부산에 도착하여 세키노 등과 합류했다. 12월 23일에 세키노와 구리야마는 일본으로 떠나고, 야쓰이는 대구를 출발하여 구포로 향했다. 24일부터는 구포 일대와 김해 수로왕릉 등을 조사했다. 김해 출발 전에 인부를 고용하여 약간의 발굴(시험적 발굴)을 시도하여 토기파편을 채집했다.

12월 26일 김해에서 구포를 경유하여 부산에 도착했다.

12월 27일에는 사진을 정리하고, 12월 28일에 일본에 상륙했다.[417] 당시 세키노 일행은 사진 419매를 남겼다.[418]

---

416 早乙女雅博, 「서악리 석침총」, 『新羅古墳 精密測量 및 分布調査 研究報告書』, 국립경주문화재연구소, 2011, p.251.

417 谷井濟一, 「韓國はがきだより(第15信~第16信)」, 『歷史地理』 제15권 4호, 歷史地理學會, 1910년 4월.

418 關野貞, 「朝鮮遺蹟調査略報告」, 『考古學雜誌』 1권 5호, 1911년 1월.

그들의 조사가 외면상 "지방제도의 완성에 따라 고건축물을 개조하여 사용할 필요"가 생겨 한 것이라고 하지만 그들이 조사한 것을 보면,

금회속□에 조사한 것은 건축물의 종류로 궁전, 성곽, 관아, 묘사, 서원, 능묘, 탑파 등이 있고 기타 고적, 불상, 동종, 찰간, 석탑, 비갈, 향로, 서화 등이다[419]

하는 점으로 보아 건축물 이외 다방면으로 조사가 이루어졌다. 따라서 '건축물 개조의 필요 운운' 하는 것은 한국인을 기만하기 위한 표면적인 목적임을 알 수 있다.

일본으로 돌아간 세키노는 그간 조선에서 조사한 내용을 가지고 1910년 1월 22일에 일본 사학회례회에서 「한국에서의 신라이전의 유적」이라는 제목으로 첫 강연을 하였다.

1909년 9월

한국 황제는 이토 히로부미伊藤博文과 소네 아라스케曾禰荒助통감에게 궁내부에서 편찬한 국조보감國朝寶鑑 한 질을, 고미야 미호마츠小宮三保松에게는 선원보략璿源譜畧 한 질을 하사했다.[420]

---

419 關野貞, 『朝鮮藝術之硏究』, 朝鮮總督府, 1911, p.1.
420 『皇城新聞』1909년 9월 23일자.

해인사 팔만대장경 속간(續刊) 승인

『매천야록』에는 "일본인 가나오 지로金尾次郎가 해인사의 대장경을 간행하자고 간청하였다"란 구절이 보이고, 『대한매일신보』 1909년 9월 17일자에는 "일본인 가나오 지로金尾次郎가 합천 해인사 에 적치하였던 팔만대장경을 속간續刊 차로 궁내부에 청원승인請願承認하였다더라"란 기사가 보이고 있다.

『고종시대사』 제6집에는 대한매일신보의 기사를 인용하여 "이 달에 일본인 가나오 지로金尾次郎가 합천 해인사에 적치되어 있는 팔만대장경을 속간 차로 궁내부에 청원하여 승인받다" 라고 하고 있다.

이상으로 보면 일본인 가나오 지로金尾次郎가 해인사 팔만대장경 속간에 대한 승인까지 받은 상태라 ㄱ 작업이 계속되었으리라 봄직한데, 속간 완료했다는 기록은 보이지 않는다.

이후 1910년 3월에는 일본인 사도 무쓰이시左藤六石가 팔만대장경을 몰래 인출하려다 발각되어 전국 승려들이 분기하여 실패로 돌아가기도 했다.

전주 남문의 양측 성벽을 헐어 양측으로 통행케 하고 도로를 수축했다.[421]

---

421 『大韓每日申報』 1909년 9월 12일자; 『皇城新聞』 1909년 9월 12일자.

세키노 타다시(關野貞)가 도요토미의 황금부채를 가져가다.

구 탁지부 비밀창고에는 막대한 중요 유물이 비장되어 왔는데, 1909년에 한국에 고적조사 차 건너온 세키노가 창고 문을 열고 그 안에 보장된 황금 부채 하나를 일본으로 가져가 일본 왕실에 바쳤다. 이와 관련한 다음과 같은 기사가 있다.

『황성신문』
1909년 9월 23일자 기사

금선발견金扇發見

구 탁지부(현 건축소)내에 있는 비밀창고는 고래古來로 이를 열면 국가에 흉변凶變이 생긴다고 하여 이를 범하는 자가 없었는데 금번에 일본인 관아關野박사가 이를 피개披開한 바, 그 속에 저장貯藏한 것은 일본 전 관백關伯 풍신수길豊臣秀吉의 소지하던 원형황금군선圓形黃金軍扇 2개와 기타 수백의 진보珍寶 등인데 우 황금군선黃金軍扇 중 한 개는 일본황실로 가져갔다더라(『황성신문』 1909년 9월 23일자).

시사일국時事一掬

구 도지부 내에 있는 비고秘庫에는 일본 전 관백 풍신수길 씨의 소지하던 원형황금군선圓形黃金軍扇 2개가 존재하더라니 해씨該氏의 군선軍扇이 아국 국고國庫에 입래入來함은 가히 추측推測할 사事이지(『황성신문』 1909년 9월 23일자 만평).

전 탁지부 내에 있는 비밀창고는 고래로 열어보지 아니하던 처소인데 금

번 일인 관야가 건너와 이를 열어본 즉 임진왜란에 일본 풍신수길이 휴대
하였던 원형황금제군선 2개가 있었고 필시헌품必是獻品 기타 희세稀世의 진
품 수백이 있다더라(『대한매일신보』 1909년 9월 23일자).

문제청산問諸靑山

삼각산아 물어보자 오백년래 전후 역사 너는 응당 다 알리라 일본 관백 평
수길의 당시 쓰던 금군선金軍扇이 도지부 내 비고 중에 심심장지深深藏之 두
었으니 그 것 무슨 곡절인가 임진왜란 평정 후에 사명당四溟堂이 들어가서
공물 받은 까닭인지(『대한매일신보』 1909년 9월 23일자 만평).

전 탁지부 내에 비밀한 창고 一좌가 있는데 이를 열면 국가에 흉년이 생긴
다는 말이 전래함으로 어떤 사람이든지 감히 열지 못하였더니 금회에 일
본인 관아가 개도하여 열어 본 즉, 왜장 풍신수길이가 임진전역 시에 가져
온 부채軍用 세 개중 두 개를 발견하였는데(한 개는 일본황실에 진장) 모양
은 둥글며 황금으로 제조하였으니 <중략> 또 기타 여러 가지 희귀한 진품
수백 개를 발건하였다더라(『신한국보』 1909년 10월 26일자).

풍신수길의 황금군선 발견

탁지부가 전일 호조戶曹였을 때 한 비밀창고가 있었다. 그곳은 밀폐하여
한 번도 열어 보지 않았었다.
그런데 이때 일본의 관야란 사람이 처음으로 그것을 열어보았다. 그 속에
는 황금으로 만든 군선軍扇 두 자루가 있었다. 풍신수길豊臣秀吉이 가지고

다니던 것이다. 그것은 그의 낙관落款이 찍혀 있기 때문에 알 수 있었다.
그러나 어떤 연유로 그곳에 있었는지는 알 수 없는 일이었다. 이때 어떤
사람들은 그것을 일본인이 갖다 바친 것이라고 하였다(『매천야록』).

이상의 기사들을 보면, 탁지부 건축소 내에 있는 비밀창고는 탁지부가 호조
였을 때부터 있던 창고로, 창고 문을 열면 국가에 흉변이 생긴다고 하여 오래전
부터 밀폐하여 한 번도 열어 보지 않았었다. 세키노는 한국 정부에서 조차 감히
손을 대지 않던 이 비밀창고의 문을 열고 이곳에 비장한 유물을 훔쳐 갔으니,
그 중의 하나가 도요토미의 황금부채로 이를 일본왕실에 바쳤다. 이 같은 악행
이 1909년 9월 23일자 『대한매일신보』와 『황성신문』에서 처음 기사화 되었다.

세키노는 1909년 9월 19일에 경성에 도착하여 12월 27일까지 약 3개월간 조
수 구리야마栗山, 야쓰이谷井와 함께 고적조사를 했다. 세키노의 조사는 1902년
도쿄제국대학의 명에 의한 조사에 이어 두 번째의 조사로서, 이번의 조사는 한
국 정부의 요청에 의한 정식 조사라 할 수 있다. 세키노 일행은 개성으로 떠나
기 전에 조사에 따른 제반 준비를 위해 경성에서 며칠간 머물렀다. 그 간에 세
키노는 탁지부 건축소 내에 있는 비밀창고를 뒤졌던 것이다.

이 같은 사실이 어떻게 누설된 것일까? 당시 세키노가 창고의 유물을 조사할
때 만약 신문기자가 그 자리에 있었다면 창고 내에 보장한 유물에 대해 구체적
인 언급이 있었을 것이다. 그런데 황금부채 외에는 '수백의 진장품'이란 표현
외에는 언급이 없는 것으로 보아 비밀창고의 유물은 극비리 조사를 한 것으로
보인다. 황금부채에 낙관까지 있었다는 것을 보면 창고 문을 열 때 한국인 관
계자가 입회하였을 것으로 보인다. 이 입회자의 입을 통해 전해지면서 대한매

일신보사 등에 알려진 것으로 추정된다.

세키노가 일본 왕실에 바친 황금부채는 최근 중앙일보 조사팀에 의해 밝혀진 내용을 보면, 임진왜란 때 참전했던 왜장 가메이 고레노리龜井玆矩가 도요토미로부터 하사받은 것으로, 1592년 당포해전 때 충무공 이순신 장군이 왜군으로부터 노획한 것이다. 충무공은 이를 다른 전리품과 함께 선조에게 바쳤으며 이후 이 금부채는 조선 왕실 탁지부의 비밀창고 깊숙이 보관돼 있었던 것이라고 한다.

다음은 남정호 국제선임기자가 밝힌 『중앙일보』 2014년 12월 9일자 「해외 유출 문화재를 찾아서(상)」 기사의 일부이다.

이순신 장군과 맞붙었던 가메이는 당포해전에서 도요토미의 황금부채를 잃어버리기만 한 것은 아니었다. 임진왜란의 와중에 조신 왕조의 보물을 다수 약탈해간 것으로 전해지고 있다. 그가 가져간 것은 '조선왕진기朝鮮王陣旗', '조선왕진우직朝鮮王陣羽織' 등으로 현재 돗토리현립박물관에 보관돼 있다는 사실이 이번 취재를 통해 확인됐다. 이 깃발과 직물은 가메이 가문에서 지은 돗토리현 조덴샤讓傳寺에 보관돼 있던 것으로 절의 기록에는 "가메이가 '문록의 난(임진왜란)' 때 조선에 가서 노획한 물건"이라고 기재돼 있다. 이들 물건은 평소 전시되지 않은 채 소장고에 보관돼 있으며 조덴샤 측 허락을 받아야 관람할 수 있다.

조덴샤의 서면 허락을 얻은 뒤 지난 9월 돗토리현립박물관을 방문해 왕진기 등의 관람을 요청했다. 박물관 측은 소장고에 보관 중이던 왕진기와 왕진우직을 꺼내 보여줬다. 길이 2.27m, 폭 1.16m의 왕진기는 윗부분이 약간 해졌을 뿐 비교적 양호한 상태였다. 가로·세로 1.4m 크기의 왕진우직도 공작 문양이 선명했다.

가메이는 도요토미의 전폭적인 신임을 받던 장수였다. 전국시대 맹주인 모리 가문과 싸움을 벌였던 도요토미의 편을 들어 공을 세웠으나 보상을 제대로 받지 못했다. 이를 미안해한 도요토미가 다른 땅을 주겠다고 제안했으나 "류큐琉球(오키나와의 옛 이름)를 점령해 그 땅의 영주가 되겠다"며 사양한다. 도요토미는 이에 감동해 가메이에게 황금부채를 하사하며 "류큐의 영주에게 준다"는 글을 친필로 써준다. 이순신이 당포해전에서 노획한 게 바로 이 부채다.

중앙일보 남정호 국제선임기자는 황성신문 기사를 토대로 황금부채의 보존 여부를 일본 왕실 궁내청에 e메일로 문의했다. 일 왕실 측은 처음엔 "존재 여부를 확인해줄 수 없다"고 회신해 왔다. 이에 '확인해 줄 수 없다는 건 있다는 의미냐'고 다시 질의하자 "담당자가 문제의 금부채를 찾지 못한다고 한다"고 답장해 왔다고 한다. 의도적으로 이를 은폐하고 있는 것으로 보인다.

비록 황금부채의 존부에 대한 것은 미수에 그쳤지만, 부채의 유래를 밝힐 수 있었던 것은 큰 성과라 할 수 있으며 일본 궁내청에 보존된 것을 더욱 확신할 수 있다.[422]

---

422 중앙일보 남정호 국제선임기자는 '유출 문화재'를 조사하기 위해 일본과 미국으로 떠나기 며칠 전에 필자를 찾은 적이 있었다. 당시 필자는 꼭 조사할 것과 수집해야 할 것을 몇 가지 부탁했었다. 필자가 부탁한 것은 진행형이라 보고 있으나, 필자로서는 전혀 예상치 못한 부채의 유래를 밝힌 것은 언젠가 환수할 수 있는 근거를 찾은 큰 성과라 할 수 있으며 그 공로에 감사의 마음을 전한다.

세키노가 극비리 조사한 이 비밀창고에는 임진왜란 때의 상당한 노획품을 비롯한 많은 귀중품을 보관하였던 지라 외부 유출을 막기 위해 문을 완전히 밀폐시켰던 것이다. 그런데 창고 안에 있었다는 황금부채 2개 중 하나는 세키노가 일본 왕실로 가져가고, 나머지 하나는 어떻게 되었는지, 또 수백의 희세의 진품이란 것이 어떤 것인지 하나도 알려진 것이 없다. 일본으로 약탈해 간 것이 황금부채 한 개뿐일까. 창고 안에 보장된 유물의 목록을 알 수 없는 것이 너무나 유감이다.

고종황제의 박물관 열람

『이왕가미술관요람』에 의하면, 1909년 9월에 박물관 진열관이 완비되고 진열관에 도자기, 금석류, 옥석류, 조상彫像, 회화, 공예품 기타 역사 풍속에 관한 수집품을 각 시대별로 진열하고 먼저 고종황제가 열람하고 함께 이토 통감, 각 대신 이하의 열람이 있었다고 한다.[423]

고종황제와 이토 히로부미伊藤博文가 진열장을 돌아보던 중 고종은 이것을 처음 보는 것이라 "이 청자는 어디서 만들어진 것이요?" 하고 묻자 이토 히로부미伊藤博文는 말을 못하고 말았다는 일화가 전해지는데 아사가와 노리타가淺川伯敎의 「조선의 미술공예美術工藝에 대한 회고回顧」란 글에 당시의 이왕가박물관장 스에마츠 구마히코末松熊彦로부터 들은 이야기라고 하면서 다음과 같은 일화를 싣고 있다.

---

423 李王職, 『李王家美術館要覽』, 1938, p.3.

이 태왕님이 처음으로 보시고 나서 "이 청자는 어디의 산産인가?"고 물으셨을 때 이토공伊藤公은 "조선의 고려시의 것입니다" 라고 설명하여 드렸더니, 전하는 "이러한 것은 조선에는 없다"고 말씀하셨다. 그래서 이토 공은 대답해 드릴 수가 없어서 침묵하고 있었어요. 아시다시피 출토품이라고 하는 설명은 이런 경우 할 수가 없으니까요. 또 이토공伊藤公은 돌아갈 때 "이렇게 훌륭한 것을 잘 모았는데 지금까지 값은 얼마나 지출하였는가?"하고 물어 보기에 회계원會計員이 "십만원 조금 넘습니다" 라고 하니, "그런 돈으로 이 정도 모았는가"하고 칭찬하셨다.[424]

열람 시기에 대해서는 약간의 의문이 남는다. 이토 통감은 1909년 6월에 일본 추밀원 의장으로 전임하게 되어 일본으로 귀국하고, 소네가 그 뒤를 이었기 때문에[425] 이토가 박물관 진열실을 돌아본 것은 1909년 6월 이전이 아닌가 생각된다. 1909년 5월에 "박물관과 동물원의 설비가 완료되고 5월 24일부터 일반 공중公衆에 종람縱覽을 개시하였다"는 기사가 있는 것으로 보아 이즈음이 아닌가 여겨진다.[426]

---

424 淺川伯敎,「朝鮮の美術工藝に就いての回顧」,『朝鮮の回顧』(上卷), 近澤書店, 1945, p.270.

425 『朝鮮年鑑』, 京城日報社, 1941.

426 近日 昌德宮內의 舊有動物園과 博物舘의 設備가 漸次完了호 故로 壹般公家의 縱覽키 爲호야 日間에 公기호다더라(『大韓每日申報』 1909년 3월 23일자).
　　近日 昌德宮內動物苑과 博物館에 設備가 旣爲完了홈으로 再昨日부터 壹般公衆에 縱覽을 開始호얏다더라(『大韓每日申報』 1909년 5월 26일자).

헐려가는 평양 애련당

평양의 애련당愛蓮堂은 못 가운데 건립한 누정樓亭으로, 연꽃이 필 즈음에는 연 위에 떠있는 아름다운 모습이 널리 알려져 있다. 하지만 1909년에 와서는 헐리게 되는 비극을 맞게 되었다. 『대한매일신보』 1909년 7월 29일 자에는 다음과 같은 기사가 있다.

헐리기 전의 애련당(『신한민보』 1914년 1월 22일자)

> 평양성 내에 애련당愛蓮堂은 누백 년 전래하는 명승고소名勝古所인데 근래의 어떤 사람의 창론倡論인지 그 지당池塘이 위생에 방해가 있다 하여 전충塡充할 차로 제일은행에 채관債欵을 얻어 역비役費에 공급供給
>
>
>
> 하였다가 채관을 상환치 못함으로 이 지단地段을 양 여하였더니 제일은행에서 이 지단地段에 있는 애련 당까지 훼철毁撤하여 척목편석尺木片石을 몰수해 갔 는데 지단으로 하여 당우堂宇까지 인도引渡함은 어리 부당於理不當하다고 해지물론該地物論이 있다하더라.

애련당 훼철은 못池塘을 메우게 되면서 시작된 것인데, 지당池塘을 메워야 한 다는 이야기는 이미 1905년부터 시작되었다. 1905년 7월에 평양관찰사서리 이

승재가 "부내 소재 애련당 지당池塘은 물이 더러워 냄새가 나고, 위생상 유해하여 부득불 흙으로 메워 땅을 고르고 건물을 세워 세금에 보태는 것이 어떠할지" 내부에 보고를 한 적이 있다.[427] 하지만 당시에는 바로 실행에 옮기지 못하고 1909년에 와서 실행에 옮긴 것으로 보인다. 문제는 못을 메우는 경비였다. 당장 경비가 없어 제일은행에 자금을 빌려 공사를 하고 이를 갚지 못하자, 제일은행 측에서 못을 메운 지단을 압수한 것은 물론이고 애련당까지 헐어간 것이다.

『대한매일신보』1909년 8월 3일자에는 다음과 같은 기사가 있다.

> 훼당구정毁堂構亭. 평양 애련당을 훼철함은 전보에 이미 게재하였거니와 그 이유인즉 제일은행 두취 삽택영일澁澤榮一이가 집 뒤편 정자를 건축하기 위하여 이 당(애련당)을 훼철하여 일토일목壹土壹木을 남김없이 가져갔는데 기백년래 승지로 천명擅名하던 당우堂宇를 일개 삽택澁澤의 정자를 구조構造키 위하여 훼철한다고 이 지방인심이 자못 분울憤鬱하다더라.

『신한민보』1909년 9월 1일자에도 "일본 제일은행장 삽택영일이가 평양성 부근에 정자를 건축하는 재목을 쓰고자 누백년 전해오는 평양 애련당을 훼철하여 그 재목을 모두 옮겨 갔다더라" 하며, 제일은행장이 자기 소유의 정자를 짓기 위해 뜯어 갔다고 한다.

시부사와 에이이치澁澤榮一는 제일은행 두취로서 1878년 제일은행지점을 한반도에 설치하면서 한국에 대한 경제침략의 선두주자로 활약한 실업가이다.

---

427 『皇城新聞』1905년 7월 10일자.

이후 제일은행은 한국 관세의 독점적 취급과 한국 정부에의 차관 제공, 한국산 금金의 매입, 제일은행권의 발행 등 특권적 업무를 담당하였다. 결국 한국의 독자적인 근대적 화폐제도 및 금융기구의 확립 노력을 좌절시키고 한국의 경제를 일본에 더욱 종속시키는 결과를 초래하였다. 제일은행은 일제의 한국 식민지화 정책을 금융면에서 철저히 이행한 자이다.[428]

이 같은 힘을 가진 자가 애련당을 헐러가 자기 집 후원 정자로 변모시켰으니 당시로서는 다시 되돌리는 일은 엄두를 내지 못했던 것이다.

애련당 건물은 그 비극을 더하여 1926년경에는 일본으로 반출되어 종말을 고하게 된다.

학부 편집국의 대청직大廳直 김영철金永喆이란 자는 9월 9일에 학부편집국에 보관한 책자 120권을 절취하다가 발각되어, 일본으로 도피하기 위해 인천항으로 도망갔다가 11일에 인천항경찰서에 체포되었다. 경시청에서 공모자 2명까지 체포하여 조사한 결과 이들은 그동안 900여 권을 훔쳐 팔았다고 한다.[429]

---

428 澁澤榮一의 경제활동에 대한 것은 李培鎔의 「澁澤榮一과 對韓經濟侵略」(『國史館論叢』 第6輯, 1989년 12월)에 잘 나타나 있다.
429 『皇城新聞』 1909년 9월 11일자, 13일자.

1909년 10월

사찰 및 승니 수 조사

내부에서 전국 사찰 및 승니를 조사하였는데, 사찰수가 957이고, 남승이 4,928명이고, 여승이 563명으로 조사되었다.[430]

돈화문 우측에 있는 전 의정부 조방朝房을 훼철하고 황궁 경찰관계 경시 요비코 마다이치로呼子又一郎의 관사를 신축하기 시작하다.[431]

죽기 전까지 고려자기에 대한 욕심을 버리지 못한 이토 히로부미(伊藤博文)

통감 이토 히로부미伊藤博文는 을사늑약에 따라 대한제국에 통감부가 설치되자 초대 통감으로 부임하여 조선에 대한 실질적인 지배권을 행사하여, 조선 병탄倂呑의 기초공작을 수행했다. 1909년 6월에 일본 추밀원 의장으로 임명되어 7월 6일에 이임인사차 한국에 들어왔다가 7월 중순에 일본으로 귀국하게 되었

---

430 『皇城新聞』 1909년 10월 22일자.
431 『大韓每日申報』 1909년 10월 12일자.

다.[432] 그 후 1909년 10월 26일 러시아의 재무장관 코콥초프와의 회담을 위해 만주 하얼빈역에 갔다가 안중근 장군의 총탄을 맞고 사살되었다.

『매천야록』에는 다음과 같이 기록하고 있다.

이토의 죽음을 알리는 기사
(『황성신문』 1909년 10월 29일자)

26일(음력 9월 13일) 安重根이 하얼빈에서 伊藤博文을 살해하였다. <중략>

이등박문이 만주를 순시한다는 소문이 들리자 그는 블라디보스토크를 거쳐 만주로 갔다. 이때 이등박문이 하얼빈에 도착하였다. 그는 러시아 관리 코코프체프(Kokovtsev)와 만나기로 약속이 되어 있었다. 그가 차에서 내렸을 때, 안중근은 러

안중근 장군이 이토를 사살하는 장면의 사진을 러시아인이 촬영하여, 이를 1만 5천환에 매수하여 도쿄로 보낸다는 기사(『황성신문』 1909년 11월 21일자)

시아 병사들 사이에 끼어 있다가 그를 향해 권총 세 발을 쏘아 세 번 모두 명중하였다. 이등박문이 차에서 떨어져 그를 병원으로 떠메고 갔으나 그는 30분 만에 숨을 거두었다. <중략>

432 『皇城新聞』 1909년 6월 29일자.

이 소식은 서울까지 알려졌다. 사람들은 감히 통쾌하다는 말을 함부로 하지는 못하였으나 모든 사람들의 어깨가 들썩 올라갔으며, 깊은 방에 앉아서 술을 마시며 서로 기뻐해 마지않았다.

안중근은 재판정에서 이토의 15가지 죄[433]를 밝혀 이토를 사살해야만 하는 마땅한 이유를 밝혔다. 이토의 한국에 대한 죄는 그 수를 헤아릴 수 없지만 고려무덤의 파괴와 한국 문화재의 유출에 미친 악영향은 너무나 크다 할 수 있다.

통감부 법무원 재판장의 평정관으로 활동한 미야케 쵸사쿠三宅長策는 "이토공도 남에게 선물할 목적으로 성盛히 모은 한 사람으로 한 때는 그 수가 천 점 이상이 되었을 것이다"[434]고 한다.

---

433 1. 명성황후를 시해한 죄
    2. 고종황제를 강제로 폐위한 죄
    3. 5조약과 7조약을 강제로 맺게 한 죄
    4. 무고한 한국인들을 학살한 죄
    5. 대한제국의 정권을 빼앗은 죄
    6. 철도, 광산, 산림 등을 강제로 빼앗은 죄
    7. 제일 은행권 지폐를 강제로 사용하게 한 죄
    8. 대한제국의 군대를 해산시킨 죄
    9. 한국인들 교육을 방해한 죄
    10. 한국 유학생들의 유학을 방해한 죄
    11. 국어, 역사책등 교과서를 모조리 불태워 버린 죄
    12. 한국인이 일본인들의 보호를 받고 있다고 세계에 거짓말을 퍼트린 죄
    13. 한국과 일본 사이에 경쟁이 쉬지 않고 싸움이 일어나는데 태평한 것처럼 천황에게 거짓보고를 올린 죄
    14. 동양(아시아)의 평화를 깨트린 죄
    15. 현 일본 천황(메이지 천황)의 아버지 태황제(고메이 천황)을 죽인 죄
434 三宅長策,「そのころの思ひ出‘高麗古墳發掘時代’」,『陶磁』第6卷 6號(高麗特輯號), 東京陶磁研究所, 1934년 12월, pp.70~72.

이토가 일본 거물이나 접촉하는 외국 인사들에게 고려자기를 선물하는데 얼마나 열중했는지 그가 죽기 수일 전으로 돌아가 보면 그 일면을 볼 수 있다. 이토는 만주 시찰 중 회견을 할 사람들에게 고려자기를 선물할 생각으로 고려자기를 구하였는데, 『황성신문』 1909년 10월 24일자의 '시사일국時事一掬'란에는 다음과 같은 기사가 있다.

이등공작은 만주에서 교섭할 외국귀인에게 물품을 증여贈與할 차次로 아국我國 고려자기를 광구廣求한다지 동서양의 물품진보物品進步가 일익기교日益奇巧하지마는 자기제조磁器製造는 아국我國이 선진先進인게야 세계인은 자기선진국을 괄시恝視마시오.

이토가 사살당하기 2일전의 기사이다. 그는 이미 고려자기의 우수성을 파악하고 이를 정치적 활동에 필요한 선물로 활용하고자 한 것이다. 그는 만주에서 급히 고려자기가 필요하자 소네 통감에게 전보하여 고려자기를 사서 보내라고 했다. 『황성신문』 1909년 10월 22일자에는 다음과 같은 기사가 있다.

자기매입위탁. 이토 공작은 만주 시찰 중 회견할 외인外人에게 증여贈與하기로 고려자기를 매입하고자 하야 매입 송부送附를 소네 총감에게 위탁委託함으로 통감은 기관보사장 오오카 지카라大岡力에게 명하얏다더라.

이 같은 기사는 이토가 만수 하얼빈 능에서 만나는 귀빈들에게 선물하기 위한 것으로, 며칠 지나지 않아 안중근 장군에 의해 사살되었으니, 그는 죽기 전까지 고려자기에 대한 욕심을 버리지 못했다.

이토는 부임한 다음해부터 일본 왕과 귀족들에게 선물한다는 명목으로 앞잡이를 시켜 개성과 강화지역에서 수천 점이 넘는 고려자기를 도굴하여 명품은 일본으로 빼돌리고 나머지 유물은 이왕가박물관에 팔아 넘겼다. 그는 닛다新田라는 앞잡이를 시켜 고려자기는 얼마든지 가져와도 다 사주겠다고 하고 사모았다. 닛다야 이노스케新田谷伊之助라는 자는 1863년 생으로 1907년 9월에 한국에 건너와 서울에서 닛다야상점新田谷商店이라는 고물상을 운영하면서[435] 이토의 도자기 수집에 앞잡이 노릇을 하였다. 어떤 때는 골동가게 곤도近藤의 고려자기 전부를 한꺼번에 사드려 한때 서울 안에 고려자기가 팔 것이 없는 상태로까지 간 적이 있다고 한다.[436]

곤도近藤는 1910년에 발간한 『경성京城과 내지인內地人』에 의하면, 곤도 사고로近藤佐五郎라는 자로 원래는 약제사藥劑師로 1892년 부산공립병원에 초빙되어 약국장으로 근무하다가 그만 두고 1904년에 서울에 올라와 박고당博古堂이라는 골동가게를 열었는데 장사수완이 뛰어나 금방 주변에 소문이 났다고 한다. 1907년에는 경성상업회의소의원, 1908년에는 일본인거류민단의원으로 활약하

435 『朝鮮在住 內地人 實業家人名士辭』, 朝鮮實業新聞社, 1913, p.14.

436 三宅長策, 「そのころの思ひ出 '高麗古墳發掘時代'」, 『陶磁』 第6卷 6號(高麗特輯號), 東京陶磁研究所, 1934년 12월, pp.70~72.

이토 히로부미(앞줄 오른쪽, 출전 : 『伊藤博文公小傳』)

였다.[437] 1905년경에 개성방면에서 무차별 도굴되어 서울로 올라온 무수한 고려자기가 그의 가게로 흘러 들어갔음을 짐작할 수 있다. 그런 그의 골동가게에서 이토는 많은 고려자기를 수집하였던 것이다.

이토는 그 스스로가 고미술품을 애호 애장한 것이 아니라 주로 정치적으로 활용하기 위하여 고려자기를 수집하였던 것으로 보인다. 그는 일본 관공소나 일본의 거물급들에게 주로 선물을 하기 위해 한번에 30점 또는 40점씩 우수품을 사서 관공소나 일본의 고관들에게 기증 또는 선물을 하기도 했다.[438] 심지어

---

437 『朝鮮在住 內地人 實業家人名士辭』, 朝鮮實業新聞社, 1913, p.191.
438 박병래는 『도자여적』(中央日報社, 1974, p.27)에서 이토의 일화를 거론하면서, "초대 통감 이토는 전례대로 청자를 한 짐 싣고 도쿄역에 도착했다고 한다. 플렛트에 마중 나온 사람들에게 이토가 내려오면서 '자네들에게 주려고 고려청자를 선물로 가져왔으니 기차에 올라가 꺼내 가지라'고 했다"고 한다.

는 이토의 고려자기 수집을 보고 통감부 고관들은 연이어 경쟁하듯이 고려자기를 수집하여 응접실을 장식하였다고 한다.

러일전쟁 이후 한동안 서울에 재주하였던 나라사키 데츠카楢崎鐵香는, "통감 이토 히로부미 공은 일본과 조선을 왕래하면서 많은 고려소와 조선의 불상을 내지로 가지고 왔다고 들었다"고 증언하고 있다.[439] 그러나 그가 가져갔다는 불상에 대해서는 어떤 것이 얼마나 반출되었는지 알려진 것이 없다.

1912년 이시즈카石塚 농공부장관이 일본 공업시찰을 할 때의 이야기로, 이시즈카는 1912년 7월 19일 오후 교토에 도착하여 20일까지 교토시의 상품진열관 및 도자기시험소를 참관했다. 이 도자기 시험소는 각종의 실험적 연구를 하여 도자기 업자의 각종 질의에 답하여 도자기의 개량발전을 도모하고자 설립한 것인데, 시험실에는 이토 히로부미가 일찍이 이곳에 왔다가 기증한 고려자기도 진열하였다[440]고 하는데, 그 수는 알 수 없다.

이토의 수집품은 『조선고적도보』가 발간될 즈음에는 이미 일본으로 반출되어 일본 귀족 또는 고위관리들의 수중으로 들어갔거나 도쿄박물관에 기증되어 그의 이름으로 게재된 것은 보이지 않고 있다.

이토가 가져간 수천 점 중에 103점은 메이지明治에게 헌상獻上하였는데 이것은 1907년에 도쿄박물관에 보내져 소장되어 있다가 한일협정에 의해 97점은 돌려받기도 했다. 현재 국립중앙박물관에 소장되어 있는데 국보로 지정되어 있는 청자상감매죽수금문매병, 청자거북형주전자, 청자상감목단문장경병 등을 비롯한

---

439 楢崎鐵香,「朝鮮陶瓷器漫筆」, 京城日報, 1937년 12월 2일.
440 『每日申報』 1912년 7월 30일자.

모두가 보물급 이상이다. 또한 지난 1995년《대고려 국보전》에 일본에서 빌려와 호암갤러리에서 전시되었던 나전칠기 화문나전경상花紋螺鈿經箱도 역시 이토가 가져간 것으로, 고려 나전칠기가 우수한 것은 누구나 다 아는 일이지만 현재 우리나라에는 잔존현물殘存現物이 거의 없다.

'청자거북형수주(보물452호)'(이토가 반출한 것 중에서 반환받은 것으로 현재 국립중앙박물관 소장, 1955년에 일본에서 간행한 『세계도자전집 13』에는 도판 64 '동경국립박물관 소장'으로 소개되어 있다.)

통감부시대에 무수한 고려자기가 도굴 당하고 숱한 고미술품이 일본으로 반출되었지만, 이토는 통감의 위치에서 도굴한 고려자기를 수집하였으니 이에 대한 단속이 이루어질 수가 없었다. 이를 밖으로 드러내어 단속을 한다는 것은 스스로 장물아비로서 범죄행위를 자인하는 것이기 때문이다. 이러한 이토의 행위는 고려자기 수집의 최전성시기를 만들었을 뿐 아니라 전국을 도굴장으로 변모케 하였다. 이러하니 당시 고려자기 도굴과 매매로 생활하는 자가 수 천 명에 달했다는 말이 과언이 아니다.

1909년 11월 1일

이왕가박물관 개원

박물관의 수집품은 1909년 10월에 진열을 마치고 11월 1일 공개하기에 이르렀다. 진열관은 창경궁내에 유존한 경춘전景春殿, 관경전觀慶殿, 통명전通明殿, 명정전明政殿 및 양화당養和堂 등 각 전당을 응급 수리하고 내부 설비를 가하여 이를 진열관으로 사용했다.[441]

1909년 11월 1일 창경궁을 격하시켜 창경원이라 개칭을 하고[442] 개원식을 한 다음 일반 시민에게 공개하였는데, 최초 얼마동안은 매주 목요일을 전하만이 관람하도록 일반 시민에게는 공개하지 않으나[443] 그 후에 이르러 연중 공개하였다. 입장료는 성인은 10전, 아동은 5전을 받았다.[444]

당시 『대한매일신보』 '고물진열소에서 고려자기를 보고 감탄함을 이기지 못하노라'는 제하의 논설에는 다음과 같이 기술하고 있다.

그 외에도 허다한 물품을 열람하고 옛을 생각하고 지금을 한탄하는 정을

---

441 李王職, 『李王家美術館要覽』, 1938, p.2.
442 李王職, 『李王家美術館要覽』, 1938, p.3.
443 『大韓每日申報』 1909년 11월 2일자.
　　昌德宮內御苑事務局所管 博物館 動物園 植物苑을 昨日부터 人民의 縱覽을 許홈은 旣히 報道ㅎ야거니와 出入門은 昌慶宮弘化門으로 縱覽票는 每壹枚에 十錢으로 定ㅎ고 日子는 每週日曜及木曜를 除혼 外는 逐日기苑ㅎ는대 但狂疾及酗醉者와 衣服醜陋者는 入苑을 不許혼다더라.
444 『皇城新聞』 1909년 11월 2일자.

금치 못할 것이 한두 가지가 아니나 그 중에 가장 우리로 하여금 무한히 이상한 감탄의 마음이 솟아나게 하는 것은 고려자기로다. 그 대강을 말하여 우리 신문 보는 자에게 소개하노라.

근래에 한국 사람이 옛적 물건을 지키는 성질이 없어진 지 오랜 고로 오늘날 이곳에 벌려놓은 자기가 비록 널리 구하여 얻은 것이라 하나 그 종류는 대개 병과 항아리와 사발과 차관 같은 것 몇 가지에 지나지 못하더라. 그러나 이 몇 가지 못 되게 벌려놓은 물건을 보아도 족히 당시에 제조하였던 솜씨가 더할 것 없이 발달된 것을 가히 증험하리로다.

그 형상이 혹 석류씨 같이 한 것도 있으며 혹 괴석의 모양으로 한 것도 있으며 혹 부처의 모양으로 한 것도 있으며 혹 동자의 모양으로 한 것도 있는데 그 외면에는 혹 꽃을 새겼으며 혹 풀을 그렸으며 혹 새와 짐승을 새겼으며 각기 공력을 극진히 하였더라.[445]

창경원내 박물관
(『朝鮮의 事情』, 조선공론사, 1922)

이처럼 고려자기가 조선시대 이후에 단절되어 한국인에게는 망각된 물건이었는데 일본의 도굴배盜掘輩들에 의해서 세상에 나온 것이기 때문에 기자의 눈에도 완전히 새로운 것이었다.

---

445 『大韓每日申報』1910년 3월 25일자.

창경원 관람 규정

11월 1일부터 창경궁을 일반인에게 관람을 허용하면서 창경원 사무국에서 '어원종람의 규정'을 정하여 일반 관람자들이 지키도록 했는데 그 내용은 대략 다음과 같다.[446]

'어원종람의 규정'

一. 어원사무국소관 박물관, 동물원, 식물원을 관람하고자 하는 자는 창경궁 홍화문에 와서 종람표縱覽票를 매수함이 가함. 단 광질狂疾이나 감취자급칠세미만酩酔者及七歳未満으로 보호자가 부수附随치 아니한 자는 입원入苑할 수 없음. 종람표의 정가는 일매에 10전으로 하며, 단 5세 이상 10세 미만은 반액이고 5세 이하는 무료로 함.

一. 종람은 매주 일요일 및 목요일을 제한 외에는 매일에 허용하되 시간은 오전 8시에서 오후 5시까지로 함.

단 월요일 및 목요일이 본국이나 일본국의 경절휴가일에 당하면 종람을 허하고 그 익일에 쉬면 필요할 시는 시간을 신축하고 혹 전부나 일부의 종람을 정지함도 있음.

一. 종람인은 좌개 각항을 주의함이 가함.

누추한 의복을 착함이 불가한 사.

원내에서는 정숙을 지킬 사.

연초음식물은 소정한 휴게소에서만 용함을 허할 사.

---

446 『皇城新聞』1909년 11월 3일자.

축류畜類의 투입을 불가함.

마차 교여의 탐을 불가함.

종람표는 돌아갈 때 감수자에게 반환할 사.

이상 각항과 아울러 원내각소의 게시사항을 준수하고 감수자의 지휘를 일

준할 사.

1909년 11월 24일

하기노 요시유키(秋野由之)와 이마니시 류(今西龍)의
평양 대동강면 고분의 발굴과 반출 유물

세키노 일행과 별도로 도쿄제국
대학의 명을 받은 하기노 요시유
키萩野由之와 이마니시 류今西龍는
1909년 11월 24일에 평양에 도착
했다. 이들은 대동강면에서 전곽고
분磚槨古墳 을분을 발굴하여,[447] 현
실내玄室內에서 거울鏡, 금동구金銅

대동강면 을분 전경

---

447 『考古界』第8編 第9號, '彙報', 1910년 1월, 「不壞附近に於ける樂浪時代の墳墓 一」,『古
蹟調査特別報告 1冊』, 朝鮮總督府, 1919.

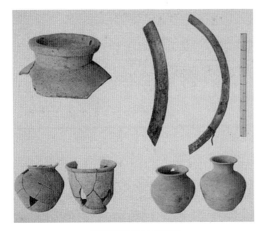

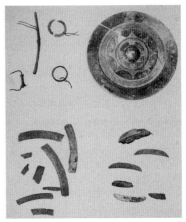

대동강면고분乙 출토품　　　　　　　대동강면고분乙 출토품

器(食器, 金銅釦에는 '王'의 각자가 있다고 한다), 동배이銅杯耳, 은팔지, 귀걸이, 도호陶壺 등을 획득獲得하여 일본으로 가져 가버렸다.[448] 『고고계考古界』 제8편 제9호에서는 "풍부한 자료를 가지고 귀경하기를 학수고대한다"는 것으로 보아 처음부터 유물 수집에 목적이 있었던 것으로 보인다. 또 고구려 도성지를 답사하고 강동 한왕묘의 소재를 보고함으로써 최초로 조선에서의 고구려 유적의 학계에 소개했다.[449]

일본으로 반출한 유물들은 『조선고적도보』 1권, 도판 67~79, 82로 "도쿄문과대학장"으로 기록하고 있다. 이 출토품은 도쿄제국대학 문학부의 소장으로 돌

---

448 『朝鮮 古蹟圖報 第 1冊』大洞江 古墳(乙) 圖版 63~80 東京 帝國大 文科大學 藏으로 揭載되어 있다. 이들 出土品은 東京 帝國 大學 文學部 所藏으로 돌아갔는데 애석하게도 大正12년 關東大地震 때 소실되었다.

449 藤田亮策, 「高句麗の思出」 『朝鮮學論考』, 藤田先生記念事業會, 1963, p.613.
　　『考古學雜誌』8-9, 1909년 12월.
　　2기 중 1기는 시도만 한 것으로 보이는데, 藤井惠介, 무乙女雅博 외 2명 편, 『關野貞アヅア踏査』(東京大學總合研究博物館, 2005)에서는 실패한 고분은 한왕묘로 보고 있다.

아갔는데 지난 1923년 9월 1일 대지진 때 소실되었다고 하는데,[450] 과연 완전히 소실된 것인지는 알 수 없다.

1909년 11월 27일

남만주철도주식회사의 《史料展覽會》

1909년 11월 남만주철도주식회사 도쿄지사에서 사료전람회를 가졌다. 당시 진열된 사료는 크게 구분하면 비문탁본, 서적, 사진, 고경古鏡, 고와, 고전古錢 등이다. 이때 시라토리 구라키치白鳥庫吉가 1908년 겨울에 조선에서 구입한 조선서적과 1909년 여름에 수집한 것을 함께 전시하였다. 한 실에 서적을 전시 했는데, 사본 19부, 간본 16부로 이중 사본 중에는 광사, 인물고, 동문선, 조야회통, 간독, 명가의 진적집眞跡集 등이고, 판본으로는 고려사를 시작으로 정조어제의 홍재전서 100책 등이 진열되었다. 그 외에도 광개토대왕비 탁본, 진흥왕순수비 탁본, 한국천상열차분야지도 등이 진열되었다.[451] 『역사지리』 15권 1호 (1910)에도 일부의 목록이 보이고 있다.[452]

---

450 關野貞 外 5人, 『樂浪時代の遺蹟(本文)』, 朝鮮總督府, 1927.
451 「彙報」, 『考古界』 第8篇 第9號, 명치42년 12월.
452 「滿洲史料展覽會」, 『歷史地理』 제15권 제1호, 1910년 1월.
　　그 목록은 대략
　　人物考 80책, 東文選 80책, 集古眞帳 16책, 簡牘 6책, 爛餘 50책, 弘齋全書 100책, 朝野僉載 10책, 朝野會通 50책, 練藜室記述 42책, 高麗史 全部.

시라토리는 1908년 12월 26일 진서 수집을 목적으로 한국에 건너왔다가 1909년 1월 12일에 일본으로 돌아갔는데, 그 수집 결과 진서만도 무려 102부 약 1,300책을 구입했다고 한다. 이 중의 『사총서四叢書』는 실로 천하일품이라 할 수 있는 귀중한 것으로 이 총서에 실려 있는 서적의 전부가 극히 희귀한 것으로 일부분은 다른 단행본으로 세상에 전하는 것도 있지만 많은 것은 절무絶無하다고 할 수 있다. 『사총서』는 광사십집廣史十集 200책, 휘수彙數 15책, 설해說海 59책, 총사叢史 50책으로 그 서목書目은 일본 『사학잡지』 제35편[453]과 『중앙사단』 제9권 3호의 '소실된 귀중서목'에 실려 있다.

1909년 여름에도 시라토리 일행은 만주지방을 조사하고 한국에 건너와 많은 고문서와 한국서적을 수집하였다.[454] 그 서목은 『대한흥학보』 제8호(1909년 12월)에 일부 실려 있으며, 조선사료 5천권을 비롯한 귀중서가 수두룩하다고 한다. 그 내용은 다음과 같다.

오호 역사가제공歷史家諸公

역사란 것은 국민의 정신적 교과서 중 가장 긴요한 것이거늘 아한我韓 현대의 역사가제공은 이를 경시함인지 여과如戈 사책편찬한 것은 무비외인無非外人 저술의 역술에 불과하고 지약至若 근세 정변사政變史는 집필의 자유가 없으니 심히 책할 수가 없거니와 유래상전由來相傳하던 사승史乘은 상당히 보호관수하여 후일 국민적 무식을 면免케 함이 현대 사가의 막중한 책임이거

---

453 「白鳥博士の朝鮮珍書蒐集」, 『史學雜誌』 第20編 第2號, 史學會, 1909년 2월.
454 「時評」, 『歷史地理』 第15권 2호, 歷史地理學會, 1910년 2월.

늘 이 역시 등한이 사량思量함인지 사책보관史冊保管도 자유를 버렸음인지 사천년래 유전遺傳하던 귀중한 서류는 일부일외국日復日外國을 유출하여야 이 같이 10년만 경과하면 국내에 가고可考할 서적이 절무하여 이십세기 진시황을 부견復見하겠으니 가련可憐한 사事가 아닌가. 일전 모 신문을 거據한즉 백조白鳥 박사日人)는 금번 여름에 만주를 순유巡遊하다가 한국 및 만주의 사료고적 순유를 고심 탐구하여 현금 만철동경지사루滿鐵東京支社樓에 진열하였는데 고동인古銅人, 전첩비戰捷碑, 고경古鏡 등 고고학상 가고可考할 진물珍物이 많은 중에 서적이 가장 귀중한 것으로 말하면 조선사료 5천권, 인물고人物考 80권, 동문선東文選 80권, 집고진장集古眞帳 16권, 고려사 전부, 난여爛餘(我國建國史)50권, 홍재전서弘齋全書(正宗御製)100권, 조야첨재朝野僉載(太祖至肅宗朝)10권, 조야회통朝野會通(太祖至景宗朝)50권, 연여기술燃餘記述(太祖至太宗祖)42권 등이오. 기타 고구려 구도륵공비九都勒功碑와 태조께서 무순 동방에서 명국 대군을 격파한 전승기념비戰勝紀念碑 등이라 하였으니 오호라. 패가 망신敗家亡身하는 자류者流는 전토田土을 탕매蕩賣하다가 서적과 신주神主까지 판출販出한다 하더니 한국민은 토지가옥을 날로 외인外人에 경매하다가 서적까지 매식賣食하니 조선祖先에 대하여 불초不肖가 막심하고 민족에 대하여 약차若此한 패류悖類가 없으니 력사가제공歷史家諸公은 주의注意할 지어다.[455]

러일전쟁 후 조선과 만주를 요리하기 시작한 일본은 1906년 6월에 남만주철도주식회사南滿洲鐵道株式會社를 설립하였다. 그리고 이 남만주철도회사는 일본정

455 三投生,「散錄」,『大韓興學報』 제8호, 1909년 12월.

부의 명에 의하여 만철조사실을 설치하고 1907년 도쿄제국대학교수 시라토리구라키치白鳥庫吉 등에게 만주역사지리와 조선역사지리를 편찬編纂하게 하였다.

시라토리白鳥는 1913년 소정所定의 서書로, '평양은 한 대의 낙랑군樂浪郡이다', '진번군眞番郡은 압록강 북안北岸지방이다' 등을 내용으로 한 『만주역사지리滿洲歷史地理』와 『조선역사지리朝鮮歷史地理』를 편찬하였다.

그는 만주역사지리의 서문序文에, "러일전쟁 후 남만주의 경영經營이 우리에 의하여 착수되었다. 나는 만한滿韓지방에 관한 연구의 급함을 제창提唱하였으니, 그 1은 만한경영滿韓經營의 필요에 의한 것이요. 그 2는 학술적인 견지에서인 것이다."하였다.[456] 이것은 일본이 조선을 항구적恒久的으로 지배하기 위함에 있었고, 시라토리 구라키치白鳥庫吉의 『만주역사지리』와 『조선역사지리』는 그러한 강점强占을 역사적 논리적으로 합리화시키기 위한 작업이었고 세키노 타다시關野貞 등의 이른바 한, 낙랑군 고적조사사업은 그러한 작업을 고고학적인 면에서 받침 내지는 지원支援함에 있었던 것이다.[457] 즉 한국 유적 유물을 연구 조사하고 거기서 결론을 가져오는 것이 아니라, 미리 일본사의 허구와 한국경영에 필요한 틀을 만들어 놓고 거기에 꿰어 맞추기식 조사를 하였던 것이다. 즉 조선에 대한 연구는 일본이 조선을 항구적恒久的으로 지배하기 위함에 있었으며, 이를 합리화하기 위한 자료 수집에 열을 올렸다.

특히 시라야마구로미즈문고白山黑水文庫본은 1908년 이래 남만주철도회사가 시라토리에게 조선과 만주의 역사 조사를 의탁하여 시라도리의 지도하에 다년

---

456 文定昌, 『古朝鮮史 硏究』, 한뿌리, 1969, p.287.
457 文定昌, 『古朝鮮史 硏究』, 한뿌리, 1969, p.5.

간 조선과 만주관계 사료를 수집하여 그 양이 막대하였다.

도쿄제국대학으로 들어간 시라야마구로미즈문고白山黑水文庫본은 안타깝게도 1923년 대지진 때 거의 소실되었다. 도쿄대학 부속도서관은 도서관이 창립된 지 50년 간 수집한 내외 고금의 도서가 무려 약 75만여 권에 달했다. 귀중서만 해도 3,000여 점 이상으로 이 속에는 우리나라의 고대문서, 기록사본, 명가자필본, 고간본, 고서본 등이 엄청나게 많이 소장되어 있었다. 1923년 대지진으로 인하여 일거에 소실되어 60만 권의 손실을 입었다.[458] 소위 통감부 때 부산영사관에서 도쿄제국대학에 기증한 구막부시대舊幕府時代 이후 한일교섭문서집韓日交涉文書集 1천여 책, 그 후 총독부에서 모은 것, 오대산본 실록 등도 이때 소실되었다.[459]

1909년 11월

장단군, 개성군, 풍덕군 등지에서는 한인과 일인 도굴꾼들이 도굴하는 폐가 잦아 자손이 있는 무덤에는 밤마다 무덤을 지킨다고 한다.[460]

●고려조긔도젹 쟝단군과기
셩군과 풍덕군등디에 한인
도젹과 일인도젹들이 오리
된 무덤을 파고 고려조긔
물도젹호여가눈폐가 죵죵
잇슴으로 즈손이잇눈 무덤
에눈 밤마다 파슈훈다더라

---

458 土井重義,「東大附屬圖書館」,『圖書館雜誌』, 日本圖書館協會, 1942년 9월.
　　　和田萬吉,「東京帝國大學附屬圖書館の罹災に就いて」,『中央史壇』第9卷 3號, 1924년 9월.
459 大森金五郞,「書庫博物館等の罹災」,『中央史壇』第9卷 第3號, 國史講習會, 1924.
460 『大韓每日申報』1909년 11월 18일자.

영희전 훼철

영희전永禧殿은 원래 세조의 일녀 의숙공주懿淑公主의 사저로서 중종의 왕비 단경왕후端敬王后 신慎씨(中宗 제1왕비)가 폐위된 후 이곳에 은거하여 남별전南別殿이라 하였다. 광해조에 태조, 세조 양 대왕의 초상을 봉안하고 비로소 영희전永禧殿이라 하였다. 이후 원종, 숙종, 영조, 순조의 영정이 봉안되어 최종적으로 6실에 각 영정을 봉안하게 되었다. 영희전은 옛 죽동(현 중구 저동 영락교회 위치)으로 한 때 영락정永樂町의 지명을 가졌던 곳으로 '永'자도 이 영희전永禧殿의 永자에서 따온 것이다.[461]

1899년에 경모궁景慕宮에 있던 사도세자의 위패를 종묘로 옮기면서 경모궁은 그 기능을 잃게 되었다. 그래서 1899년 11월에 영희전은 전 경모궁으로 옮기기로 계획하고[462] 영희전永禧殿에 모신 여섯 성조聖朝의 어진御眞을 전 경모궁景慕宮에 이봉移奉하는 영건도감營建都監을 설치하고 1900년 봄부터 공사에 착수했다.[463]

1900년 봄에 영희전을 총독부병원의 후정 즉 총독부의원 뒤로 이건하였다.[464] 이건한 영희전이 들어선 자리는 원래 정조가 그의 부왕인 장조대왕莊祖大王: 思悼世子를 애도하기 위하야 건립한 사도묘思悼廟: 景慕宮이었다.

---

461 考古生,「京城이 가진 名所와 古蹟」,『별건곤』제23호, 1929년 9월

462 『獨立新聞』1899년 11월 14일자;『皇城新聞』1899년 11월 27일자.

463 『高宗實錄』39권, 1899년 11월 24일조;『獨立新聞』1899년 11월 28일자.

464 1910년 9월 2일 중앙의원으로 잠시 개칭되었으나, 같은 해 9월 30일 조선총독부의원으로 개칭되었고, 1928년 5월 28일에는 경성제국대학 의학부 부속의원으로 개편되었다.

빈 곳으로 남아 있는 구 영희전에는 의소묘懿昭廟와 문희묘文禧廟를 영희전 구기로 이건하도록 했다.[465]

이후 9년이 지난 1909년에 와서는 돈화문부터 통감부까지 도로를 넓히는 계획이 수립되자 훼철의 운명을 맞게 되었다. 도로 확장에는 구 영희전 기지가 포함되어 1909년 8월부터 구 영희전 담장을 헐기 시작하여 1909년 11월에는 완전히 훼철한 것으로 보인다.[466]

1910년 6월에는 영희전을 훼철한 이곳에 통감부 특허국을 건축하는 기공식이 행해지고[467] 나머지 관유지로 남아 있던 영희전 터는 1911년 12월에 공개 입찰에 붙여 일반에 대부하였다.[468]

전국 13도의 지방 구역을 개정하기 위하여 이미 조사위원을 선정하고, 내부에서는 이에 참고하기 위하여 각 군읍지를 일일이 송부하라 하였다.[469]

465 『高宗實錄』 1900년 5월 30일조.
466 毀墻作路. 敦化門前븟터 統監府♢지 道路를 廣大히 修築혼다 홈은 已報혼 바어니와 近聞혼 즉 該道路가 前永禧殿基址로 作路될 터이라는디 該殿墻垣의 一隅를 毀撤홀 計劃이라더라(『皇城新聞』 1909년 8월 3일자).
南部竹洞等地에 道路를 修築키 爲ㅎ야 前永禧殿大門과 東墻을 毀撤ㅎ엿다더라(『大韓每日申報』 1909년 11월 16일자).
敦化門으로붓터 統監府까지 道路를 修築ㅎ기 爲ㅎ야 前永禧殿을 毀撤ㅎ엿는디 度支部에서 該毀撤物을 引繼코져 內部로 照會ㅎ야 承認ㅎ엿다더라(『大韓每日申報』 1909년 11월 26일자).
467 『大韓每日申報』 1910년 6월 28일자; 『皇城新聞』 1910년 6월 28일자.
468 『每日申報』 1911년 12월 1일자.
469 『皇城新聞』 1909년 11월 28일자.

1909년 12월 17일

불상 도적 체포

일본인 도적이 동대문 밖 신흥사新興寺에 숨어들어가 불상 1좌를 절취해 갔다가 17일에 중부서에 체포되었다.[470]

1909년 12월 24일

남원 관제묘 제기 도난

1909년 12월 24일 도둑이 남원군 관제묘關帝廟에 숨어들어 향로, 향합, 촛대, 기타 제기를 훔쳐 달아났다.[471]

1909년 12월 25일

경기도 장단군 장서면 갈산 등지에서 고려무덤을 도굴하고 부장품을 파내간

---

470 『大韓每日申報』 1909년 12월 19일자 ; 『皇城新聞』 1909년 12월 19일자.
471 『大韓每日申報』 1910년 1월 20일자.

일인 도굴범 5명은 체포했다.[472]

1909년 12월

일본인이 장단군 등지에서 고려고분을 도굴하여 고려자기를 숨겨오다가 발각되어 헌병분견소에 잡혀갔다.[473]

《고려소전람회》

1909년 12월에 일본 교바시구京橋區 산주켄보리三十間掘 키츠네狐에서 이토 야사부로伊藤彌三郎와 니시무라 쇼타로西村庄太郎의 주최로 《고려소전람회》를 개최하였다. 고려분묘에서 도굴한 부장품을 진열하였는데 총계 900여 점으로 주로 고려자기였다.

주최자 伊藤彌三郎와 西村庄太郎
(이들은 1905년부터 수시로 한국에 들어와
고려자기를 대량으로 사들여 일본으로 반출하였다.)

오사카의 스미모토가住友家에서 나온 칠언절구이수화병七言絕句二首花瓶, 연화당초문진사화병, 매죽접조문화병梅竹蝶鳥紋花瓶은 최고로 쳤으며, 고토後藤 남작가의 당초

---

472 『大韓每日申報』 1909년 12월 28일자.
473 『皇城新聞』 1909년 12월 4일자.

목단운학문화병 및 상감청자국화문삼이향등象嵌靑磁菊花紋三耳香燈은 아주 정교한 것으로 칭송을 받았다. 그 외에도 다카하시 고레키요高橋是淸 남작, 스에마츠末松 자작, 다카하시 스데로쿠高橋捨六, 요시이 도모에吉井友兄, 마쓰가카松方 후작, 오카베岡部 자작, 쓰즈키都築 남작, 가토 마스오加藤增雄, 고토 가츠조後藤勝藏, 구로다 다쿠마黑田太久馬, 네즈 가이치로根津嘉一郎 등을 비롯한 상당수의 일본 수장가들이 출품하였다.[474]

이 중에 네즈 가이치로根津嘉一郎가 출품한 '청자정병'은 오늘날 일본 중요문화재로 지정되어 있으며, 이외에도 명품으로 알려진 상당수가 포함되어 있다.

청자연당초문정병(일본 중요문화재)
네즈根津미술관 소장

네즈 가이치로根津嘉一郎는 이때부터 고미술품을 수집하여 1940년에는 네즈미술관을 설립하였다. 그는 동양문화에 깊은 애정을 가지고 동양 3국의 미술품을 수집하였다. 특히 한국의 것으로 고려자기, 조선백자, 고려다완 등은 상당히 격이 높은 것만을 많이 수집하였다. 그가 동양고미술품을 수집한 동기에 대해 밝히기를,

일본이나 중국 미술품이 상당수 유럽과 미국으로 반출되고 있다는 사실이다. 일본인이 서양을 쫓고 있는 사이에 서구에서는 점점 동양미술에 관심을 높이고 있으니 이대로 가다가는 동양미

---

474 「高麗燒展覽會」, 『考古界』 第8編 7號, 1909년 12월.

술의 정수는 동양에서 모조리 떠나 버릴지도 모를 일이다. 그 범위를 확대할 필요를 인식하게 된 것이다. 즉 개인의 취미로만이 아니라 동양의 예술은 동양에 특이 일본에 보존해야 한다는 정신을 견지하게 되었다.[475]

라고 하고 있다. 네즈미술관에는 1306년에 제작한 고려불화 '아미타여래도', 일본 중요미술품으로 지정된 다완을 비롯한 상당수의 한국 고미술품이 소장되어 있다. 《고려소전람회》의 중요한 목록은 다음과 같다.

출품자	품목	비고
住友家	七言絶句花甁, 蓮花唐草模樣辰砂花甁, 梅竹蝶鳥模樣花甁	
後藤男爵	唐草模樣牡丹雲鶴花甁, 菊象嵌三耳香爐 외 7점	아주 정교한 것
高橋是淸男爵	長方形盒子 외 1점	
末松子爵	水注(이등공 遺愛) 외 2점	이토의 애장품
根津家	정병외 1점	
吉井友兄	砧靑磁水注 외 1점	희품
松方 侯爵	大杯, 酒注	
岡部(子爵)	唐草模樣酒杯 외 3점	
都築(男爵)	水甁	
加藤增雄	水注 외 4점	
後藤勝藏	(30품중)黑葉模樣水注, 瓢形曲乘杯	
黑田太久馬	白磁合香爐 외 5점	

475 韓國國際交流財團, 『海外所藏 韓國文化財』, 1995.

출품자	품목	비고
大倉家	청자거북형주전자 외 1점	
村井家	象嵌淨瓶 외 1점	
竹中家	4점	
高橋家	3점	
池田	표형주전자 외 1점	
泉 氏	3점	
市川家	정병 외 9점	
伊藤彌三郎	砂張麥花形骨壺, 大理石麥花形上箱, 銅經筒, 砂張大水盤	골동상
藤本義助	眞砂筆版 외 1점	
原六郎	雲鶴瓢形花瓶, 文字入大杯 외 3점	
村井吉兵衛	雲鶴大花瓶, 合子白粉入, 白磁杯	
近藤佐五郎	唐草浮模樣花瓶, 繪高麗花瓶 외 1점	재한국
白石益彦	雲鶴花瓶內花菊象嵌合子 외 3점	재한국
赤星佐七	白雲鶴合子 외 2점	재한국
鮎貝房之進	浦柳水禽模樣花瓶 외 3점	재한국
西村	石棺 및 墓誌(蓋 外部와 四方에 四神圖), 刷毛目, 雲鶴, 三島, 靑磁茶碗 등 21 점	한국과 일본을 왕래하는 골동상

1909년 《고려소전람회》에 대한 일부의 사진은 이토 야사부로伊藤彌三郎가 1910년에 발간한 『고려소高麗燒』에 게재되어 있다.

이 책자는 본문 20쪽, 전시도판 사진 등 42쪽 총 62쪽으로 이루어진 얇은 책자이다. 그 구성을 보면, 본문으로 고려소의 본장과 연대, 고려소의 가치, 고려소의 연대, 중국 고도기와 고려소, 고려소의 출소, 명기의 종류, 고려소의 종별, 고려소의 특소로 나누어 졌으며, 21쪽 이하는 전시도판을 실고 있다. '고려소의 출소' 조를 보면, 송도를 중심으로 10리 내외와 강화도에는 고려 귀인의 묘가 많아 정교한 청자가 많이 나오고, 평안, 함경 충청, 강원, 황해도 일부 해주, 전라 일부, 경상도 등에서도 나오고 있다고 기술하고 있다. 거기에 형태의 종류까지 기술하고 있어 1909년 이전에 이미 고려자기 도굴이 전국적으로 확산되었음을 확인해 주고 있다. 이는 당시 일본인들의 고려자기 수집 상황을 보여주는 좋은 자료라 할 수 있다.

『고려소高麗燒』 책자를 보면 일본에서 전시한 고려자기의 사진을 게재하고 있는 출품인은 30여 명이나 되며 그 서문에,

고려소高麗燒[476]는 옛날에 외국으로 건너간 것을 제외하면 한국 안에서는 단 한 점도 지상에서는 이것을 볼 수 없다. 모두 고분에서 굴출掘出된 것으로 한인韓人은 오늘날 이것을 고려자기高麗瓷器 또는 단순히 고기古器라고 하고 무덤에서 매장되었던 것이라 하여 명기冥器라고도 한다. <중략> 일본인들은 이를 일찍부터 좋아하여 도기陶器를 귀중시 했으며, 그 중 10중 8, 9는 고려소高麗燒이다.[477]

라고 하고 있다. 따라서 오늘날 세상에 나타나 있는 고려청자는 모두 무덤 속에서 나온 도굴품이라고 보아야 할 것이다.

1909년을 기점으로 고려자기 900점이 한 곳에 진열되었다는 것은 엄청난 것

---

476 鮎貝房之進의 「高麗の花」(『朝鮮及滿洲之研究』 第1輯, 朝鮮雜誌社, 1914, p.350)에 의하면, "일본인들이 '高麗燒'라 부르는 것은 고려조 456년간 한반도의 명소에서 제작된 도기를 總稱한 것이다"라 하다.
477 伊藤彌三郎, 『高麗燒』, 明治43년(1910) 2월.

으로, 이 900점이라는 것은 실제 이들 출품자들이 소장하고 있는 것 중에서 우수한 것만 선별하여 출품했을 것이다. 또한 이들 출품자들은 일본의 수집가들 중에서 극소수에 해당하는 귀족 내지는 유명인이다. 따라서 1909년을 기점으로 본다면 실제 일본에 건너간 고려자기는 몇 십 배가 넘을 것으로 보인다. 뿐만 아니라 이는 고려자기에 한한 것이고 고려자기 이외의 고분에서 함께 출토된 것을 합한다면 그 수는 가름하기 힘들다.

당시 한국에 재주한 외교관계자들에 의한 수집과 국제적 무역상들까지 등장하여 구미 등지에도 상당수 반출되었는데, 이미 그 명성이 자자할 정도였다. 한 예로 아오야기 쓰나타로青柳綱太郎의『조선문화사대전』을 보면, 다음과 같은 일화를 기록하고 있다.

오늘날 고려시대의 고려소高麗燒 : 高麗瓷器가 세계적 일품逸品으로 동서에서 독보적이다. 일소화─小話로 일찍이 후쿠모토 지쓰난福本日南이 구미 여행 중의 일로 독일의 한 귀족의 집을 방문하였는데 이 귀족은 비상非常히 도자기벽陶磁器癖을 가지고 있고 함께 또 뛰어난 감식안을 갖추고 있었다. 이에 후쿠모토는 어느 나라의 제품이 가장 뛰어난 것인가? 라고 물으니 그는 일언지하에 고려소高麗燒라고 답하였다고 한다.[478]

1928년 구미의 박물관 등을 돌아본 후지타 료사쿠藤田亮策는 다음과 같이 기술하고 있다.

---

478 青柳綱太郎,『朝鮮文化史大全』, 朝鮮美術史 條, 1924, p.1185.

『고려소』에 게재된 사진

경성에 공사관을 실치하게 되자 내사에 열중하기 쉬운 구미외교관 등은 그 본국에 조선의 특수산물을 보내고, 일청일로 양역兩役 당시에는 기행일기 등으로 신흥국의 풍토를 소개하고 넓이 조선의 토속품을 수집하는 인사도 속출하게 되었다. 명치38년(1905)경부터 점차 발굴된 고려조의 도자기, 금은품의 대부분이 이방인의 수중에 들어가는 것은 당시의 시세로 보아 면치 못할 사세事勢이었다. 그러나 이왕직박물관의 수집으로 인하여 반도 최귀의 보물의 일부분을 구하게 된 것은 조선민족과 함께 동경불감同慶不堪하는 바이다. 금일 구미 각 박물관에 진열된 조선의 고미술품의 대부분은 당시에 유출한 것이다.[479]

황실과 고관대작들이 이토에게 다투어 나라의 국보를 바치고, 날마다 한국 유물이 일본 등지로 반출되자, 『대한매일신보』 1909년 8월 1일자에는 다음과 같은 논설을 게재하고 있다.

---

479 藤田亮策, 「歐米博物館과 朝鮮(上)」, 『朝鮮』 164호, 朝鮮總督府, 1929년 1월, p.8.

나라 파는 놈을 꾸짖어 깨우다.

옛적 도화 서적과 옛적 기명 등 물은 전인의 손때가 묻어서 후인의 애국심을 발생케 하는 바라. 이럼으로 당나라 장수 이적이 평양을 함락하고 사기를 쌓은 고와 책 쌓은 다락을 불을 놓아 살라 고구려 사람의 애국심이 나지 못하도록 하였고 <중략> 이제 경향 각처를 볼진대 고물을 흥정하여 일인에게 파는 자를 이루 세일 수가 없도다. 일대 영웅이 난시를 당하여 적국과 분투하여 쓸어버리던 보검이며 평생 학자가 세월을 허비하여 진리를 궁구한 서책이며 기교한 생각에 제작한 옛 사람의 그림이며 아름답기 비할 곳 없는 옛적 기명器皿이 일환 이환 기십 전 삼십 전의 헐가로 날마다 신호, 대판으로 날라 가니 일시의 이익을 탐하여 국민조상의 고물을 외국 사람에게 다 내어주니 이것도 또한 나라를 파는 자이며…운운.

황실재산정리국 설치

1909년 12월 궁내부 관제를 개정하여 '황실재산정리국'을 두고 황실 소유의 동산과 부동산의 정리·유지·경영에 관한 일체의 사무를 관장하도록 하였다. 주로 일본인 관리로 하여금 사무에 착수하도록 하였다.[480]

---

480 서울특별시 시사편찬위원회, 『국역 경성부사』 제2권, 2013.

금강산 유점사 주승이 중종中鐘 1좌와 향로 1좌 및 앵무배 1쌍을 박물원에 헌납한 일에 대하여 궁내부에서 강원도 관찰사에게 발훈하고 특별히 상금 5백원을 지급하라했다.[481]

영일박람회(英日博覽會) 한국 출품물 수송

영일박람회는 영국과 일본이 연합하여 1910년 5월에 런던에서 개최하게 되는데 일본은 일본부日本部 중에 식민관殖民館을 설치하여 한국, 대만, 만주의 출산물을 진열하게 된다.[482] 영일박람회에 출품할 한국 출품물을 1909년 12월에 수송을 시작했다.[483]

영일박람회英日博覽會에 한국 출품은 한국모형, 한국인인형, 가옥, 화폐, 기타 고대도자기, 금속장식품, 갑주甲冑, 궁시弓矢, 금속기, 기타 식물 각종, 기타 경성, 인천 등의 사진, 각종 통계표 등으로 합계 249점이다.[484] 고대미술품은 한국 궁내부와 탁지부에 소장하고 있던 것이며,[485] 한국모형은 일본인 가마세 신페

---

481 『皇城新聞』1909년 12월 4일자.
　「東洋名勝 金剛山」, 『每日申報』1915년 5월 19일자에는 다음과 같은 기사가 있다.
　유점사 유물로는 賜牌簇子(花瓶), 彫金盒(香爐), 佛替珠絡 등의 보물도 있고, 眞珠方席, 鸚鵡盃 및 中鍾은 융희3년에 황실로부터 금 5백원을 하사하시고 국보로 상납케 하여 목하 경성박물관 내에 있다.
482 『大韓每日申報』1909년 6월 19일자.
483 『大韓每日申報』1909년 12월 9일자.
484 『大韓每日申報』1909년 11월 28일자.
485 『大韓每日申報』1909년 9월 15일자.

이釜瀬新平가 제작한 것이다.[486]

출품의 주된 내용은 한국의 모형, 천연 풍경 및 통감부 정치 전후의 변혁 등을 선전할 각종 사진 및 통계표를 출품 하였는데,[487] 한국에서 영일박람회에 출품하는 것은 일본식민지 자격으로 통감부 명의名義로 출품하였다.[488] 즉 일본 식민지 자격으로 출품을 했다는 것은 통감부에서 장래의 완전한 식민지화하기 위한 식민지 발전상으로 꾸며 선전에 활용하고자 한 것이다.

같은 해

와다 유지(和田雄治)가 반출한 대구 선화당 측우기

대구 선화당 측우기의 반출에 대한 언급은 와다 유지和田雄治의 기록에서 처음 등장한다. 와다는 『조선고대관측기록』에서 그가 목격한 영조 때 제작한 측우기를 3기를 기술하고 있는데, 즉 하나는 경성 경복궁 영추문 안의 관상소에

---

486 『大韓每日申報』 1909년 10월 16일자.
487 『大韓每日申報』 1909년 7월 3일자에는 다음과 같은 기사가 있다.
　韓國政府와 統監府에셔눈 來年五月에 倫敦에셔 開催ᄒ눈 英日博覽會에 如左히 出品ᄒ다눈대
　학부에셔눈 韓國人敎育表
　度支部에셔눈 壹은 第壹銀行통計表二눈 貿易表三은 關稅收入統計表四눈 韓日貿易表五눈 韓國財政表及國債現況
　農商工部에셔눈 水産鑛物農産林業等의 統計表와 氣溫濕度雨雪天氣等의 氣象表
　統監府에셔눈 壹은 韓日人及其他外人의 戶口表二눈 日人의 敎育表三은 在韓金融機關表四눈 統監府所屬各官署豫筭表와 在韓日人의 職員數及鐵道通信機關의 現狀說明書라더라.
488 『大韓每日申報』 1909년 10월 14일자.

있고, 하나는 함경남도 관찰도(함흥)에 있고, 하나는 경상북도 관찰사 박중양 군이 자신和田에게 선사한 것으로 원래 대구 선화당 앞뜰에 있던 것이라고 한다. 그리고 이것은 "현재 인천에 있는 관측소의 정원 내에 있다"고 하면서 당시 정원에 있는 측우기를 '<제1도 참조>'라 하고 사진을 제시하고 있다.

"세 개의 측우기에는 각기 대臺가 있는데, 특별히 대구의 것은 앞 뒤 양면에 '測雨臺'의 세 글자가 크게 조각되어 있고, 앞 쪽의 세 개 큰 글자 왼쪽에 '乾隆庚寅五月造'의 7개의 작은 글자가 음각되어 있는데, 사진판에 보이는 바와 같다. 건륭乾隆 경인庚寅은 영조英祖 46년이다" 라고 하고 있다.[489]

와다가 대구에 측우기가 있다는 사실을 어떻게 알았을까?

대구 선화당 측우대
(서울 보라매공원 옆 기상청 소재)

1905년부터 1918년까지 한국에서 관측소장으로 근무했던 와다는 전국 각지를 다니며 기상관측에 관한 연구는 물론 석기시대 유물에 관심이 많아 각지에서 이를 수집하여 발표하기도 했다.

가와이 아사오河井朝雄의 『대구물어大邱物語』에서 '석빙고' 조를 보면 다음과 같이 기술하고 있다.

동산(돌산) 아래 덕산정(덕산동)에 석빙고가 있었다. <중략>빙고는 높이

---

489 和田雄治, 『朝鮮古代觀測記錄調査報告』, 朝鮮總督府觀測所, 1917, p.4.

대구 선화당 측우대 후면

3칸, 가로 4칸, 길이가 10칸이 되고 모두가 석조였다. 1907년 성벽파괴와 함께 헐어버렸다. 그 때 후쿠나가 도쿠지로福永德次郎라는 사람이 이 석빙고의 파괴가 아쉬워 보존방법을 연구했으나 받아들여지지 않자 기념비만이라도 보존하자는 뜻에서 마침 인천관측소 소장 와다河井朝雄박사의 대구 방문 때 건의하였다. 와다 박사는 유물 보존의 취미가 있는 사람이어서 즉시 기념비를 대구측후소로 옮겼다. 당시 측후소는 본정1정목(서문로 1가)에 있었다. 현재의 측후소는 지금의 곳으로 신축 이전하였는데 그 때 기념비도 옮겨 현재까지 보존하고 있다.[490]

대구의 성벽은 1905년에 일본인에 의한 일부의 파괴가 있었으며, 1906년 11월에는 대구군수 겸 관찰사서리 박중양에 의해 파괴되고 1907년에 와서는 석재와 흙더미마저 완전히 제거하게 된다. 이 과정에서 대구의 석빙고도 함께 헐어버리고 석빙고비는 대구측후소로 옮기게 되었다. 가와이의 기술에서는 처음의 대구측후소는 본정1정목(서문로 1가)에 있었다고 하는데, 대구의 성벽이 파괴되면서 석빙고비는 본정1정목으로 옮겨졌다는 이야기다. 그 후 대구측후소

---

490 河井朝雄(손필헌 역),『大邱物語』(1931), 대구중구문화원, 1998.

는 1916년에 대구부 덕산정으로 이전하고,[491] 1937년 5월에 부외 수성면 신암동으로 옮겨 낙성식을 가진 점으로 보아[492] 대구측후소의 이전과 함께 석빙고비도 함께 옮겨졌을 것으로 보인다. 이 비는 현재 경북대학교에 소재한다.

1907년 2월 1일 한국정부는 칙령 제7호로 농상공부 측후소의 관제를 발표하고 인천 다음으로 경성, 평양, 대구 네 곳에 측후소를 두었다. 이즈음에 와다는 대구를 방문한 것으로 보인다.

『대구물어』의 '시가지 간선도로 개설' 조에서는

> 성벽파괴로 해체되거나 없어진 것으로 오늘 까지도 아쉬운 것이 있다. 그 것
> 은 앞서 말한 석빙고와 영남문 등이었다. 석빙고 부근에 있었던 측우대 등이
> 당시 어디로 옮겨졌는지 소재가 불명하다. 석조측우대는 우량을 측정하기
> 위한 통이 들어 있다. 1909년 와다 관측소장이 찍은 사진만 남아 있다.[493]

라고 하고 있다. 가와이 아사오河井朝雄의 기록에는 석빙고가 파괴되기 전에는 측우대가 석빙고 부근에 있었다고 기술하고 있다. 멀쩡히 선화당 뜰에 있어야 할 측우기가 어떻게 석빙고 근처로 옮겨지게 되었는가? 의문이 아닐 수가 없다.

1906년에 대구이사청이 설치되고 부이사관이 대구에 들어오자 박중양은 선화당宣化堂과 징청국澄淸國과 기타 대청大廳과 방옥房屋 등을 일본인들이 사용하

---

491 『朝鮮總督府官報』 1916년 1월 20일자.
492 『매일신보』 1937년 5월 17일자.
493 河井朝雄,(손필헌 역)『大邱物語』(1931), 대구중구문화원, 1998.

게 빌려 주었다. 그래서 선화당과 징청각과 각 관공 건물에는 일본관헌이 주접하였으며, 선화당은 일본재무관, 경찰보좌관, 우편관리가 주접할 때 청사를 개조하기도 했다.[494] 이즈음에 선화당 뜰에 있던 측우기도 잠시 석빙고로 옮겨졌을 가능성을 점쳐보기도 하지만 이는 희박하다. 선화당 등에 일본인들이 점거하는 시기와 성벽 파괴가 같은 시기에 행해지기 때문에 선화당 측우기가 석빙고로 옮겨진 것은 이보다 앞섰을 것으로 보인다.

그렇다면 와다와 박중양이 언제 만났을까? 황성신문 1909년 5월 22일자에는 다음과 같은 기사가 있다.

욕폐사립호欲廢私立乎

소네曾彌 부통감이 도일渡日할 時에 대구관찰사

박중양씨가 경주까지 전송하는데 해군該郡 공사

『대한매일신보』
1909년 5월 26일자 기사

---

494 『皇城新聞』 1906년 10월 24일자.
대구전설
대구에서 온 사람의 전하는 말을 들은즉 대구부는 본래 삼남에서 유명한 웅도거부로 관사가 웅걸하고 성곽이 견고하여 아한 가도 중 제일이라 부르더니 해군수 박중양씨가 관찰서리한 후로 성곽은 훼철하여 석재는 한덩어리(一塊)에 1냥씩 방매하고 公廨는 일체 중수하여 신식제로 개정하고 개화의 법을 依倣하여 公事堂은 1처에 設하고 <중략> 宣化堂과 澄淸閣과 각 公廨에는 일본관헌이 住接하였은즉 正任 관찰사가 내려와 住接視務할 처소가 난처하다더라(『皇城新聞』 1906년 11월 17일자).
大丘觀察府公報를 據호則 觀察使申泰休遞任後에 觀察使를 四五次任免에 尙無赴任호니 府務가 紊亂 뿐더러 警務顧問補佐官飯田章氏가 지부를 宣化堂一隅에 設施호더니 現今은 理事廳을 該堂一部에 設施호얏다더라(『大韓每日申報』 1906년 9월 4일자).
修費請撥 大邱觀察府宣化堂을 日本理事官이 修理權接호얏다가 澄淸閣으로 移住호얏 눈디 宣化堂修理費가 二千圓이라고 度支部에서 政府會議에 支撥홈을 請議호얏더라(『皇城新聞』 1906년 11월 15일).

립학교에 지휘하여 일제히 환영하니 부통감이 각 학교 중으로 금 일백환

을 기부하였는데 本(경주)군수는 이 돈을 균등히 분배하여 권장勸獎하기로

하는데 관찰사가 반대하야 왈 사립학교는 이제 다 없앨 터이니 쓸데없다

하고 자기의 임의로 해군 공립보통학교의 일인교사에게 몰수출급沒數出給

하니 일반 여론이 대단분개大段憤慨하여 <중략> 원성이 자자하다더라.

라는 기사가 보이고 있다. 『대한매일신보』 1909년 5월 26일자에도 소네가 포항을

가니 관찰사 박중양이 그 지방에 환영 준비를 하라는 훈령을 내린 기록이 보인다.

이에 앞서 1909년 4월 말경에 소네 부통감의 경주 순시가 있었다.[495] 당시 사

정으로는 이토 통감은 일본으로 귀국해 있었으며, 소네의 통감 내정설이 나도

는 상황이었다. 그의 순시는 경주 관람이 목적이 아니라 지방 행정 상태를 살

피고자 했던 것이었다. 따라서 최고 권력자의 경북지방 순시에 지방 관리가

환영하여 맞이하지 않는 일은 있을 수 없는 일이다. 특히 일본 관리에 아부하

기 좋아하는 박중양의 행실로 볼 때, 1909년 4월 말경에 경주를 순시한 대단위

---

495 副統監의 旅行記.

　　二十三日 元山理事廳에서 統監府에 來到훈 電報를 據훈 則 曾彌副統監은 二十四日
　　午后에 元山에서 出發하야 二十五日午后에 鬱陵島에 到着하고 同日同地를 出發ㅎ야
　　二十六日朝에 延日에 到着ㅎ야 同日 慶州에서 二日을 宿ㅎ고 二十八日午後에 延日에
　　셔 出帆ㅎ야 二十九日朝에 釜山에 歸着ㅎ고 來月一日午前六時에 釜山에서 出帆혼다
　　눈딩 此後에 旅程은 未定ㅎ얏다더라(『皇城新聞』 1909년 4월 25일).
　　副監旅程.
　　曾禰副統監의 一行은 二十六日 慶州에 到着ㅎ얏다더라(『皇城新聞』 1909년 4월 28일).
　　副統監慶州發.
　　曾彌副統監은 去三十日午前에 慶州를 出發ㅎ야 當日에 釜山으로 向ㅎ얏다더라(『皇城
　　新聞』 1909년 5월 1일).

의 소네 일행한테 최대의 편의를 제공하고 최대의 환영을 했을 것으로 보인다. 1909년 4월 말경의 소네의 경주 순시에는 와다가 그 일행 중에 끼어 있었다. 와다의 기록에는 일행으로 소네 부통감과 그 수행원, 그리고 와다와 그의 동료 히로타平田 학사, 야마모토山本 기수가 있었으며 헌병 순사 등이 호위를 하였다. 와다의 기록은 경주 첨성대에 대한 기술이 중점이며 당시 첨성대 앞에서 찍은 사진과 석굴암 앞에서 찍은 사진이 남아 있다.[496]

소네 일행이 경주에 머문 것은 4일 정도, 이는 당시 일정으로 볼 때 상당한 시간을 할애했다 할 수 있다. 이때 와다와 박중양이 만났을 것으로 보인다. 일본인에게 아부하기를 좋아하는 박중양과 와다의 대화에서 선화당 측우기가 화제가 되었을 것으로 좀 억지스럽지만 추정해 본다. 1909년 4월 이후 와다의 기술대로 박중양은 대구 선화당 측우기를 와다에게 선사한 것으로 추정된다.

1937년에 간행한 『경기지방의 명승사적』에는 "인천관측소 정전에 화강암제의 측우대가 있고 측우기는 실내에 보관"하고 있다고 전하고 있다.[497]

인천관측소에는 금영측우기와 대구에서 옮겨온 측우기가 있었으나 충청의 금영측우기는 1915년경에 와다에 의해 일본으로 반출되고, 1915년 이후에는 인천관측소에는 대구에서 옮겨온 것만 남아 있었다고 볼 수 있다. 측우대는 관측소 뜰에 있지만 측우기는 보호차원에서 실내로 가져와 보관을 했음을 짐작할 수 있다.

그렇다면 대구측우기의 행방불명은 그 이후가 될 것이며, 그 후의 단서가 현재로는 발견되지 않고 있다.

---

496 和田雄治, 『朝鮮古代觀測記錄調査報告』, 朝鮮總督府觀測所, 1917.
497 京畿道 編纂, 『京畿地方の名勝史蹟』, 朝鮮地方行政學會發行, 1937, p.216.

인천관측소에 남아 있던 대구 선화당 측우대測雨臺는 1950년 서울 국립기상대(현재 기상청)에 옮겨져 오늘에 이르고 있는데, 한국전쟁 때 총격으로 몇 군데 총탄 자리가 남아 있어 혹 한국전쟁 때 측우기가 분실된 것이 아닌가하고 추측하고 있지만 이에 대한 마땅한 자료가 보이지 않고 있다.[498]

교토대학에서 구입한『금석집첩』

박진완의「경도대학 부속도서관 소장『금석집첩』 자료 현황」에 의하면,『금석집첩金石集帖』은 조선 팔도에 산재했던 각지의 금석문을 수집하여 제첩製帖된 것이며, 수록 대상은 현판懸板, 상석床石 등 일부분의 금석을 제외하면, 주로 조선시대에 건립된 비명碑銘들의 탁본이다. 교토대학 부속도서관에 소장된『금석집첩金石集帖』은 속편續編 19첩을 합해 총 219첩이 갖추어져 있으며, 각 책에 수록된 탁본을 합하면 1,823점에 이른다고 한다.

박진완은 이 책의 경로에 대해『이문회지以文會誌』(44호) 메이지明治44년 11월의 기사를 들어, "『금석집첩』은 정조 때의 대제학 조인영趙寅永 등의 명을 받들어 수집한 조선 전국 금석문의 탁본으로서, 원본과 조성의 비본秘本 이외에, 조가趙家 소장본(일부분)이 있었다. 그 자손이 어떤 이유 때문에 매각하게 된 것을, 교토대학 문과대東洋史學敎室에서 구입하게 된 것이다. 다소 일실逸失된 것이 없지 않지만, 이 정도로 수집된 것은 한국에서도 아직 발견되지 못한 것이라고

---

498 사단법인 경북우리문화재찾기운동본부,『경북지역의 문화재 수난과 국외반출사』, 2015.

할 수 있다' 이 기사를 통해『금석집첩』이 메이지明治 44년 경도대학 동양사학과에서 구입한 것임을 알 수 있다"[499]하고 있다.[500]

박진완이 인용한『이문회지以文會誌』(44호) 메이지明治44년 11월의 기사로 본다면, 교토대학에서『금석집첩』을 구입한 시기가 1911년 明治44年에 해당하겠으나, 실제는 그 보다 앞선 것으로 보인다.『역사지리』제15권 2호(1910년 2월)에 게재된「동아의 역사지리학연구의 근상」에 의하면, 1909년의 일본 학계의 활동 소식을 전하면서, 교토대학에서는 어떤 경로를 통하여 입수되었는지는 밝히지 않고 조선의『금석집첩』구입했다는 기사가 보인다.[501] 따라서 구입 시기는 1909년으로 짐작된다.

삼화고려소(三和高麗燒) 도자기공장 건립

1909년에 도미타 기사쿠富田儀作는 고려자기를 재현하기 위해 진남포에 삼화고려소三和高麗燒라는 도자기 제조공장을 건설하였다.[502] 도미타는 고려자기를 재현하

---

499 박진완은 이 문구의 주석에서, "경도대 부속도서관 소장 카드 뒷면에는 '文科購入 5/11/42(昭和) 寺島庄八'이라고 적혀 있으므로『금석집첩』의 구입 시기가 1967년 11월 5일임을 밝히고 있다. 寺島庄八은 구입자로 생각된다. 구입 시기에 차이가 있어, 어느 것이 정확한지는 판정하기 어렵다. 1912년에 본서의 입수가 시작되어 1967년에 부속도 서관에 收藏 완료된 것으로도 생각할 수 있다"고 한다.

500 박진완,「京都大學 부속도서관 소장『金石集帖』자료 현황」,『일본소재 한국사 자료 조사보고 Ⅲ』, 국사편찬위원회, 2007.

501「東亞の歷史地理學硏究の近狀」,『歷史地理』제15권 2호, 歷史地理學會, 1910년 2월, p.88.

502 朝鮮新聞社 編纂,『朝鮮人事興信錄』, 朝鮮新聞社, 1922.

기 위해 힘쓴 결과 상당히 흡사한 고려청자를 제작했다. 다음과 같은 기사가 있다.

삼화고려소 호평

진남포 부전의작 씨의 경영하는 삼화고려소는 작년 11월 척식박람회에 출품한 이래 내지에서 호평을 전하여 각지의 수용需用이 현저히 증가함에 이른 고로써 금회 고려소 정화精畵한 기사 1인을 새로 고빙雇聘하였는데 공장을 확장한 후 대大히 제품 정교함을 꾀한다더라 (『매일신보』1913년 8월 1일자).

"부전의작이 삼화 고려소를 창시하여 정교한 제품을 보게 되었다"는 기사 (『매일신보』1925년 3월 6일자)

1929년에는 야마나시山梨 총독이 일본 천왕에게 선물한 물품 중에는 부전의 삼화고려소에서 제작한 1쌍의 신제조 고려자기 화병이 포함되었을 정도로 우수한 청자를 많이 제작했다.[503]

고려자기가 시중에 높은 가격으로 팔리자 위물이 나돌았는데 이때 도미타의 도자기 공장에서 만든 도자기가 간혹 위물로 등장하기도 하였다.

고유섭의 「만근輓近의 골동수집」이란 글에 위물과 관련한 다음과 같은 글이 있다.

어스럼한 저녁 때 농군 같이 생긴 자가 망태기에 무엇을 가지고 누구에게

---

503 『每日申報』1929년 1월 9일자.

토미타 기시쿠(富田儀作)

쫓기는 듯이 들어와 주인을 찾으면 누구나 묻지 않아도 고기를 도굴하여 파려온 자로 직감케 된다. 그 자가 주인을 찾아서 가장 감동한 태도로 신문지에 아무렇게나 꾸린 물건을 꺼내 보이니 갈데없이 고총에서 가지고 내온 듯이 진흙이 섞인 청자향로! 일견시 가치가 1천원은 될 것인데 부르는 값을 들어보니 불과 4, 5백원! 이미 욕심에 어두운 자라 관상을 하니까 그자가 꽤 어리석게 보이므로 절가하기를 5할 그자도 그럴듯하게 승강이를 하다가 못이기는 체하고 2, 3백 원에 팔고 달아나니 근자에 드문 횡재라고 혀를 차고 기뻐하던 것도 불과 하루 밤 사이! 밝은 날에 다시 닦고 보니 진남포 도미타富田공장의 산물과 복사품, 가슴은 쓰리고 아프나 세상에서는 이미 골동감정의 대가로 자타가 공인케 된 지 오래...운운.[504]

이러한 예로 볼 때 도미타의 도자기공장에서 만든 복제품이 상당히 근접한 신청자류를 만들어 내었던 것으로 보인다.

---

504 『동아일보』, 1936년 4월 16일자.

朝日修好條規

大日本國與

大朝鮮國素敦友誼歷有年所 今

欲重修舊好以固親睦彼此皆 宜

均權辦理大臣陸軍中將兼 參議開拓長官黑田淸

隆特命副全權辦理大臣議官 上苙議官 井上馨

華府朝鮮國政府簡列中樞府 事申櫶副總管尹滋

承各遵所奉論旨議立條欵慽 列于左

第一欵

朝鮮國自主之邦保有與日本 國平等之權嗣後兩

우리 문화재 수난일지

1910년

1910년 1월 19일

경복궁에 있던 의자 등 물품을 창덕궁으로 운반하다.[505]

1910년 1월 23일

어원사무국 주사 이봉증은 박물관에 출품건으로 경주 지방에 출장하여 고려 자기 75종을 구입하다.[506]

1910년 1월 24일

덕수궁 화재

1월 24일 오후 9시경에 덕수궁 구외 양식전洋式殿사무소(서양인 사무실) 2층 에서 출화하였으나 극력 소방한 결과로 약 40분 간에 진화하였는데 연소한 면 적은 7, 8칸에 불과하고 피해액은 3백원이라 하며 실화한 원인은 누상 난로에 서 천정에 불이 붙은 것이라 한다.[507]

---

505 『皇城新聞』 1910년 1월 20일자; 『大韓每日申報』 1910년 1월 25일자.
506 『皇城新聞』 1910년 1월 25일자.
507 『皇城新聞』 1910년 1월 25일자.

도굴꾼 처벌

경주읍에 재류_{在留}하면서 과자상을 하는 일본인 아키모토 신이치(秋本眞一, 30세)가 경주 북천면 산림 중에 있는 수십 기를 도굴했다. 도굴한 목걸이, 금쇄_{金鎖}, 장식용구, 토기 등을 자신의 집에 숨겨오다가 금쇄_{金鎖}는 부산으로 가져가 매각하였다가 발각되어 경북지방재판소로 압송, 1910년 1월 24일에 징역 1년 6개월의 선고를 받았다.[508]

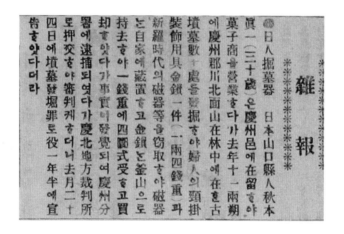

1910년 1월

육군대장 오쿠보 하루노_{大久保春野}는 한국에 주둔하는 동안 한국의 어느 농가에서 가보로 전해오는 갑옷 하나를 발견하였는데, 이 갑옷_鎧은 임진왜란 때 전

508 『皇城新聞』 1910년 2월 13일자.

사한 일본 장군의 갑옷을 전리품으로 보관해 오던 것이라고 한다. 오쿠보는 이 갑옷을 1910년 1월에 야스쿠니 신사에 기부를 했다.[509]

오쿠보 하루노大久保春野는 1909년 1월에 일본군사령관 하세가와 요시미치長谷川好道의 후임으로 조선에 건너와 1911년 9월까지 한국에 주둔하였다.[510]

1910년 2월 5일

불상 절도범 징역형

일본인 히야마 니키노스케檜山力之助는 동소문 밖 흥천사에서 불상을 절취한 사실이 발각되어 북부경찰서에 체포되었는데, 지방재판소에서 징역형에 처해졌다.[511]

1910년 2월 7일

학부에서 본년도에 사범학교 생도를 실지 견습하기 위해 농림모범장을 경복궁내에 설치하기 위해 2월 7일 학부에서 관리를 보내어 시찰케 하다.[512]

---

509 「太閤征韓時代の鎧」, 『歷史地理』 제15권 2호, 歷史地理學會, 1910년 2월, p.102.
510 「內地彙報」, 『大韓協會會報』 제10호, 1909년 1월; 『純宗實錄』 1909년 1월 19일 기사; 『純宗實錄』 1911년 9월 6일자 기사.
511 『皇城新聞』 1910년 2월 8일자.
512 『皇城新聞』 1910년 2월 8일자.

1910년 2월 8일

도적이 황해도 금천군 대성전大成殿에 잠입하여 향로, 향합 등 제기를 훔쳐
달아났다.[513]

1910년 2월 11일

전 탁지부 창고에 보관하였던 군도軍刀, 촉대燭臺, 화로火爐 등을 정동 탁지부
로 옮겼다.[514]

1910년 2월 17일

진열품구입공고

이왕가박물관에서 진열품 수집을 위해『황성신문』1910년 2월 18일자에 다
음과 같은 광고를 냈다.

---

513 『大韓每日申報』1910년 2월 13일자.
514 『皇城新聞』1910년 2월 13일자.

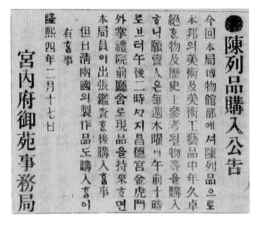

진열품구입공고

금회 본국박물부에서 진열품으로 본방의 미술 및 미술공예품 중 오래고 뛰어난 물건 및 역사상 참고가 될 만한 물품 등을 구입하니 팔고자 하는 사람은 매주 목요일오전 10시부터 오후 2시까지 창덕궁 금호문 외 장례원 앞 청사로 현품을 가지고 오면 본국원本局員이 출장감사 후 구입함.

단 일청 양국의 제작품도 구입함.

융희4년 2월 17일 궁내부어원사무국

1910년 2월 26일

1910년 2월《사학회례회》

사학회본회례회가 1910년 2월 26일 개최되었는데, 이때 도리이 류조鳥居龍藏가 1905년 만주 집안현 고구려 유적 조사에서 수집한 자료를 진열하였다.[515]

---

515 「彙報」,『史學雜誌』第21編 第3號, 史學會, 1910년 3월.

또 1909년 11월에 도쿄제국대학 교수 하기노 요
시유키萩野由之와 이마니시 류今西龍가 대동강면에서
1기의 전곽고분[516]에서 발굴한 거울鏡, 금동구(金銅
器: 食器), 동이배銅耳杯, 은팔지, 귀걸이, 도호陶壺 등
을 획득하여 일본으로 가져갔는데[517] 그 중 일부를
진열하였다. 이 유물들은 『조선고적도보』1권에 도판
67~79, 82로 '도쿄 문과대학장'으로 게재되어 있다.

하기노 요시유키(萩野由之)사진
(『역사지리』 5권 2호)

*진열품 목록

품목	출토지	반출일	반출자	소장처	비고
鳥居龍藏 수집 자료	만주일대	1905년	鳥居龍藏		1905년 만주 집안현 고구려유적 조사시에 수집한 것으로 추정
古瓦	대동강면의 고분	1909년	萩野由之, 今西龍	도쿄대 문학부	1909년 11월 발굴
古錢	대동강면의 고분	1909년	萩野由之, 今西龍	도쿄대 문학부	1909년 11월 발굴
古鏡	대동강면의 고분	1909년	萩野由之, 今西龍	도쿄대 문학부	1909년 11월 발굴
사신, 지도, 견취도	대동강면의 고분	1909년	萩野由之, 今西龍	도쿄대 문학부	1909년 11월 발굴
기타					

516 『考古界』第8編 第9號, '彙報', 1910년 1월.
517 이들 出土品은 東京帝國大學 文學部 所藏으로 돌아갔는데 애석하게도 1923년 關東大
　　地震때 소실되었다.

1910년 2월

『대한매일신보』
1910년 2월 23일자

민영소(閔泳韶)가 6만여 권의 장서를 일본인에게 매도하다.

　　『대한매일신보』1910년 2월 23일자에는 "민영소 씨는 구서적 6만여 권을 1천5백원에 일인 고쿠후 쇼타로國分象太郎에게 매도코져 하는 고로 비평이 유하다더라" 라는 기사가 있다.

　　이 기사만 보면 매도를 끝냈는지는 확실치 않다. 그러나 『매천야록』에는 "민영소閔泳韶가 일본인 고쿠후 쇼타로國分象太郎에게 장서 6만여 권을 매도하여, 책값 1,500원을 받았다"[518]라고 하고 있어 6만권이라는 엄청난 고서를 고쿠후 쇼타로國分象太郎에게 매도한 것이다.

　　고쿠후 쇼타로國分象太郎은 『(明治41年 7月 현재)통감부급소속관서직원록』에 의하면, 통감관방 비서실 서기관으로 재직하였으며,『조선총독부급소속관서직원록』에는 총독부 인사국장 및 중추원서기장관을 겸임한 것으로 나타나 있다.

　　민영소는 우의정을 지낸 민규호閔奎鎬의 아들로, 그 역시 1878년 문과에 급제한 이후 화려한 벼슬길을 거쳐 왔으며[519] 1910년 일제의 강점 이후 일본으로부

---

518 『梅泉野錄』 제6권, 隆熙4년 庚戌(1910).

519 閔泳韶(1852~1917)는 1878년 文科에 급제한 뒤 규장각대교, 홍문관정학겸설서, 호조참의, 좌부승지, 리조참의, 성균관대사성, 돈녕도정 등을 거쳐 1886년에는 예조참판, 이조참판 등을 지냈고, 1890년에는 이조판서 知春秋 典醫監提調 1891년에는 知敦寧 禮曹判書 義禁府知事 右參贊으로 崇政에 올라 左參贊 兵曹判書 弘文提學 등을 周流하다. 1893년에는 崇綠에 특승되고 다음해 工曹判書에 올랐다. 1895년 乙未事變 후에는 宮內部特進官, 經筵院侍講에 전임되었으나 사임하고 전후 3년간 집거하였던 바 이 때까지는 실로 그의 전성시대이었다. 1898년 관계에 다시 출사한 후 太醫院卿 奎章閣學士 量地衙門總裁官, 判敦寧, 學部大臣 宮內部大臣 農商工部大臣 中樞院議長 등을 역

터 자작의 작위를 받기도 하였다. 누대에 걸쳐
수많은 서적을 소장해 왔었던 것으로 추정되는
데 무슨 이유에서인지 이를 팔아버렸다.

『대한매일신보』1909년 12월 22일자에도
"전 보국輔國[520] 민영소 씨는 하등 긴용緊用이
있는지 재작일에 구서적 3천원 가치를 방매하
였다더라" 라는 기사가 보이고 있다. 이때 방
매된 일부가 고쿠후 쇼타로國分象太郎의 손에
들어간 것인지, 아니면 고쿠후의 손에 들어간
것은 그 이후 2차로 매도한 것인지는 알 수 없
으며 그 서목도 전혀 알려져 있지 않다.

민영소(1852~1917)

학부에서 본년도에 경복궁내에 채소원급과수원菜蔬園及果樹園 2개소를 설치할
예정인데 일본인으로 기술감독 2명과 촉탁 1명을 내정하다.[521]

임하였다가 1910년 韓日合倂時에는 子爵으로 朝鮮貴族에 열하였는데 宦路30여년에
영작은 거치지 아니함이 별로 없다.
(『朝鮮總督府官報』1917년 3월 19일자;『每日申報』1917년 3월 13일자)

520 『梅泉野錄』제6권 > 隆熙 3년 己酉(1909) '민보국대감 행차' 조에는 다음과 같은 이야기
가 있다.
內部에서, 서울에서 기르는 개들에게 모두 목걸이를 달게 하여 호주의 성명을 표기하
도록 하므로 大官들의 성명을 개의 복에 걸게 되었다.
이때 閔泳韶의 집에서 기른 개가 문밖으로 나가면 그 마을 입구에서 일하는 노동자들
이 일제히 소리를 지르며 "閔輔國大監이 행차하신다"고 하면서 서로 큰 소리로 웃었다.
521 『大韓每日申報』1910년 2월 16일자.

1910년 3월 1일

궁내부박물관에서는 고물을 매입하기 위하여 박물관 사무원 수명이 양주 등지에 출장하였다.[522]

1910년 3월 13일

서화 감상회

1910년 3월 11일 오전 10시부터 오후 4시까지 한일 내각대신, 기타 귀족들이 중심이 되어 양국 인사들이 소장하고 있는 서화 등 골동을 진열하여 감상회를 가졌다.[523] 하지만 널리 일반인들에게 공개된 것이 아니기 때문에 진정한 의미의 전시회로 보기는 어렵다.

장소는 우리나라에서 가장 오래된 은행점포의 하나인 남대문로의 광통관廣通館에서 열었다. 이곳은 세키노를 비롯한 인사들이 강연회장 등으로 사용하기도 한 곳이다.

『경남일보』1910년 3월 20일자의 '서화출품 종람기'란 제하의 기사에는 일부 목록이 나타나 있는데, 어필, 국초시 공주친필, 명재상의 초상, 안평대군 필 '금

---

522 『皇城新聞』1910년 1월 2일자.
523 『大韓每日申報』1910년 3월 11일자.

니불경' 및 타 친필, '육신사상유묵六臣四相遺墨', '역조명신간독歷朝名臣簡牘', 김홍도 화첩, 강표암 '매난분경梅蘭盆景', 신사임당의 '영모도', '포도도', 창강 조속의 '수조산조도', 삼국시대 고와, 신라시대 금불, 고려자기, 고동전, 그 외 중국 서화첩들이 출품 전시되었다고 하는데 구체적인 출품 수는 밝혀지지 않았다.

황현의『매천야록』에는 '경성박물관의 출품서화'라 하여 출품 서화목록이 나타나 있으나, 이는 신문에 게재된 목록을 옮겨 놓은 것이 아닌가 생각된다.

1910년 3월 19일

원유회 개최

궁내부에서는 박물관, 동물원, 식물원의 설비가 대략 완성됨으로 지난 19일 오후 2시에 대원유회를 열고 한일관민 약 1천여 명을 초청하였다.

『황성신문』
1910년 3월 20일자 기사

1910년 3월 25일

도쿄국립박물관에서는 청자과형수주靑磁瓜形水注 등 청자 4점을 구입했다.[524]

---

524 『東博圖版目錄』, 2007, 圖20, 80, 102, 116.

1910년 3월 26일

불용건물 매각 광고

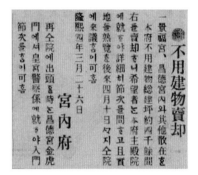

「황성신문」 1910년 3월 29일자 광고

"경복궁, 창덕궁 내와 기타 산재한 본부 불용 건물 총건평 약 4천여 칸을 매각하니 희망자는 본부주전원에 대하여 상세히 절차를 문의하고 실지를 열람한 후 4월 10일까지 전원에 와서 의논"하라는 내용을 담고 있다.[525]

외아문 철거

관립고등여학교가 재동의 외아문(外衙門 : 고종 19년(1882)에 설치되었던 統理交涉通商事務衙門의 다른 이름)으로 옮겨가게 됨에 따라 외아문을 3월 26일부터 훼철공사에 착수했다.[526]

---

525 『皇城新聞』 1910년 3월 29일자.
526 『皇城新聞』 1910년 3월 29일자.

1910년 3월 28일

안중근 사진 발매 금지

일본인 사진관에서 고 안중근 사진을 엽서에 촬영하여 다수 발매한다고 선전을 했는데, 3월 28일에 내부에서 치안에 방해가 된다고 발매금지하고 남부경찰서에서는 사진관 주인을 불러 주의를 주고 돌려보냈다.[527]

1910년 3월 29일

경복궁과 창덕궁의 불용건물을 매각하고, 수리한다는 핑계로 그나마 이곳에 일부 남아 있던 궁녀들마저 안동별궁으로 몰아내고 완전 공허화 시켰다.[528]

1910년 3월

일인 도적이 고물을 도적하기 위해 안문성공安文成公의 분묘를 파굴하고 해

---

527 『皇城新聞』1910년 3월 31일자.
528 景福宮修理. 경복궁은 頹落한 곳을 수리 보관할 계획으로 不遠間에 工役에 착수할 터인데 亥宮에 居接하는 女官들은 安洞 꿰宮으로 임시 移接하기로 하다더라(★韓每日申報, 1910년 3월 4일자).

골을 버리고 도주하였다.[529]

안중근 필적(筆跡)

안중근 의사는 여순감옥에서 여순 모에게 휘호를 선물했는데 그 내용은,

思君千里 望眼欲穿
以表寸誠 幸勿負情
庚戌 月於旅順獄中
大韓國人 安重根

으로, "그 필법筆法이 파교頗巧하여 서가書家의 풍風이 있으며 차此에 무명지無名指를 절단絕斷한 좌수左手를 압날押捺했다"고 한다.[530]

해인사 팔만대장경 인출 미수 사건

1910년 3월에 일본인 사토 로쿠세키左藤六石가 해인사 대장경을 몰래 인출하려다가 적발되었다. 사토 로쿠세키左藤六石는 해인사 주지와 공모하여 몰래 대장

---

529 『大韓每日申報』1910년 3월 30일자.
530 『皇城新聞』1910년 3월 4일자.

경판을 인출하기 위해 일본으로 반출하고자 하였으나, 일반 승려들이 이를 탐지하고 비상히 분격하자 그제야 통감부에서 경관을 보내어 이를 저지하였다.[531] 다음은 당시 관련 기사 내용이다.

대장경 출판하려고. 합천군 해인사 곳집에 대장경 원판 십오만 개가 있는데 이 판은 희귀한 물건이오. 국가의 당당한 보배라 인도와 지나와 일본 박학 고승들이 그 원판 있는 곳을 광구하던 바인데 해인사 주승이 일인 좌등륙석과 서로 의논하고 그 원판을 일본으로 운송하여 출판코자 함으로 당국에서 탐지하고 그 희귀한 물건이 혹 산란될까 염려하여 경관 수명이 급히 그 지방으로 향하여 갔다더라(『대한매일신보』 1910년 3월 29일자).

해인사에 소재한 팔만대장경판은 신라·고려이래로 전수傳守하던 아국고물我國古物이라 령이靈異한 유적遺跡이 유有하야 무지한 금조禽鳥도 장판각에 비도飛度치못한다는데 요마么麼한 좌등佐藤이란 자가 확거攫去하려 계획하다가 당국자의 금지를 당하였다지(『황성신문』 1910년 3월 31일자).

경북 해인사에 재하는 대장경의 원판 15만여 매를 근일에 발견되었는데 이는 희귀한 진품이다. 인도, 지나 및 일본 등 국의 석학 고승들이 이의 소재를 연구 불득하얏더니 금속에 해사該寺 창고에서 발견되얏는데 일인 좌등육석左藤六石이가 일본으로 이거移去하고자 한다 함으로 당국에서 여사如

---

531 『大韓每日申報』 1910년 3월 29일자, 1910년 4월 10일자 參照.

斯한 귀중품이 유실될까 염려하여 경관 수인을 급히 파견하여 압류케 하 얏다더라(『경남일보』 1910년 4월 2일자).

내부에서 경남관찰사에게 발훈發訓하되 합천군 해인사에 적치한 팔만대장 경판은 보중寶重한 물품인 즉 혹 간출刊出자가 있다던지 혹 타처로 운반하 는 자가 있거든 본부의 지칙指飭을 기다려 처리하라 하였다더라(『황성신 문』 1910년 4월 9일자).

대장경 조사하려고. 해인사에 있는 대장경을 보관할 차로 당국에서 관리 를 파견한다함은 이미 게재하였거니와 그 대장경 원판을 조사할 차로 장 례원의 박주빈씨가 궁내부 사무관 일인 촌상이가 재작일 상오 11시에 떠 나갔는데 겸하여 그 절에 부속한 전답까지 조사하고 한주일 후 돌아온다 더라(『대한매일신보』 1910년 4월 9일자).

내부에서 경남관찰사에게 훈령하되 합천 해인사에 적치한 팔만대장경은 소 중이 자별自別한즉 혹 간출하는 자가 있던지 혹 타처로 운반하는 경우이거든 본부의 지휘를 받아 처리하라 하였다더라(『대한매일신보』 1910년 4월 9일자).

돌연 일인 좌등이 이 판본을 새로 발견하였다함은 실로 무고한 말이라 < 중략> 지금 저 조그마한 좌등이가 이러한 큰 물건을 옮겨가려고 운동한다 는 말이 있음으로 여러 승려들이 비상히 분격하여 장차 보관 방법을 연구 하는 중이라더라(『황성신문』 1910년 4월 10일자).

합천 해인사 창고에 대장경 원판 十五만 매가 있는데 이것은 희귀한 진품이요 당당한 국보라. 인도 지나 일본의 석학 고승 등이 그 있는 바를 관구하던 바인데 해사 주승이 일인과 상의하여 일본으로 운송 출판코자함을 당국자가 탐지하고 이 진품 고물이 산란될까 염려하여 경관 수명이 동지로 급행 하였다더라(『신한국보』 1910년 4월 19일자).

내부에서 경상남도 관찰사에게 훈령하되 합천 해인사에 적치한 팔만대장경은 소중히 자별한 즉, 혹 간출하는 자가 있는지 혹 타처로 운반하는 경우이거든 본부의 지휘를 기다려 처리하라 하였다더라(『신한국보』 1910년 4월 26일자).

이 사건에서 당시 신문기사에서는 해인사대장경판이 마치 오랫동안 잊혔다가 1910년에 사토 로쿠세키左藤六石에 의해 발견된 것처럼 기술하고 있다. 하지만 해인사 대장경판에 관한 내용은 이미 1902년 한국의 고건축조사를 하기 위해 한국에 들어온 세키노 타다시關野貞에 의하여 해인사에 보존된 대장경판이 조사되어 세키노關野는 이 사실을 1904년에 『동경대학 공과대학 학술보고』 제6호의 「한국건축조사보고」에서 소개하고 있으며, 1907년에는 잡지 『종교계宗敎界』 제3권 6호에 「해인사대장경판海印寺大藏經板에 대하여」 라는 제하題下의 글을 발표하였다. 그리고 1910년 1월 『고고계考古界』 제8편 제10호의 '휘보란彙報欄' 에도 오노小野의 「고려가야해인사대장경판高麗伽倻海印寺大藏經板」 이란 논고의 기사가 보인다.

뿐만 아니라 사토 로쿠세키左藤六石에 앞서 1909년 9월에 일본인 가나오 지로金尾次郎가 해인사 대장경을 간행하고자 궁내부에 간청을 하여 승인을 얻은

적이 있다.[532]

그런데 그 때는 문제가 되지 않았던 것이 이번에는 큰 물의를 일으켰는가?

1909년 9월에는 정식 절차를 거쳤으나, 사토 로쿠세키左藤六石 해인사의 주지와 공모하여 당국의 허가도 없이 인출하려 했던 것이다. 게다가 일본으로 가져가 인출을 하려 했다하니 엄청난 음모가 아닐 수 없다.

이에 『황성신문』은 일반인과 승려들에게 각성覺醒을 촉구하는 다음과 같은 논설을 게재하였다,

<전략> 세계에 무등無等한 가치가 유有한 고물古物이오
... 보옥대궁寶玉大弓을 절취하는 대도大盜와 옥어玉魚 금완金碗을 발굴하는 난적亂賊이라도 이 경에 대해서는 감히 착수着手를 한 자가 무無하였으며 최근 역사에 풍덕옥탑豊德玉塔(경천사지탑)과 경주 옥적玉笛과 북관대첩비北關大捷碑는 이전移轉되었으되 호호胡乎 금일에 차경此經을 절거窃去코져 생의生意한 자 유有하야 아대한민족我大韓民族이 이에 대하야 하등何等 경악驚愕이며 하등何等 통한痛歎이리오. 최시일반最是一般 승려를 위하야 경종警鐘을 고하노니 금일 선종禪宗에서 여차기변如此奇變을 만난 것이 하何로 유有함인가 기고其故를 승려가 만일 이 경을 보존치 못하면 즉시 천층지옥千層地獄에 추락墜落하야 아비영겁阿鼻永劫에 초탈超脫이 무기無期할 죄악을 모면하지 못할지니 가불념재可不念哉며 가불분재可不奮哉아 차경此經을 보존하야 수천년 전래하는 선종의 수택手澤으로 하야 차此 조국산천의 반태盤泰의 안安을

532 『大韓每日申報』 1909년 9월 17일자; 『皇城新聞』 1909년 9월 17일자.

득得한 연후에 가可할지니 필야必也 조계선종의 심법心法으로 입세공덕入世 功德을 면려勉勵하야 팔만대장경의 광명이 만억무량겁萬億無量劫에 무양존재 無恙存在하기를 정축頂祝하노라(대한융희4년大韓隆熙4年(1910) 4월 1일자).

이 사건이 계기가 되어 해인사 대장경판에 대한 본격적인 조사가 시작되어 한국 궁내부사무관 무라카미 류키치村上龍佶, 궁내부대신 민병석閔丙奭, 동차관同次官 고미야 미호마츠小宮三保松에 의해 조사되어 1910년 5월 12일자로『조선 해인사경판고朝鮮 海印寺經板攷』란 제하題下의 보고서가 제출되었다. 이 당시에는 해인사 대장경판의 일부가 서울로 옮겨져 조사되었던 바, 이는 궁내부 사무관 무라카미 류키치村上龍佶가 경판을 운반하였다.[533] 또 무라카미는 1910년 4월 17일부터 해인사에서 체재滯在하면서 보고서를 작성, 「대장경판조조년대표大藏經板雕造年代考」와 목록을 기록하고 경판인출經板印出에 관한 의견을 술述하였다.[534]

밀양군 남림 상하평에 있는 한인 분묘를 일인 유아사湯淺, 반베이凡平 등이 식목을 한다고 무참히 파괴 했는데,[535] 『신한국보』 1910년 4월 12일자에는 다음과 같은 기사를 싣고 있다.

밀양군 남립 상하평에 있는 한인의 분묘를 일노 창천 등이 굴파하고 식목을 한다는데 자세히 조사한 즉, 굴총한 수효가 89총 중에 해골을 영실한

533 慶南日報, 1910년 4월 26일자.
534 漆山雅喜,『朝鮮巡遊雜記』, 1931, p.337; 池内宏, 「高麗朝の大藏經」(上),『東洋學報』第13卷 3號, 1923년 8월, p.326.
535 『大韓每日申報』 1910년 3월 25일자.

총주가 5명에 총수가 아홉이요 그 나마는 평태를 만나 분상을 영실하였다 하며 근일까지도 각기 총주제인이 남림 등지에 취집하여 호곡의 소리가 도로에 그치지 않는다 하니 저 불공대천의 말로는 다시 더 의논할 것이 없거니와 동포, 동포여 궐기할지어다.

고물 수요자가 늘어나고 고물상의 수가 자연 증가하게 되자 판로의 확장과 통일성을 기하기 위하여 고물상중개조합이 결성되게 된다. 언제부터 고물상중개조합이 조직되었는지 명확하지 않으나, 『황성신문』 1910년 3월 22일자에, "고물상중개조합. 전 군수 조모는 일본인 모모와 합자하여 아국에 전래하는 고물중개조합소를 발기 조직하기로 주선중이라더라" 라는 기사가 보이고 있다.

1910년 4월 11일

의병 7명이 11일 오전 9시경에 경기도 장단군 송서면 경릉리에서 도굴을 하고 있는 일본인 우다 카이치宇田嘉市 외 2명을 습격하여 부상을 입혔다.[536]

---

[536] 1910년 4월에 경기경찰부장이 경무국장에게 보낸 '暴徒來襲의 件.'(『統監府文書 6』(國史編纂委員會, 1999)의 「한국독립운동사 자료」)

1910년 4월 16일

일본인이 개최하는 기차박람회가 1910년 4월 16일 남대문역에서 발회식을 가졌다.[537]

1910년 4월 15일

우이동 도선암의 승려 문 모가 4월 15일에 동소문 밖 화계사에 침입하여 불상 2좌를 훔친 행적이 탄로나 경찰서에 체포되었다.[538]

1910년 4월 18일

경상남도관찰사는 부윤, 군수에게 다음과 같은 훈령을 보냈다.

구사사舊社寺의 고적 기타 고물을 조사하기 위해 어원사무국 박물관부장 스에마츠 구마히코末松熊彦와 국원 등이 출장할 것이니 편의를 주고 고래 보물古來寶物을 가지고 있는 인민이 있거든 군청으로 가지고 와서 유래역 사由來歷史를 상세 설명하게 하며 탁이卓異의 물건이 있으면 상당의 시가로

---

537 『大韓每日申報』1910년 4월 17일자.
538 『皇城新聞』1910년 4월 24일자.

구매할 수도 있으니 이를 인민에게 알릴 것[539]

1910년 4월 23일

향교재산관리규정(鄕校財産管理規程) 공포

각 지방의 향교에 대하여 1910년 4월 23일에 학부령學部令 제2호로 '향교재산관리규정鄕校財産管理規程'을 제정하여 공포하였다.[540]

그 규정은 모두 8조로 이루어 졌는데, 제1조에서는 향교의 재산은 관찰사의 지휘 감독을 받아 부윤, 군수가 관리케 함으로서 향교 자치적 관리를 구속하고, 제2조에서 향교의 재산은 방매放賣 양도讓渡할 수 없게 하였으며, 제5조에서 향교재산원부鄕校財産原簿를 작성하여 제출케 하여 향교에 속한 문화재를 포함한 모든 재산에 대한 구속을 하였다. 따라서 토지조사와 함께 행하여진 일련의 서원에 대한 경제적 지원의 차단과 향교관리규정은 조선의 정신적 주축으로 존속되어온 유림에 대한 무력화와 유림에 속해 있는 문화재를 일제의 관리管理 하에 둠을 뜻한다.

---

539 慶尙南道觀察使 黃鍈이 府尹, 郡守에게 보낸 訓令 제58호(국사편찬위원회 한국사데이터베이스).
540 朝鮮總督府 官報, 隆熙4년 4월 28일(朴志泰, 『大韓帝國期政策史資料集』, 韓國人文科學院, 1999).
    그 규정은 모두 8조로 이루어 졌는데, 제1조에서는 향교의 재산은 관찰사의 지휘 감독을 받아 부윤, 군수가 관리케 함으로서 향교 자치적 관리를 구속하고, 제2조에서 향교의 재산은 방매(放賣) 양도(讓渡)할 수 없게 하였으며, 제5조에서 향교재산원부(鄕校財産原簿)를 작성하여 제출케 하여 향교에 속한 문화재를 포함한 모든 재산에 대한 구속을 하였다.

1910년 4월 26일

1910년 4월 26일 에 '향교 직원은 향교와 지방문묘의 사무에 관하여 지방관의 지휘 감독을 받는 건'을 학부훈령學部訓令 제2호로 제정하여[541] 유림에 대한 행동 규제 및 탄압을 가했다.

1910년 4월 27일

4월 27일 오전 3시경에 경기도 개성군 북동면에 있는 대흥사大興寺에서 불공하는 향화香火에서 실화하여 법당 및 기타 부속건물 3체는 소신하고 2체는 반소하고 법당에 안치하였던 불체佛體는 전부 소실했다.[542]

1910년 4월

내각에서 서기관 1명을 봉화 태백산사고에 파견하여 조사케 하고, 내부에서는 관할경찰서에 통보하여 각별히 보호하라 했다.[543]

---

541 朝鮮總督府 官報, 隆熙4년 4월 28일(朴志泰, 『大韓帝國期政策史資料集』, 韓國人文科學院, 1999).
542 『大韓每日申報』, 1910년 5월 6일자; 『皇城新聞』 1910년 5월 6일자
543 『皇城新聞』 1910년 4월 14일자.

경복궁 내 원랑(院廊) 방매

경복궁 내의 원랑을 훼철하기 위해 석재 등을 매 칸 5원에 방매를 했는데, 일본인들이 대부분 낙찰했다.[544]

일본인 관리에게 탈취 당한 경북 울진군의 망양정(望洋亭)
숙종대왕의 어제시(御製詩) 현판

망양정은 고려시대에 처음 울진군 기성면 망양리 해안가에 건립되었다고 하는데, 조선시대에 들어와서도 수차의 파손과 중수를 반복해 왔다. 1471년에는 평해군수 채신보蔡申保가 현종산縣鍾山 남쪽 기슭으로 이건했다고 한다. 이건한 후의 채수蔡壽(1449~1515)의 망양정기望洋亭記가 『신증동국여지승람』에 실려 있는데 다음과 같다.

이 정자는 여덟 기둥으로 둘렀는데 기와는 옛 것을 쓰고, 재목도 새로운 것을 쓰지 않았다. 웅장하지도 화려하지도 못하였지만 풍경 물색의 기이함을 이루 말 할 수가 없다. <중략>
관동지방의 누대를 백으로 헤아리지만 이 정자가 으뜸이 되는 것으로서, 하늘도 감추지 못하고 땅도 숨기지 못하여 모습을 드러내어 바쳐서 사람에게 기쁨을 줌이 많음이 어찌 이 고을의 다행이 아니겠는가. 이것을 적어

---

544 『皇城新聞』 1910년 4월 5일자; 『大韓每日申報』 1910년 4월 13일자.

서 후세에 전하지 않을 수 없는 일이다.

   이건한 후의 모습이 "화려하지 않았다"는 것을 보면 기와와 재목을 그대로 옮겨 사용하여 고풍스러운 모습을 그대로 재현했던 것으로 보인다.

   망양정은 관동팔경 의 하나로 풍광이 워낙 빼어나 임금을 비롯하여 많은 문사들이 시를 짓고 그림으로 남기기도 했다.

   겸재의 명승첩에 나타난 기성면 망양리 현종산 기슭에 있던 망양정은 철종11년(1860)에 지금의 위치(경북 울진군 근남면 산포리)로 이건하였다. 이후 세월이 지나는 동안 정확한 시기는 알 수 없으나 망양정은 허물어져 폐허가 된 채 방치되었다.

   또 망양정에 걸어두었던 많은 시문, 기문 등은 흩어지거나 일부는 울산군 객사에 보관해 두었던 것으로 추정된다. 그 중에서도 망해정에 걸어두었던 숙종대왕의 어제시御製詩[545]도 이 정자가 훼철 후로 현판은 울진군 객사에 봉안해 두었다.

겸재 망양정 《관동명승첩(關東名勝帖)》

---

545 列壑重重逶迤開 / 驚濤巨浪接天來/如將此海變成酒 / 奚但只傾三百盃(國史編纂委員
    會 編纂, 『輿地圖書』上).

그런데 원산재무감독국 국원 스토 마키오須藤正夫가 재무시찰을 위해 이 군에 왔다가 기념한다고 하면서 숙종어제 현판을 가져가 버렸다. 이에 관해 다음과 같은 기사가 있다.

『황성신문』 1910년 4월 19일자

어제시판 취거

울진군 망양정에 우리 숙종대왕 어제시(列壑重重透迤開, 驚濤巨浪接天來, 如將此海變成酒, 奚但祗傾二百盃)현판을 게揭하였더니 이 정자가 훼철 후로 현판은 본군 관사에 봉안한 지라 원산재무감독국원 수등정부須藤正夫가 재무시찰차로 이 군에 왔다가 기념紀念한다고 말하고 그 현판을 취거取去하였다더라(『황성신문』 1910년 4월 19일자).

울진군 망양정에 현판 글은 숙종대왕의 어제하신 바인데 그 정자를 훼철한 후 그 현판을 그 고을 객사에 두었더니 원산 재무감독국 임원 일인 수등정부須藤正夫가 재무 시찰차로 왔다가 그 현판을 구경하고 가져갔다더라(『대한매일신보』 1910년 4월 19일자).

울진군 망양정 현판은 숙종대왕이 친히 만든 것인데 그 고을 객사에 두었더니 원산 재무감독국에 있는 일인 수등정부가 재무 시찰차로 울진에 왔다가 그 현판을 보고 욕심이 나서 필경 가져갔다더라(『신한민보』 1910년 5월 18일자).

울진 망양정에 숙종의 어필御筆이 있었으나 일본인 수등정부須藤正夫가 가져갔다(『매천야록』).

스토 마키오須藤正夫는 관보(1909년 9월 15일)에 의하면 재무총독국 주사로 나타나 있으며, 이후 지방서기로 근무한 것으로 나타나 있다. 당시의 사정이 경술국치 이전이긴 하지만 이미 실권은 일본인 관리들이 장악하고 있었던 만큼, 객사에 보관해 두었던 숙종대왕의 어제시 현판을 스토 마키오는 별 제지도 받지 않고 탈취해 간 것이다.

새로 제작한 숙종대왕의 어제시 현판

허물어져 주춧돌만 남은 망양정은 해방 이후 1958년에 중건하였으나, 다시 심하게 낡아 2005년에 완전 해체하고 새로 지었다고 하는데 고풍스러운 옛 모습은 찾기가 어렵다.

개성군 성벽을 훼철하여 인마의 왕래에 편리하게 할 안건을 개성군수가 도

관찰사에 제출하고 도에서는 내부에 보고했다.[546]

도암 이재의 초상과 그 후손 초상의 수난

　남양주 덕소에 사는 도암陶菴[547]의 후손 이천구는 도암陶菴의 영정과 도암의 후손의 영정을 절취하여 가까운 사람을 시켜 기십 원에 팔게 했다. 이 사실이 발각되어 문중에서 각 전당포를 수색하여 도암의 후손의 영정을 찾고, 이천구의 동생 집에서 도암의 영정을 찾았다.[548] 당시 신문에는 다음과 같은 비난의 글이 있다.

　도암 자손은 극초克肖한 자도 다유多有한게야 이천구李天九란 자는 도암의
　부자영정을 기십환에 매식하였다지 매국賣國하는 자손도 있는데 매조賣祖
　하는 자손인들 없을라고(『황성신문』 1910년 4월 21일자).

　이왕에는 사대부가 자손들이 조선祖先을 팔아 관직을 취하더니 근일에는
　조선의 구목邱木도 팔고 영정도 팔고 문집도 팔고 호구糊口를 자資하니 아

---

546 『皇城新聞』 1910년 4월 16일자.
547 이재(李縡, 1680~1746)는 조선의 문신. 본관은 우봉(牛峰). 자는 희경(熙卿). 호는 도암
　　(陶庵). 1702년 알성문과(謁聖文科)에 병과(丙科)로 급제하였다. 조선 숙종, 경종, 영조
　　때의 학자로 참판과 도승지를 지냈으며 18세기 사상 논쟁인 호락논쟁(湖洛論爭) 중 인
　　물성동론(人物性同論)을 주장한 낙론(洛論)의 대표적 학자이다. 저서로는 『도암집(陶
　　庵集)』, 『어류초절(語類抄節)』, 『검신록(檢身錄)』, 『사례편람(四禮便覽)』 등이 전한다.
548 『皇城新聞』 1910년 4월 21일자, 4월 23일자; 『大韓每日申報』 1910년 5월 1일자; 『梅泉野
　　錄』 제6권.

국 양반의 조선祖先은 가위 화수분이러구(『황성신문』 1910년 4월 22일자).

현재 국립중앙박물관에는 전傳 이
재李縡(1680~1746) 초상과 그의 손자
이채李采(1745~1820)의 초상(보물 제
1483호)이 소장되어 있다. 그 소장 유
래가 명확하지 않으나 도암 선생의
후손가에서 출래한 것으로 보인다.

전 이재초상과 그의 손자 이채의 초상

1910년 5월 7일

불상도거

지난 7일밤에 북부 창의문 밖 북한산 문수암에 강도 수명이 돌입하여 불상 1
좌 및 기타 물품을 절취해 달아났다.[549]

---

549 『皇城新聞』 1910년 5월 12일자.

1910년 5월 9일

경복궁 궁사(宮舍), 원랑(院廊) 등 4천여 칸을 매각하다.

경복궁景福宮은 조선의 정궁正宮으로 태조太祖3년(1394) 10월에 한양에 도읍을 옮겨 왕궁을 창건하기 시작하였다. 먼저 종묘宗廟를 세우고 다음에 궁궐을 지었다.

궁성宮城의 둘레는 1천8백13보步로 4개의 문을 세웠는데 남은 광화光化라 하고 정문正門이다. 북은 신무神武라 하며, 동은 건춘建春이라 하고, 서를 영추迎秋라 하였다. 태조4년에는 사당에 제사를 올리고 왕은 신하들과 궁전에서 잔치를 베풀었다. 술잔이 세 번 돌자 임금이 정도전鄭道傳에게 명하여 "빨리 궁전의 이름을 지어 나라와 함께 끝없이 그 경사를 같이 하게 하라" 하였다. 이에 정도전은 "이미 술에 취하고 덕에 배불렀으니 군자 만년에 큰 경복景福일러라" 라는 시경詩經의 글을 빌어, "청컨대 새궁의 이름을 경복景福이라 하소서" 함에 따라 경복궁景福宮으로 궁명宮名을 정하였다. 임금이 조하朝賀를 받는 정전正殿은 근정전勤政殿이라 하고 남쪽은 근정문勤政門이고 그 남쪽에는 홍례문弘禮門이며, 동쪽은 일화문日華門이고, 서는 월화문月華門이다.

태조5년에는 8성문城門을 세웠는데 정남은 숭례崇禮, 정북은 숙청肅淸, 정동은 흥인興仁, 정서는 돈의敦義, 동북은 혜화惠化, 서북은 창의彰義, 동남은 광희光熙, 서남은 소덕昭德이라 하였다.[550]

---

550 參考 : 『新增東國輿地勝覽』.

경복궁은 태조 이후 조선 정궁으로서 그 위엄을 지녀 오다가 선조25년(1592) 4월에 왜군에 의해 전소全燒되어 경회루慶會樓 대석주大石柱만 남고 잡초에 덮여 250여 년 간 빈터로 내려오다가 고종2년(1865) 4월에 중건이 시작되어 고종5년에 이르러 다시 그 위엄을 갖추게 되었다. 부대적인 시설은 1872년까지 이어져 이때 이루어진 궁궐은 건물 총 칸수間數 7,481칸間 단독건물 150여 채에 이르는 방대한 규모였다.

고종32년(1895) 10월 8일 경복궁에 난입한 일본 낭인들이 명성황후를 시해하고 시신을 불태운 만행에 이어 일제가 친일내각을 구성하여 노골적으로 고종을 협박하자 고종은 1896년 2월에 경복궁을 떠나 정동에 있는 러시아 공사관으로 몸을 피하였다. 이후 고종은 경복궁으로 들어가시 못하고 경운궁慶運宮으로 처소를 옮기게 되자 경복궁은 중건된 지 30여 년 만에 빈궁으로 남게 되어, 1902년 세키노 타다시關野貞가 찍은 사진에 나타난 근정전 내정內庭은 온통 잡초로 덮여 있다.

궁내부에서는 1910년 3월에 경복궁의 중요 건물을 제외한 궁궐의 궁사宮舍, 원랑院廊을 헐어내고 그 자리에다 공원을 설치하고 묘목경작지로도 활용하겠다는 계획을 세웠다.[551] 내각에서는 소네 통감의 아들 소네 유오曾彌尤男가 건춘문 일대의 수천 평에 농업모범장을 만들겠다고 요청해 옴에 따라 이를 수락하고 소네 유오曾彌尤男에게 대여하여 이 일을 하게 하였다.[552] 이러한 계획은 궁

---

[551] 撤廊設園. 景福宮廊廡를 一切毀撤하고 各種樹木을 種植하고 動物園을 設眞ㅎ기로 宮內府에서 計劃中이라더라(『皇城新聞』 1910년 3월 5일자).
景福宮을 修理한다함은 已報어니와 該宮內廊廡를 毀撤하고 將次植木할터이라더라(『大韓每日申報』 1910년 3월 5일자).
[552] 內閣에서 曾彌統監의 子曾彌尤男의 請求를 依하여 景福宮 內 建春門 基址 幾千坪을 貸與하엿다는데 尤男은 該地에 苗木등을 種植中이라더라(『大韓每日申報』 1910년 3월 17일자).
曾彌統監의 子曾彌尤男이 景福宮內에 種苗場을 設置한다함은 已報어니와 更히 詳聞

내부의 경복궁 공원화 계획이 앞서고, 뒤이어 소네 유오의 요청에 따른 것인지 아니면 그 순서가 바뀐 것인지는 알 수 없으나 조선의 정궁을 철저하게 파괴하려는 일제의 수순이라 할 수 있다.

경복궁 훼철 작업은 소네 유오의 주도하에 일사천리로 진행되어 경복궁 안에 있는 女官 백수십명은 덕수궁과 안동별궁으로 이사시키고,[553] 궁내부에서는 3월 26일부로 '불용건물'을 매각한다는 공고를 하고『황성신문』에 "경복궁, 창덕궁 내와 기타 산재한 본부 불용 건물 총건평 약 4천여 칸을 매각하니 희망자는 본부주전원에 대하여 상세히 절차를 문의하고 실지를 열람한 후 4월 10일까지 전원에 와서 의논" 하라는 광고를 내기도 했다.[554]

공고한대로 건물 입찰일인 1910년 5월 9일과 10일에 경복궁의 건물 4천여 칸을 훼철하여 방매를 했다.『대한매일신보』1910년 5월 15일자에는 다음과 같은 기사가 있다.

전국민력을 다하여 건축하고 몇 십 년래로 존엄지지로 중히 여기던 경복궁

한즉 該事務를 擴張할 뿐 아니라 殿閣幾座만 存置하고 各院廊은 壹幷毀撤하여 農業模範場을 設立하기로 決定하였다더라(『大韓每日申報』 1910년 3월 19일자).

北闕內의 農業場 曾禰統監의 子曾禰尤男이가 景福宮內空垈에 苗木을 種植혼다홈은 已報하얏거니와 更聞혼즉 該宮內의 殿閣幾座만 仍實하고 院廊은 毀撤하야 農業模範場을 設實혼다더라(『皇城新聞』 1910년 3월 19일자).

曾彌允勇의 景福宮 行閣 毀撤. 曾彌允勇은 曾彌荒助의 아들이다. 그는 景福宮 행각을 헐어 種苗場으로 사용하였다(『梅泉野錄』).

553 『大韓每日申報』 1910년 3월 30일자.

554 『大韓每日申報』 1910년 4월 7일자에는 "北闕內를 도라드니 帝王舊基이 아닌가 秩秩翼翼더 院廊은 半千餘年 王業地에 紀念物이되엿눈디 前사룸의 남은 手澤 一朝毀撤 단말가 一抹斜陽비겨셔셔 北岳山을 바라보니 赫赫不昧더 山靈도 冥冥中에 怒ᄒᆞᆫ듯" 라는 기사를 싣고 있다.

이 을미년 이후로 참혹이 됨은 모두 아는 바이거니와 궁
내부에서는 그 궁전 4천여 칸을 방매 훼철하고 큰 공원
을 건축할 차로 본월 9일과 10일에 경매하였는데 원매
자가 한일인 중에 80여 명이 되었으나 그 중 10여 명에게
방매하기로 허락하고 가격은 매 칸에 15환으로부터 27
환까지요 그 중 3분의 1은 북정청삼랑이가 사기로 계약
하였는데 북정청삼랑은 척식회사 총재 우좌천의 첩의
족속이라 혹시 우좌천이 그 자를 시켜 산듯하다더라.

원랑을 훼철하여 매 칸
5원씩 방매한다는 기사
(『대한매일신보』
1910년 4월 5일자)

당시 낙찰된 궁궐 건물은 어디로 이건되었는지 알 길이 없으나 경매에 참석
한 자들은 대부분 일본인들이었으며,[555] 경매에 나온 건물의 3분의 1은 기타

『대한매일신보』 1910년 5월 15일자(국한문판)

---

555 『梅泉野錄』 제6권 1910년 조에는 "景福宮 屋舍折賣. 경복궁을 헐어 매도하였다. 경복
  궁은 모두 4천여 칸으로 每間의 정가는 15원에서 27원이었다. 이때 한국인과 일본인의
  願買者는 80여 명이었으며 3분의 1은 일본인 北井靑三郎에게 매도하기 위해 계약서를
  작성하였다. 그곳에 장차 大公園을 조성하기 위한 것이다" 라고 기록하고 있다.

이 교사후로北井清三郎가 다시 이윤을 붙여 되판 것으로 보인다. 『대한매일신보』 1910년 5일자에, "한성부윤 장헌식 씨는 경복궁 안 진전의 석재와 목재를 사서 한성구락원 들어가는 동구에 집을 건축하는데 현임관리로 막중한 궁궐재목을 사서 거처할 집을 건축함은 불경한 일이라고 물론이 있다더라" 라는 기사가 보이는 점으로 보아 당시 경복궁 훼철 건물 재목을 산 것으로 보인다.

『매일신보』 1912년 6월 25일자 기사를 보면 "산현山縣 정무총감은 지난 23일 동소문외 이왕직농장을 순시하고 돌아왔는데, 이는 증미 전 통감의 영식 증미우 남曾彌又南 씨가 주임이 되어 다년 경복궁 후정의 일부에 경영해오던 것을 금년 봄에 이곳으로 옮긴 것인데 면적이 20정보에 달했다" 하는 것으로 보아 경복궁 안에 소네 유오曾彌又南가 경영하던 농장은 1912년 봄까지 있었다는 이야기다.

1910년 5월 9, 10일에 매도가 이루어지자 5월 27일부터는 경복궁 내의 전 춘방, 계방 양청을 철거하기 시작했다.[556] 춘계방春桂坊은 원래 세자가 공부를 하며 정무를 보던 비현각不顯閣 남쪽의 춘방春坊 터에는 세자 교육을 담당하던 시강원이, 계방桂坊 터에는 경호와 의전을 담당하던 관청이 있었다.[557] 순종이 세자로

---

556 『大韓每日申報』 1910년 5월 29일자.
557 경복궁 동궁은 근정전 동쪽에 위치하고 있다. 동궁은 일반 사대부저택처럼 세자부부가 거처하는 생활공간인 자선당 일대와 세자가 공부를 하거나 업무를 보는 공간인 비현각으로 구성되어 있다. 비현각 앞에는 세자 교육을 전담하는 관청인 세자시강원(춘방)과 경호업무를 수행하는 세자익위사(계방) 등의 관청이 자리잡고 있었다. 동궁은 조선초 경복궁 창건시에는 없었으며, 세종대인 1427년에 처음 세워졌다. 이후 경복궁을 중건할 때 다시 세워졌으며 일제강점기에 동궁 영역은 크게 훼손되었으며, 현재의 건물은 자선당과 비현각만 1999년 복원하였다(문화재청 자료).
'春桂坊'이란 滄浪客(필명)의 『純宗의 御學友記』(『삼천리』 제7권 제5호, 1935년 6월)에 다음과 같이 기술하고 있다.
純宗게서 世子宮으로 게시기는 33년동안이엇다. <중략> 世子宮을 爲하야 大闕 內에 「春桂坊」 후에 「世子侍講院」이란 기관이 설치되어 잇섯다. 「春桂坊」의 그 당시 조직은 엇

경복궁 후경

있을 당시에 바로 이곳에서 생활을 했던 것이다. 『황성신문』 1907년 11월 27일 자 기사를 보면, "근일 항설을 들은 즉 춘계방春桂坊을 폐지하고 시종 4인을 설치한다더라" 하는 것을 보면 이미 다른 용도로 사용되고 있었던 것으로 보인다.

1910년 5월 12일

해인사경판 조사보고서 제출

궁내부사무관 무라카미 류키치村上龍佶, 궁내부대신 민병석, 동 차관 고미야 미호마츠小宮三保松에 의해 1910년 4월 17일부터 해인사에서 체재滯在하면서 조사되어 1910년 5월 12일자로 『(조선) 해인사경판고』란 제하題下의 보고서가 제

더하엿든고 하면 원래 明朝에 「春坊」이라하야 東宮의 學問所가 잇섯는데, 朝鮮에서도 이를 본밧어 녯전 三國時代부터 宮中에 「春坊」을 設하여 내려오는 중, 李朝에 이르러 「桂坊」이란 특별한 坊 하나를 더 두엇스니 이것을 春坊은 文科에 대한 敎育所요, 桂坊은 武科에 대한 敎育所라. 나종에 둘을 합처 「春桂坊」이라 하야 文武一切의 帝王學을 가르칠 곳이 되엇다 한다. 春桂坊이란 일홈은 그 뒤 變更되여 新式으로 「世子侍講院」이라 하엿다.

출되었다. 이 당시에는 해인사 대장경판의 일부가 서울로 옮겨져 조사되었던 바, 이는 궁내부 사무관 무라카미가 경판을 운반하였다.[558]

1910년 5월 19일

19일에 도적이 장단군에 있는 고려조 경릉을 파굴하였다고 그 고을 군수가 내부로 보고하였다.[559]

1910년 5월 20일

사찰소장유물(寺刹所藏遺物) 조사

사찰령이 공포되기 전에 이미 1910년 2월 1일에 각지의 사당, 성황당, 비각 및 사찰에 대한 일제조사보고를 지시하였으며 1910년 5월 20일에 각도에 지시하여 사찰소장유물寺刹所藏遺物을 조사하여 보고케 하였다.[560] 1910년 11월에는 각 도청 학무계에서 사사대장社寺臺帳을 만들게 했다.[561]

558 『慶南日報』1910년 4월 26일자; 漆山雅喜, 『朝鮮巡遊雜記』, 1931년, p.337; 池內宏, 「高麗朝의 大藏經」(上), 『東洋學報』第13卷 3號, 1923년 8월, p.326.
559 『大韓每日申報』1910년 5월 22일자.
560 『韓國佛敎總覽』, 1993, 韓國佛敎總覽編纂委員會.
561 『慶南日報』1910년 11월 23일자

1910년 5월 22일

일본승 사와다澤田範之가 5월 22일에 귀국하였는데 일진회장 이용구가 우리
나라 고동제향로 1좌를 기념품으로 주었다.[562]

1910년 5월 27일

경복궁 안에 있는 전 춘방과 계방 처소를 27일부터 철거에 들어갔다.[563]

1910년 5월 28일

북묘北廟는 1908년 6월에 이미 폐지키로 결정하고,[564]
동소문 내 북묘에 봉안하였던 관왕소상關王塑像은 1910년
5월 28일 동대문 밖 동묘東廟로 합봉하였다. 그리고 북묘
건물은 신궁경의회神宮敬義會에서 사용하기로 했다.[565]

『대한매일신보』 1910년
6월 10일자 광고

562 『皇城新聞』1910년 5월 24일자.
563 『大韓每日申報』1910년 6월 1일자.
564 『大韓每日申報』1908년 6월 30일자.
565 『皇城新聞』1910년 5월 29일자 ; 『大韓每日申報』1910년 5월 29일자.

1910년 5월 22일

한성공원 개원식을 갖다.

한성공원은 일본 거류민들을 위한 일종의 유원지로서, 종래 남산공원이 있었지만 거류지의 확대와 거류민 유지들이 이미 1908년 이래 남산공원 서쪽 작은 언덕 정상에 따로 공원을 계획하고 공사를 진행해 5월 29일 개원식을 가졌다. 이때 한국 황제는 '한성공원'이라는 편액을 하사했다.

공원은 동서로 2개 구역의 유락장으로 동쪽은 면적 5백여 평의 규모로 아담한 정자 하나를 세웠으니 이를 황조정黃鳥亭이라 했다. 거기서 내려다보이는 전경은 용산의 전모가 유감없이 펼쳐진다고 한다. 서쪽 구역은 동에 비해 좁지만 중간에 정자를 세워 전관정展觀亭이라 했다.[566]

1910년 5월 30일

『황성신문』 1910년 5월 31일자 기사

일본 정부는 1909년 7월에 이미 한국병합의 방침을 확정하고 이즈음 통감 소네 아라스케曾禰荒助는 불치의 병을 얻어 1910년 1월 상순에 귀국하여

---

566 서울특별시시사편찬위원회 편저, 『국역 경성발달사』, 2010.

병이 낫지 않자 5월 30일 사직을 하고, 같은 날 육군대신 자작 데라우치 마사타케寺内正毅가 통감을 겸임했다.[567]

1910년 5월

통감 소네 아라스케(曾禰荒助)가 반출한 서적

1910년에 도쿄제국대학에서는 한국을 연구하기 위해 한국 귀중서를 요청했다. 소네 통감曾禰統監은 1910년 5월에 연구 자료의 제공이라는 핑계로 도쿄제국대학으로 엄청난 한국 귀중서를 반출하였던 바, 당시 신문에는 다음과 같은 기사가 실려 있다.

소네 통감曾禰統監이 부임한 이래로 아국 도서를 수집함에 열중하얏슴을 일반 공지하는 바이거니와 그 수가 2천여 권에 달하엿는데 일본 동경제국대학교 수등은 연구자료에 공供하겠다고 차여借與함을 청구하엿던바 통감은 즉시 이를 허許하야 그 중 필요한 것을 선택하여 고사촬요故事撮要, 목민심서牧民心書, 광휘光彙, 택리지擇里志 등 1500여 권을 지난 4일에 수거輸去하얏는데 월전月前 전보에는 수하물이 바간馬關에 來着하얏다가 가다오세片瀬로 향하다 함은 즉 이 책 7상七箱이라더라(『황성신문』 1910년 5월 8일자, 잡보).

567 京城府, 『京城府史』 제2권, 1936, p.150.

『황성신문』1910년 5월 8일자, 잡보

● 한국서적을 모다 가져가 일본 통감부에서 할국의 고대서적등 긴요흔것을 모다 것우어가는디 그수 효구 二千餘種에 달호얏스며 금번 에 일본뎨국대학교슈등의 청구를 인호야 五月四日에 一千五百권을 일본으로 보니얏스니 이논한국안 에셔다시구흠슈업논셔적이라더라

통감부에서 한국 고대서적 중 긴요한 것을 모두 거두어 가는데 그 수가 2천여 종에 달했으며 금번 에 일본 제국대학교 수등의 청구로 인하여 5월 4 일에 1천5백 권을 일본으로 보냈으니 이는 한국 안에서 다시 구할 수 없는 서적이라더라(『신한민 보』1910년 6월 1일자).

한국서적 건너갔다. 증니통감이 종래에 한국서적을 다수히 구하여 그 수가 이 천여 질에 달하는데 금번 일본 제국대학교 수등의 청구를 인하여 통감부에서 지난 4일에 책 1천5백 권을 보내었다더라(『대한매일신보』1910년 5월 8일자).

그들은 한국의 여론을 의식하였는지 빌려 가는 형식을 취했지만 그 이후 1,500권의 귀중서는 한국으로 다시 돌아오지 않았으니 1923년 대지진 때 소실

되었거나 아니면 현재 도쿄대학이 비장하고 있을 것으로 추정된다.

『황성신문』에는 다음과 같은 자성의 글도 함께 게재하고 있다.

> 아국의 서적을 일본대학 교수에 참고하기 위해 동경으로 다수 륜거輪去한다니 외국인은 아국 서적을 참고에 사용하기 위해 약시若是히 애중愛重하는데 아국 소위 교육계는 본국 서적을 파리변물笆籬邊物로 알고 있으니 실로 한심한 일이다(『황성신문』 1910년 5월 8일자, 만평).

이외도 통감부에서 일본 궁내성 등으로 반출한 건이 보이고 있는데, 마에마 교사쿠前間恭作는 통감부본統監府本에 대해서 『고선책보古鮮册譜』에서 "통감부 장본藏本은 상당한 분량의 것이었다. 소견所見의 일부분밖에 써놓지 않아서 그것만을 기입하였다. 대부분은 후에 궁내성 등에 옮기고 잔여가 총독부의 도서해제에도 약간 산견散見한다"[568]고 한다. 통감부에서 수집한 서적이 대부분 후에 궁내부 등에 옮겼다는 것은 마에마의 『고선책보』에 나타난 것의 상당수는 궁내성으로 반출한 것으로 추정할 수 있겠다.

*『고선책보』에 수록한 '통감부 장서'

書目	수량	編者	所藏	비고
河西集	8책		統監府藏書目錄	『고선책보』 p.95
河氏辨誣錄	3책		統監府藏書目錄	p.99

---

568 前間恭作, 『古鮮册譜』 제1권 序文, 東洋文庫, 1944.

書目	수량	編者	所藏	비고
家禮增解	10책	李孟宗 編	統監府藏書目錄	p.119
海齋文集	4책		統監府藏書目錄	p.131
國朝名臣錄(寫本)	17책		統監府藏書目錄	p.146
簡易集	9책	崔笠	統監府藏書目錄	p.162
關聖帝君聖蹟圖誌(印本)	5책		統監府藏書目錄	p.188
箕子志(印本)	3책	鄭璘基 編	統監府藏書目錄	p.236
己丑記事	1卷		統監府藏書目錄	p.242
紀年兒覽(寫本)	4책		統監府藏書目錄	p.246
近齋集 全32卷(鑄字印本)	16책	朴胤源	統監府藏書目錄	p.295
續景賢錄	2책	李楨	統監府藏書目錄	p.371
桂察訪集	12卷 3책	桂德海	統監府藏書目錄	p.382
湖陰雜稿	8卷 8책	鄭士龍	統監府藏書目錄	p.456
高麗史	60책		統監府藏書目錄	p.567
五禮儀(板本)	8책		統監府藏書目錄	p.577
三學士傳(寫本)	1책	宋時烈	統監府藏書目錄	p.654
思庵先生文集	3책		統監府藏書目錄	p.722
史漢(印本)	15책		統監府藏書目錄	p.726
資治通鑑(刻本)	74책		統監府藏書目錄	p.754
沙村集 4卷	2책	張經世	統監府藏書目錄	p.790
臺山集	10책		統監府藏書目錄	p.1296
大東正路(印本)	5책		統監府藏書目錄	p.1304
朝野輯要(寫本)	21책		統監府藏書目錄	p.1374
思政殿訓義綱目	75책		統監府藏書目錄	p.1387
陶庵集 51권		李縡	統監府藏書目錄	p.1433
東國通鑑(印本)	23책		統監府藏書目錄	p.1464
新增輿地勝覽(印本)	25책		統監府藏書目錄	p.1473

書目	수량	編者	所藏	비고
遁翁先生集(板本)	4책	韓汝兪	統監府藏書目錄	p.1517
楓皐集	8책	金祖淳	統監府藏書目錄	p.1668
明義錄(印本)	3책		統監府藏書目錄	p.1801
宙淵集	15책		統監府藏書目錄	p.1861

1965년 6월 22일 도쿄에서 조인된 한일조약 및 협정 중 문화재 반환문제에 대하여 한적으로는 한말에 한국에서 가져간 통감부본과 소네 통감이 가져간 163부 852책이 반환되었다.[569] 당시 반환된 도서목록과 『고선책보』에 수록한 '통감부 장서'를 대조해 보면 『풍고집楓皐集』 8책만 반환문화재 목록번호 4번으로 나타나 있으며 나머지에 대해서는 알 수 없다.

궁내청에 보관된 통감부본과 소네통감본은 통감부 또는 통감이라는 특수관권에 의하여 반출된 것이 분명하므로 제6차회담 때 이것을 청구하였는데 일본 측은 처음에는 그 내용조차 밝히지 않다가 1963년에 이르러 처음으로 그 목록을 제시하였다. 이홍직 박사의 조사에 의하면, 그것을 본즉 대략 영·정조 이래에 많이 유포된 전적이 대부분이고 또 필사본이 많았다고 한다. 궁내청 서릉부의 전적도 실물을 검수하여 본즉 그 필사본은 보통 항간에 돌아다니는 필사본이 아니고 궁중의 사본으로서 유래 있는 호화로운 사본이며 정조시의 규장각에서 경연용經筵用으로 쓴 것이 아닌가 하는 감을 주는 것도 있고 또 저명인의

---

569 李弘植, 「日本서 가져온 壬亂前 韓籍複寫本」, 『한 史家의 流動』 通文館, 1972.
반환된 전적은 그 내용에 있어서 또 서지학적으로 보아도 가치가 높다고 할 수 없어서 우리 측은 그것을 지적하고 보완하는 의미에서 임란에 약거한 귀중한 전적의 마이크로 필름을 요청하였다고 한다.

장서인이 찍힌 것도 있었다고 한다.[570]

소네는 명치유신 이후 내각기록국장, 내각관보국장, 법제국서기관장, 중의원
서기관장, 농상무대신을 역임하고 명치34년 대장대신을 거쳐 1908년에 한국부
통감으로 임명, 6월 14일에 통감으로 임명되었다.[571]

소네 아라스케는 한국통감으로 있으면서 옛 책들을 다량으로 수집하여 일본
왕실에 헌상했으며, 한국의 구가와 서원과 사찰에서 갈취한 귀중한 서적들을
무더기로 반출해갔다. 그 일부는 1965년까지 일본 궁내청 서릉료에서 '소네 아
라스케 헌상본獻上本'이라 하여 은밀하게 보관되다가 극히 일부만 한일국교정
상화 후 반환 문화재의 일부로 돌아왔다.

마에마 교사쿠의 『고선책보』에는 "소네본曾禰本은 소네 아라스케曾禰荒助 자
작이 통감으로 재임 중의 수집으로 이것은 분량이 많지 않다. 졸거 후 궁내성
에 납입되어서 지금 도서료에 현존한다"[572]고 하는데, 『고선책보』에 수록한 '曾
禰子爵 藏書'는 다음과 같다.

*『古鮮册譜』에 수록한 '曾禰子爵 藏書'

書目	수량	編者	所藏	비고
畏齋存守錄	2책	李端夏	曾禰子爵 藏書所見	
易學啓蒙要解	3권 4책		曾禰子爵 藏書目錄	p.48
家禮增解	2책		曾禰子爵 藏書目錄	p.120

570 李弘稙,「日本서 가져온 壬亂前 韓籍複寫本」,『한 史家의 流動』通文館, 1972.
571 『每日申報』1910년 9월 15일자.
572 前間恭作,『古鮮册譜』제1권, 東洋文庫, 1944, p.2, 例言.

書目	수량	編者	所藏	비고
海東名將傳	3卷 3책		曾禰子爵 藏書目錄	p.144
閑客巾衍集	1책	寫本	曾禰子爵 藏書目錄	p.166
欽欽新書(寫本)	32卷 10책	丁若鏞	曾禰子爵 藏書目錄	p.288
詞庵集(寫本)	7책	申玩	曾禰子爵 藏書目錄	p.363
經筵問答(寫本)	1책		曾禰子爵 藏書目錄	p.366
檢身錄(寫本)	1책	李縡	曾禰子爵 藏書目錄	p.430
宣廟寶鑑(寫本)	10卷 5책		曾禰子爵 藏書目錄	p.586
三書輯疑	2책	權尙夏	曾禰子爵 藏書目錄	p.680
書社輪誦(寫本)	1책	李縡	曾禰子爵 藏書目錄	p.849
小華詩評(寫本)	1책	洪萬宗	曾禰子爵 藏書目錄	p.854
聖學輯要(寫本)	4책	李珥	曾禰子爵 藏書目錄	p.1052
太湖集(寫本)	5책	普思	曾禰子爵 藏書目錄	p.1251
湍相年譜(寫本)	2卷 2책		曾禰子爵 藏書目錄	p.1278
地球典要	13卷 7책	崔漢綺	曾禰子爵 藏書目錄	p.1315
宙衡(寫本)	27卷 10책	李縡 編	曾禰子爵 藏書目錄	p.1342
鄭葵閣集(寫本)	3책	朴齊家	曾v子爵 藏書目錄	p.1402
陸律分韻(寫本)	39권 13책		曾禰子爵 藏書目錄	p.1430
南溪年譜(寫本)	4권 4책		曾禰子爵 藏書目錄	p.1550
兵學指南(寫本)	4권 1책		曾禰子爵 藏書目錄	p.1708
增修無冤錄(寫本)	2권 2책		曾禰子爵 藏書目錄	p.1795
爛餘	26책	金在魯 撰	曾禰子爵 藏書目錄	p.1872
兩賢傳心錄(寫本)	4책		曾禰子爵 藏書目錄	p.1924
禮疑類集(寫本)	15권 5책		曾禰子爵 藏書目錄	p.1954
嶺誌要選(寫本)	1책		曾禰子爵 藏書目錄	p.1958
儷文註釋(寫本)	10권 8책	柳根	曾禰子爵 藏書目錄	p.1965
老淵雜識(寫本)	4권 2책	吳熙常	曾禰子爵 藏書目錄	p.2014

1966년에 반환받은 반환문화재 도서목록과『고선책보』에 수록한 '증미자작 장서'를 대조해 보면『고선책보』에 수록한 '증니자작 장서' 146책 중 127책은 반환 받은 것으로 확인 된다. 이 중 아직도 돌려받지 못한 것은 가례증해 2책, 해동명장전 3책, 한객건연집 1책, 서사륜송寫本 1책, 소화시평寫本 1책, 정유각집寫本 3책, 증수무원록寫本 2책, 영지요선寫本 1책, 선묘보감寫本 5책 등 총19책이다. 이는 다른 곳에 비장되어 있거나 돌려주지 않은 것이다.『고선책보』에 수록된 것은 소네의 장서 중 일부일 것으로 판단되며, 상당수는 어디엔가 비장되어 있을 것으로 생각된다.[573]

경기도 장단군에 소재한 고려 영릉英陵이 도굴을 당했다.[574]

강화군 전등사의 승이 구리로 만든 고화로를 진상하여 황제가 돈 100환을 하사하다.[575]

을지문덕비와 석상 발견

안주安州의 용당현龍塘峴의 흙 속에서 을지문덕의 석상과 비석을 발견하였다. 비석은 절반이 부러져 없어지고 절반만 있었다. 그 비석과 석상을 안주군의 안

---

573 정규홍,『우리문화재 반출사』, 학연문화사, 2012.
574 『大韓每日申報』1910년 5월 13일자.
575 『大韓每日申報』1910년 5월 19일자.

흥학교로 운반하였다.[576]

『황성신문』 1910년 5월 20일자에는 "을지문덕공의 석상과 석비가 안주군 룡당현에 발현되야 안흥학교에서 운치기립運致起立하였다지 을지공의 만고공적이 금일에 이르러 현발現發될 줄을 누가 능히 촌도忖度하였으리오 아我는 단공短節을 리리하여 공의 상을 배하고 공의 비를 독讀하기로 준의準擬하오" 라는 기사와 함께, 박은식이 「배을지문덕상급비拜乙支文德像及碑」이라는 제목의 다음과 같은 논설을 실었다.

안주군 청천강연안으로부터 동상 십리허 영변교계寧邊交界에 골적도骨積島와 파군소破軍沼가 있으니 즉 동양역사에 육군 제일위인 을지문덕공이 수병 백만을 오살鏖殺한 곳이라 말하고 또 배살탄蓓薩灘이 있으니 <중략> 또 을지공비乙支公碑와 을지공석상乙支公石像이 안주군 용당현에 발현發現하였는데 석호惜乎라 비와 석상이 구피절단俱被折斷하여 그 반은 재토중급지저在土中及池底하고 그 반은 지면에 노출하였도다. 안흥학교에서 이를 굴이식지掘而拭之하고 운이치지運而致之하여 숭배기념崇拜紀念의 성誠을 우寓코자 하는데 비의 반부半部는 업이운치교내業已運置校內하였다. <중략>
나는 공의 석상과 비를 위하여 읍泣함이 아니오 실로 아민족我民族을 위하여 읍하불이泣下不已하노라 조국의 위인을 숭배치 아니하는 민족이 무슨 국가사상이 있으리오.

내부에서 각 도 관찰사에게 관하 각 군에 있는 사사寺社의 즙물汁物, 보기寶器

---

576 黃玹, 『梅泉野錄』李章熙 譯, 大洋書籍, 1973; 『大韓每日申報』 1910년 5월 25일자; 『皇城新聞』 1910년 5월 21일자.

등을 상세히 조사하여 보고하라 하였다.[577]

창덕궁내 인정전부터 동·식물원 및 박물관으로 연경당, 우주루 앞까지 마차가 통행할 수 있도록 도로를 수축하다.[578]

지석 노출

전 참판 이종필의 선산이 장단군 지금리에 있는데 6백여 년을 수호하였으나 익제 이제현 분묘 외에 다른 분묘는 다수가 명위가 미상이었다. 그런데 최근에 도굴꾼들이 그 분묘 중에 하나를 파 분묘 속에서 익재의 부친 임해군의 지석이 노출되었다.[579]

진주 객사 앞 비석 철거

1910년 5월에 진주군 성 밖의 구객사 문 앞에 총립叢立한 제비석諸碑石을 그곳 거류 일본인이 다수 뽑아가 우물이나 집을 짓는데 사용했다.[580]

1908년 7월에 진주군 객사를 지방재판소로 사용하기 위해 협의 했다는 기록

577 『大韓每日申報』 1910년 5월 20일자.
578 『皇城新聞』 1910년 5월 21일자.
579 『大韓每日申報』 1910년 5월 5일자.
580 『皇城新聞』 1910년 5월 21일자.

진주 객사

으로 보아,[581] 1908년 8월 1일 진주의 경상남도 재판소는 대구공소원 소속의 진주지방재판소로 바뀌면서 건물은 진주 객사를 사용한 것으로 보인다.

광개토대왕비 탁본 축사인쇄

『사학잡지』 제21편 제5호(1910년 5월)에 '호태왕비정탁본好太王碑精拓本의 축사인쇄縮寫印刷'라 하여 100부를 인쇄 판매한다고 전하고 있는데, 중화전지 4매로 가격은 2원 30전이라 한다.

---

581 『皇城新聞』1908년 7월 19일자.

영일박람회(英日博覽會) 한국 물품 출품

1910년 5월에 일본과 영국이 연합하여 영일박람회를 개최하였다.

통감부에서는 런던에서 개최하는 일영박람회에 대하여, 1909년 5월에 한국 각종의 출품물과 경비에 대하여 일본 대장성과 협의를 하였다.[582] 이 박람회에 대하여 일본 측은 박람회장의 일본부日本部 중의 한 곳에 식민관殖民舘을 설치하고 한국, 대만, 만주의 출산품을 진열하여 세계인이 관람하도록 계획했다.[583]

통감부에서는 1909년 6월 27일에 내부, 탁지부, 농상공부, 관세국, 철도청, 통신관리국 등 주관자들을 통감부에 소집하여 영일박람회의 출품준비 건으로 협의회를 가졌는데, 그 내용은 한국의 모형, 천연 풍경 및 통감정치 전후의 변혁 등을 표명할 각종 사진 및 통계표를 출품하기로 했다.[584]

영일박람회에 식민관殖民舘을 만들어 통감정치의 선전장으로 활용한다는 음모가 흘러나오자, 『대한매일신보』 1909년 6월 24일자에 '경성警醒하며 분발憤發하라'는 다음과 같은 논설을 게재하여 그들의 음모를 폭로하였다.

경성警醒하며 분발憤發하라

근자 일본인이 혹 한인을 토인土人이라 호呼하며 혹 한국을 사실상 식민지라 칭稱하며 혹 한국의 인정풍속물산人情風俗物産을 박람회 식민관殖民館에 진열하야 그 막시藐視와 그 모욕侮辱이 일익란만日益爛熳하도다.

---

582 『大韓每日申報』 1909년 5월 23일자.
583 『大韓每日申報』 1909년 6월 19일자.
584 『大韓每日申報』 1909년 6월 29일자.

대저 한국이 아모리 약하나 유시猶是 사천년 역사가 유유有하며 이천만 민족이 유유有한 나라이거늘 그 민족이 토인土人의 오명汚名을 받으며 그 국가가 식민지의 치욕을 피被하며 그 인정 풍속 물산이 식민관의 출품을 작作하니 유유창천悠悠蒼天아 이를 가인可忍하는가.

오호 비부嗚呼悲夫라 한국동포여 제공諸公은 시사試思하라. 제공의 조선祖先이 여하한 위렬威烈로 제공을 보保하여으며, 여하한 기업基業으로 제공을 여與하였는가. 내자乃者 제공에게 지至하야 토인이니 식민지니 식민관의 출품이니 하는 참욕慘辱을 조遭하니 과연 일호壹毫라도 사람의 성정性情이 있는 자면 어찌 액완분려扼腕奮勵치 아니하리오.

여차如此히 무궁무극無窮無極의 대참경大慘境을 당하였거늘 오히려 시회詩會나 구락부로 사업을 작作하는 자도 유유有하며 오히려 계급관념階級觀念이 흉중胸中에 팽창膨脹한 자도 유유有하며 오히려 가족관념이 뇌리에 고쇄固鎖한 자도 있으며 오히려 외인外人에게 붙어 사환仕宦이나 구구狗求하는 자도 있으며 오히려 태고太古를 몽몽夢하여 완고頑固로 자과自誇하는 자도 있으니 통재痛哉라. 조선민족이 영永히 마혈魔穴에 추락하고자 함인가.

『신한민보』 1909년 6월 16일자에는 일본의 흉계를 다음과 같이 폭로하고 있다.

일인의 흉계

일본 통감부에서는 내년 5월에 영국 런던에서 여는 영일박람회에 대하여 한국 물산을 수출할

●일인의 흉계 일본통감부에
서논티년五月에 영국론돈에셔여
논영일박람회에 디하야 한국물산
을슈츌홀계 획인되고 더 외잡호
물품은 한국인의 미기훈중거를셰
계에 보이고 져홍이오화려호미술
품온일인이 굴으첫다 논병거를삼
고져 호다니 그궁흉극악호잔계논
니로 측량홀슈업다더라

1910년 377

계획인데 고대의 추잡한 물품은 한국인의 미개한 증거를 세계에 보이고져 함이오. 화려한 미술품은 일인이 가르쳤다는 빙거를 삼고자 한다니 그 궁흉극악한 간계는 니로 측량할 수 없다더라.

영일박람회에 식민관을 설치한다는 자체는 이미 한국이 그들의 식민국임을 만방에 선포하고 여러 가지 사진이나 통계표 등을 활용하여 통감정치를 정당화하려는 음모가 있었던 것이다. 대한매일신보와 신한민보는 이를 한국인들에게 폭로하고 각성을 촉구하고자 했었다.

박람회 준비는 한국인의 감정과는 상관없이 순조롭게 진행되어 1909년 7월에 한국정부와 통감부는 영일박람회에 출품할 것을 협의했다. 학부에서는 한국인 교육표, 탁지부에서는 제일은행통계표, 무역표, 관세수입통계표, 한일무역표, 한국재정표 및 국채현황, 농상공부에서는 수산광물농산림업 등의 통계표와 기온습도우설천기氣溫濕度雨雪天氣 등의 기상표 그리고 통감부에서는 한인 및 외국인의 호구표, 일본인의 교육, 재한금융기관표, 통감부 소속 각 관 관서예산표, 재한 일본인의 직원수 및 철도통신기관의 현황 설명서 등이다.[585]

1909년 9월 9일 통감부에서 일영박람회위원을 소집하여 출품물을 선정하였는데 대략 다음과 같다.

미술품은 궁내부, 탁지부에 보존하던 고대의 미술품과 공예품은 염簾, 선扇, 단선團扇, 석세공石細工, 죽기竹器, 연筵, 자수刺繡, 직물織物, 농산물은 미, 맥, 면화, 대두, 견, 작천柞蚕, 임산물은 목재 등이다. 광산물은 금, 은, 동, 흑연, 석탄, 운모 등이다.

---

585 『大韓每日申報』1909년 7월 3일자.

설명서는 통감부의 연혁 조직, 시정의 현상 등을 제작하여 통감부 출품으로 진열하기로 했다.[586] 또 한국모형도를 만들기로 했는데 이는 일본인 모에게 의뢰했다.[587]

출품물의 준비가 거의 이루어지자 9월에는 탁지부와 궁내부에 보관하였던 고미술품을 1차로 일본으로 운송하였다.[588]

1909년 11월에 밝힌 영일박람회에 출품할 한국 출품물은 한국모형, 한인인형, 가옥, 화폐, 기타 고대 도자기, 금속장품, 갑주甲冑, 궁시弓矢, 금속기 등 기타 식물 각종 및 경성, 인천 등의 사진 등인데 합계 249종이라고 하고 있다.[589] 이후 물품은 순차적으로 일본을 거쳐 영국으로 운반되었다.

한국의 고대 유물들이 고국을 떠나 일본으로 운반되는 동안 대한매일신보는 1910년 4월 12일자에 '국보산실國寶散失의 비悲'란 논설을 게재하여 다음과 같이 통분하고 있다.

국보산실國寶散失의 비悲

오호라 금일 한국에 좌坐하야 이 문제를 논함은 구우九牛의 사死에 1모一毛의 낙落을 논함과 같으며 시랑豺狼의 전에 호리狐狸의 화를 논함과 같으나. 그러나 국보國寶는 국광國光을 보존하는 일기구一器具오. 국수國粹를 발휘하는 일원천이라. 고대문명의 적跡을 차此에 가람可覽하며 선민무강先民武强의 풍風을 이에 가상可想하며 조국사상이 차此에서 일어나는 것이 많으며 민족정신이 차此에서 발하는 것이 많으니 국민된 자 만일 국보를 보수保守치

586 『皇城新聞』1909년 9월 11일자.
587 『皇城新聞』1909년 9월 12일자.
588 『大韓每日申報』1909년 9월 15일자.
589 『大韓每日申報』1909년 11월 28일자.

못하면 시是는 국광國光을 타락함이며 국수를 말살함이라 국보가 국가에 대하야 또 어찌 중대한 관계가 없다 하리오. 이같이 지금에 이 문제 즉 국보산실國寶散失의 비悲를 일논一論하노라.

개盖 한국은 세계고국世界古國이라 전래의 국보가 불소不少하야 혹 금궤옥실金櫃玉室로 중장重藏한 것도 있으며 혹 추혁황야秋革荒野에 은몰隱沒된 것도 있어 국민이 쌍수로 경봉敬奉함도 가하고 국민이 만구萬口로 가송歌頌함도 가한 것이 없음이 아니거늘.

낙양추풍洛陽秋風에 형극荊棘이 소슬하고 맹매낙일孟買落日에 청산만 위遠하도다. 장편長鞭을 들고 반도에 횡행하는 저 외인外人이 백반百般의 권權을 장악하며 백반百般의 이익을 악握하다가 필경 기지其指를 국보에 염染하야 금일에 일국보一國寶를 수거輸去하며 명일에 일국보를 수거하니 어시호於是乎 서적書籍이 거去하며 기물器物이 거去하며 금선金扇이 현해수玄海水를 건너며 옥적玉笛이 도쿄행을 작作하며 관북대야關北大野에 첩비捷碑를 억憶하매 행인이 루淚를 첨沾하며 경천고사敬天古寺에 옥탑을 방訪하매 유수流水는 말이 없도다.

오호라 여사불이如斯不已하면 한국 국보가 필경 기일幾日에 불지不至하야 실개悉皆 동경박람회나 대판고물전의 물物을 작作하리니 이 어찌 가비可悲치아니한가. 오제吾儕는 이 문제를 논하다가 특히 일종의 감념感念을 발하는바이 있으니 현재 이 국민동포가 이 국보산실을 도睹하고 과연 오제吾儕와 공共히 탄歎을 작作하며 억憤을 발發하는 자가 몇 사람이나 있느냐 함이 시是라.

대저 금일 국보의 산실이 누구의 책임이뇨. 동포가 이 국보의 수명을 장구케 못하며 이 국보의 광채를 섬동閃動치못하고 신간귀호하며 조상 대대로 내려오던 물건이 국외로 일주日走하니 이것이 동포의 책임이 아니면 무엇

이오. 그러한데 이에 대하여 탄歎을 부작不作하며 억憤을 불발不發하야 계구

분려戒懼奮勵치아니하면 어찌 가하리오.

원하노니 동포는 지금이라도 국보보수國寶保守에 의意를 유留하야 국광國光

보존하며 국수國粹를 발휘할지어다.[590]

이 논설은 이번 박람회에서 타국으로 팔려가는 고대 미술품만 애석해 하는
것이 아니라, 그 전부터 한국에서 일본 등으로 반출되어간 세키노가 가져간 금
선, 1905년에 반출된 북관대첩비, 1907년에 일본으로 반출된 경천사탑까지 떠
올려 통분을 발하고 있다. "긴 채찍을 들고 반도강산에 횡행하는 저 일본인이
백 가지 권리를 다 잡으며 백 가지 이익을 다 취하다가 필경에는 나라 보배에
까지 손을 대어 오늘에 한 가지를 실어가고 내일에 또 한 가지를 실어가니" 하
는 대목은 일제의 야심과 쓰러져가는 한국의 현실을 절절히 쏟아 놓고 있다.
마지막으로, "원하노니 동포는 지금이라도 나라 보배를 보존하여 지키는데 유
의하여 나라의 광영을 보존하며 나라의 정신을 발전케 할지어다" 하는 대목은
오늘날의 우리들에게 적용되는 무서운 경고가 아닌가 여겨진다.

영일박람회는 1910년 5월에 예정대로 개최되어 첫날의 입장자만도 4만 명에
달했다고 한다.[591] 그리고 1910년 6월말까지 일본 출품의 매액賣額은 6만 3천2백
80원에 달했다고 한다.[592] 물론 이 속에는 한국 출품의 매액도 포함된 것이다.

---

590 『大韓每日申報』1910년 4월 12일자, 論說.

591 『皇城新聞』1910년 5월 17일자.

592 『大韓每日申報』1910년 7월 1일자.

그들이 궁내부, 탁지부에 비장하고 있던 고대유물을 출품했다고 하지만 그 것이 어떤 물품인지 또는 수량이 얼마인지 전혀 밝혀지지 않았다. 또한 어떤 것이 얼마나 팔리고, 또는 기증되었는지, 돌아온 것은 어떤 것인지 전혀 밝혀지지 않았다. 출품물 중에는 오늘날 외국 박물관 등에 진열된 물품도 일 부 들어 있을 것으로 추정된다.

1910년 5월에 경기경찰부장이 경무국장에게 보낸 '폭도에 관한 건'에 의하면, 수괴 불명의 폭도(의병) 약 20여 명이 장단군 송서면 화장산록을 배회 중인 것을 우연히 고려자기 발굴의 목적으로 동 지방에 있던 일본인 무라타 나오시村田直次 외 2명이 목격하고 일본인들은 급히 도주하여 이를 개성경찰서에 신고하였으므로 수사 중이라는 동서장의 보고가 있었다.[593]

일진회장 이용구는 삼청동三淸洞 은언궁恩彦宮을 훼철毀撤하고 2층 양옥을 신축하려고 역비役費 13,000원을 일본인 목공에게 급여하였다.[594]

1910년 6월 21일

북한산 부황사扶皇寺 원영암元永菴에 4명의 강도가 침입하여 목제 도금한 불상 2좌와 기타 물품 다수를 빼앗아 달아났다.[595]

---

593 『통감부문서 6』(국사편찬위원회, 1999)의 「한국독립운동사 자료」.
594 『大韓每日申報』 1910년 5월 8일자.
595 『皇城新聞』 1910년 6월 24일자; 『大韓每日申報』 1910년 6월 24일자.

부황사는 북한산에 자리한 사찰로 승병을 유치하기 위하여 산성 내에 건립한 사찰 가운데 하나로, 창건 당시에는 부왕사扶旺寺라 하였으나 그 뒤 음이 비슷한 부황사浮皇寺, 부황사扶皇寺 등으로 불리었다.

북한산 '부왕사지 안내판'에 의하면 1951년 관리소홀로 붕괴되었다고 한다.

1910년 6월 23일

기로사耆老社에 봉안하였던 어사진御寫眞, 어필첩御筆帖과 기타 물품을 덕수궁으로 운반하다.[596]

1910년 6월 23일

잃었던 어필(御筆)을 찾음

함경도 경흥부慶興府에 봉안한 '식소구헌式紹舊憲'이란 어필御筆을 러일전쟁 때 잃어버렸는데, 경흥부 거주 김영헌이란 사람이 노령 해삼위 지방에 갔다가 이 어필을 발견하고 러시아 관헌에게 간청하여 어필을 찾아왔다. 이 같은 사실을 관찰사가 내부에 보고하자 궁내부에서 김영헌의 충애심忠愛心을 크게 포양褒

---

596 『大韓每日申報』 1910년 6월 26일자.

揚하라 하였다.[597]

출품물 처리

일본 나고야名古屋, 후쿠오카福岡 양 공진회의 폐회가 가까워 오자 한국 정부에서는 출품물 처분방법을 의결하였다. 그 내용은 나고야 출품의 전부 및 후쿠오카 출품의 일부는 군마현郡馬縣에서 열리는 공진회에 옮겨 진열하고, 그 잔여품 중 곡물류, 수산물 등은 후쿠오카상품진열관에, 곡물류, 생사, 충초류의 표본은 가고시마鹿兒島농림학교에, 광물 전부는 와세다대학早稻田大學에, 인형은 부산상품진열관에 기부하기로 했다.[598]

전남 순천군 동문東門을 철거하여 공용公用에 보태려고 관찰사 신응희申應熙가 내부에 청원했다.[599]

동소문 밖 정릉부근에 사는 사람이 밭을 경작하다가 고대의 종 2개를 습득하였다는데 희귀한 보물이라 하여 영국인이 100원까지 주겠다고 했으나 팔지 않았다고 하는데,[600] 그 후의 행방은 알 수 없다.

---

597 『大韓每日申報』1910년 6월 7일자;『皇城新聞』1910년 6월 7일자, 6월 10일자.
598 『皇城新聞』1910년 6월 2일자.
599 『大韓每日申報』1910년 6월 7일자.
600 『皇城新聞』1910년 6월 19일자.

북한산 문수암文殊菴에서 불상 1구를 분실했다.[601]

경희궁에 일본인 중학교가 들어서다.

경희궁慶熙宮은 원래 인조의 아버지인 원종元宗의 구저舊邸로 광해군 때 건조
建造하여 주위 923보로 5문을 가지고 있었다. 원래 경덕궁慶德宮이라 불렸으나
경덕慶德이란 궁명宮名이 추존追尊한 원종元宗의 익호謚號 고덕古德과 동음同音이
라 하여 경덕궁을 경희궁으로 영조 이래 개칭하게 되었으며, 이 궁을 또 속칭
서궐西闕[602]이라고도 하였다.

경희궁은 경복궁, 창경궁과 함께 조선왕조의 3대궁으로 꼽힐 만큼 큰 궁궐이
었으며 순조29년(1829) 10월 화재로 인하여 회상전會祥殿의 주렴朱簾에서부터
불이 붙기 시작하여 융복전隆福殿 · 흥정당興政堂 · 정시합正始閤 · 집경당集慶堂 ·
사현합思賢閤 · 월랑月廊(5346) 등 여러 곳에 옮겨 붙어 거의 절반이나 타버렸
다.[603] 1831년에 중건을 하였으나,[604] 1883년 3월에 경희궁의 염초 굽는 곳에서
대화재가 발생하여 전각 대부분을 잃게 되었다.[605] 1889년 9월에도 숭정문崇政
門에 화재가 발생하여 다시 수리를 하였다.[606] 이후 불타버린 경희궁의 전각들

---

601 『大韓每日申報』 1910년 6월 23일자.
602 西闕은 西宮과 혼동하기 쉬운데 西宮은 仁穆大妃를 幽閉하였던 곳으로 慶運宮인 즉
   오늘날 덕수궁이다.
603 『純祖實錄』 1929년 10월 3일자 기사.
604 이상해, 『궁궐 · 유교건축』, 솔출판사, 2004.
605 『高宗實錄』 1883년 3월 10일 기사,
606 『高宗實錄』 1889년 9월 14일 기사.

을 중건 및 수리를 하고자 했으나 뜻을 이루지 못했다.

1896년 7월 1일부로 특명전권공사 원경原敬이 일본 외무대신에게 보낸 〈내지폭도 정황 등 보고〉에 들어 있는 '잡건雜件'에는 경희궁의 피해와 경희궁의 수리를 못하는 이유에 대해 다음과 같이 보고하고 있다.

대군주폐하大君主陛下가 환어還御하시면 쓰시도록 하기 위해 요사이 서대문 안에 있는 구궐舊闕을 수리하기로 원래 계획했었다. 이 구궐은 현재 러시아 공사관의 길 건너편에 있기 때문에 수리가 끝나면 서문西門을 폐쇄하여 동쪽에는 러시아 사관士官의 관사를 짓고 남쪽에는 러시아 공관을 그대로 두어 성벽을 대신하도록 할 계획이었는데 무엇인가 사정이 있어 현재 중지하였다는 것이다.

덧붙여 적으면 이 구궐은 그 터의 면적이 약 10만 평이어서 태조대왕 이래 역대조정의 이궁離宮이었는데, 지난 1883년 3월 그 궁궐에서 있었던 화약고 폭발사고 때문에 숭정전崇政殿·회양전會洋殿·흥정당興政堂만이 겨우 잔형殘形만 남았을 뿐 그 밖의 것은 모두 붕괴되어 궐내가 황무지와 같다고 한다.

그리고 또 수리가 중단된 원인으로 풍설에 의하면, 이 비용을 충당하기 위해 예산한 자본은 선先 황후 생존 중 상해은행에 예치해 두었던 홍삼 대금 7만 원을 찾아 이에 충당하려 했으나, 이 예금주가 민영익閔泳翊의 명의로 되어 있어 그와 쉽게 타협이 안 된 탓이라고도 한다. 또 재정이 곤란한 오늘날 급하지 않은 공사를 한다는 것은 옳지 못하다고 주장하는 사람이 많고, 특히 탁지부 고문 브라운 같은 사람도 주로 여기에 동의하지 않은 결과라고도 한다.[607]

607 『駐韓日本公使館記錄』11권 二, 本省往報告 > (4)[內地暴徒 情況 등 보고].
　　　출처 : 한국사데이타베이스.

경희궁 전각 수리에 대해
1902년 8월에도 집행을 하라
는 독촉이 있었으나[608] 혼란
한 정세에 뜻을 이루지 못하
고 버려져 있다시피 했다.

고종이 퇴위退位할 무렵부
터 급속도로 파괴되기 시작
하여 숭정전을 제외한 모든
당堂 등은 훼폐毁廢하여 옛 궁

경희궁 내에 신축하는 중학교의 일부가 곧 준공될 것이라는
기사(『매일신보』1910년 11월 18일자)

원에는 잡초만이 있었다. 경술국치 이후 1911년 6월에는 경희궁慶熙宮 토지와 건
물 전부가 총독부總督府에 인계引繼되었다.[609]

당시에 잔존殘存하는 건물로는 숭정전崇政殿, 회상전會祥殿, 흥정전興政殿, 흥화문興
化門 및 무덕문지武德門址, 각 회랑回廊, 고종시대에 세운 황학정黃鶴亭 등이 있었다.

1909년에는 일본거류민 자녀를 위한 중학교 건립으로 경희궁 서방西方의 대
부분을 그 경지로 사용했다. 일본거류민단에서는 1909년 2월에 중학교를 설립
하기로 하고[610] 1909년 5월에 개교식을 가졌다.[611] 1909년 8월에는 통감부에서
중학교를 설립하기로 하고 경비 19만환까지 산정을 하고 있었으나, 일본인경
성민단에서 중학교를 이미 설립을 했기 때문에 경성거류민단립경성중학교를

---

608 『高宗實錄』1902년 8월 16일 기사.
609 『純宗實錄』1911년 6월 26일 기사.
610 『皇城新聞』1909년 2월 6일자, 1909년 2월 26일자.
611 『皇城新聞』1909년 5월 21일자.

인계하여 통감부에서 직접 관할하기로 결정했다.[612]

학교설립 기지를 처음에는 경복궁으로 하자는 의견도 있었으나 나중에는 경희궁의 일부로 내정하게 되었다.[613] 1910년 3월 21일에는 경성거류민단립경성중학교에 재학하는 생도를 인계하여 통감부중학교로 개칭했다.[614] 경희궁 내에 건설하는 통감부립중학교 교사의 건축은 1910년 6월 29일부터 착수했다.[615]

이후 조선총독부가 들어서면서 학교명은 자연히 조선총독부중학교로 개칭되었다. 이는 1913년 4월에 조선총독부중학교관제를 개정하면서 다시 경성중학교로 개칭하게 되었다.[616] 이같이 대궐이 일본인 중학교로 변하자 "옛 위엄이 다 없어지고 뭇 학생들의 작란에 여간 골머리가 아프지 않았다. 또 한번 변하야 그 안 한쪽이 관사로 된 후에는 아무나 드나들지 못하든 그 속에 별별 사람이 다 살고 드나들어 팔자의 기구함을 한탄하게 되었다."[617]고 한다.

창의궁이 척식회사에 넘어가다.

창의궁彰義宮은 제21대 영조의 잠저로서 위치는 현재 통의동 35번지와 그 부근에 해당한다.

---

612 『皇城新聞』 1909년 8월 22일자.
613 『皇城新聞』 1910년 1월 29일자, 30일자.
614 統監府令 第9號, '統監府中學校規則', 鮮總督府官報, 1910년 3월 30일.
615 『皇城新聞』 1910년 7월 1일자; 『大韓每日申報』 1910년 7월 1일자.
616 朝鮮總督府官報, 1913년 4월 1일.
617 門內漢, 「八字 곳친 京城市內, 六大門身勢打鈴」, 『별건곤』 제65호, 1933년 7월.

창의궁은 1899년 5월에 화재를 입어 전각 수 채가 소실되었다고 하는데,[618] 당시의 상태를 알 수 없으나 더 이상 중건을 했다는 기록은 보이지 않는다. 제22대 정조10년에 흉거한 문효세자의 문희묘가 이 궁에 있었으나 1908년 7월 신위를 매안하고 궁을 폐하였다.[619]

그 후 1910년에는 동양척식회사에서 창의궁을 매입하여 그곳에 1910년 6월부터 회사 사택 50호를 건설하기 시작했다.[620]

이 궁역 안에는 우리나라 백송白松 중에서 가장 크고 수형이 아름다웠던 천연기념물 4호의 백송이 있었으나[621] 1992년에 고사枯死되었다.

동양척식회사 안에 있는 백송
(『매일신보』 1916년 7월 25일자)

---

618 宮中失火. 昨日深夜에 彰義宮營繕所에서 失火ᄒ야 積寘혼 材木이 沒數燒火ᄒ고 其外閭閻 家數戶가 延燒ᄒ얏ᄂᆞᆫ디 其火의 根由ᄂᆞᆫ 아즉 不知ᄒ더라(『皇城新聞』 1899년 5월 4일자).

619 서울특별시 시사편찬위원회, 『국역 경성부사』 제1권, 1912.

620 拓殖會社에셔ᄂᆞᆫ 彰義門內 彰義宮基地에 該社事務員私宅을 建築홀 計劃인디 迎秋門 前 通衢에 臨時輕便鐵路를 敷設 고 木石에 輸運을 便利케홀 次로 不遠間 工役에 着手 ᄒ다더라(『大韓每日申報』 1910년 6월 1일자).
彰義宮基址에 拓殖會社社員의 住宅을 建築혼다홈은 旣報어니와 五十戶를 目下建築 中인디 來九月頃에 竣工될터이라더라(『大韓每日申報』 1910년 6월 21일자).
東拓宿舍竣功期 北部彰義宮을 毁撤ᄒ고 東洋拓殖會社社員等의 宿舍를 新히 建築홈 은 旣報어니와 該宿舍五十戶를 目下建築中인디 來九月頃에ᄂᆞᆫ 竣工되리라더라(『皇城 新聞』 1910년 6월 21일자).
東拓舍宅始役 東洋拓殖會社에셔 其社宅을 北部彰義宮에 建築홈은 旣報어니와 昨日 붓터 始役ᄒ얏다더라(『皇城新聞』 1910년 7월 23일자).
五十官舍 彰義宮內에 拓殖會社任員의 官舍五十座를 新建築ᄒᄂᆞᆫ 中인디 來八月에 竣 役홀 預定이라더라(『皇城新聞』 1910년 7월 24일자).

621 『개벽』 제48호(1924년 6월)에 실린 「京城의 名勝과 古蹟」에는 다음과 같은 기록이 있다.
彰義宮 景福宮 西方 迎秋門 外 東拓會社의 官舍 所在地다. 其內에 一株의 白松이 잇

일본인 곤도近藤는 도한한 일본 각희단角戱團에 한국 고검古劍 1병一柄을 기념품으로 선물했다.[622]

1910년 7월 12일

남산 본원사의 편액(扁額) 봉게식(奉揭式)

남산본원사에 고종황제가 어휘필御揮筆 하사한 「대한아미타본원사大韓阿彌陀本願寺」란 여덟 자의 편액扁額 봉게식奉揭式을 7월 12일에 갖다.

경성포교소京城布敎所는 1887년에 개설되어 그 후 남산에 4,300여 평의 땅을 매수하여 1900년 11월에 이 지역에 본당을 건축하였으나 러일전쟁으로 일시 재정난에 봉착하자 이왕가의 원조를 받게 되는데, 당우堂宇의 건축은 이왕가에서 시종 막대한 원조援助를 했다. 처음 건축계획에 3천원, 또 고리庫裡의 건축에 2천5백 원을 하사하였고, 후에 본당의 건축에 착수할 때 2천1백 원을 공사관을 경유하여 1905년 9월에 전달하였다. 건축용재는 강원도방면에서 벌목하여 구해오기도 했지만, 남산에 자라고 있는 엄청난 거목들을 발견하고는 이왕가에 사재賜材를 요구하고 허가를 받아 무차별 벌목하여 사용하였다.

스니 此 白松은 學名을 「휴스, 뿌레기아나」라 칭한다. 幹은 白하고 葉은 三針으로 灰白色을 帶하야 車輪의 狀을 成하니 其 原産地는 蒙古오 京城 부근에는 幾株에 불과하는 珍品이다(壽松洞 普成學校 內와 內資洞 부근에 又 각 一株가 有한데 오전에 東京農科大學 講師 右田 박사가 此松을 연구하기 위하야 특히 來한 事가 有함).

622 『大韓每日申報』 1910년 6월 28일자.

이는 철저한 계획 하에 이루어진 것으로 가도加藤의 계책에 의하면 네 번째
의 안으로 경성에 이와 같은 대회당大會堂을 짓는 것은,

요는 경성은 일국一國의 수부首府로 각국 전도사傳導師의 집합지로 일한승
려日韓僧侶의 일치기맥一致氣脈을 통하고 왕실과 불교와의 관계를 친밀하게
하고 …… 한국 포교의 대본부로 일대회당一大會堂을 경성 내에 건설하여
불교의 본지本旨 애국의 원기元氣를 연설演說하고 열심히 착실하게 외교도
外敎徒와 논진교전論陣敎戰을 장張하고 가까이 조석朝夕에 대군주大君主 폐하
陛下의 성수만세聖壽萬世를 기祈 함으로써 흥학포교興學布敎 백반百般의 제도
制度를 확립確立[623]

하는데 있었다고 치장하고 있다.

1906년 11월 공사비 약 6만원을 들여 본당 낙성에 이르렀다. 1906년 11월 17
일에 천불회遷佛會를 거행하고, 18일부터 2일간 경찬회慶讚會를 열었다. 당시 통
감 이등박문은 문무백관을 이끌고 이곳을 참배參拜하였다. 그리고 당시 한국 황
실은 본원사에 영패靈牌를 봉안奉安하였으며, 1910년 7월 12일에는 고종의 친필
親筆「대한아미타본원사大韓阿彌陀本願寺」의 편액을 하사, 1910년 7월 12일 봉게
식奉揭式을 거행하여 제대관諸大官 기타 신도의 참열參列이 400명에 달했다.[624]

623 加藤文敎, 『韓國開敎論』, 1900, pp.31-32.
624 『京畿地方の名勝史蹟』, 朝鮮地方行政學會 發行, 昭和12년, pp.69-71, 參考.

1910년 7월 23일

통감 데라우치 착임

1910년 5월 30일부로 육군대신 자작 데라우치寺內가 통감을 겸임했다. 전 체신대신 야마가타山縣伊三郎이 부통감에 임명되고 이하 막료들이 임명, 부통감 이하는 신통감의 부임에 앞서 7월 4일 착임했다.

데라우치寺內 통감이 경성에 착임하기에 앞서 6월 16일 통감부 총무장관 대리 이시즈카 에조石塚英藏는 한국의 경찰권을 전부 일본정부에 위탁할 것을 제안하여 속히 각의閣議를 개최하여 결답을 요구했다. 동월 22일 이시즈카 장관 대리는 이 취지를 한국정부에 전송했다. 23일 한국정부는 형식적 각의를 거쳐 24일 경찰권 위임에 관한 각서를 조인했다.

이로써 6월 30일 한국경찰관관제를 전부 폐하고, 일본정부 역시 6월 29일 칙령으로 통감부경찰관서관제 개정 및 한국주차 헌병조례 개정 2조를 제정하고 헌병사령부 외 경무총감부를 설치했다. 육군소장 아카시 모토지로明石元二郎가 통감부경무총장을 겸임하여 종래의 경시청 및 경무국을 폐했다. 수도의 경찰사무 전부를 신설한 경무통감부의 직할로 옮기고, 지방의 헌병대장(중좌)을 지방청의 경무부장을 겸임하게 했다. 일본인 경찰관 약 2천인, 한국인 경찰관 약 3천2백인, 일본인 헌병 약 2천인, 한국인 헌병보조원 약 4천인으로 신 경찰을 조직하고 이런 등으로 전원 명석 소장의 지휘에 따르게 되었다. 경성에는 경무총감부를 두고, 3경찰서, 5분서를 직할하게 했다. 각 도에는 경무부를 두고 5내지 10경찰서를 배치하고, 비적 봉기를 우려하여 시 읍에는 헌병분대 또는 분견소를 배치하여 치안경찰의 사무를 보게 했다.

이때부터 경무총감부를 현 대화정 2정목의 헌병사령부 구내에 두게 되었다. 신임통감 데라우치는 7월 15일 동경을 출발하여 7월 23일 인천항에 도착하여 경성에 착임 했다.[625]

『황성신문』 1910년 7월 24일자에는 데라우치 통감의 도착 광경을 다음과 같이 표현하고 있다.

경성 착 통감은 일본 국기를 고게高揭한 특별렬차로 11시 56분에 남대문역에 도착히여 좌측의 한일인 문관과 우측의 각 사회대표자 영사단, 부인단 등이 군대적으로 정렬탄영함을 수受하고 역장의 인도와 고마쓰小松 외무부장의 소개로 중요 출영자와 악수례를 행한 후 영선군 이준용 저하와 함께 귀빈실에 들어가 잠시 휴식을 취하고 12시경에 전보한 원수의장으로 마차를 타고 관저에 들어갔는데 19발 예포와 수십 대 폭죽은 이타耳朶를 경동하더라

박영철은 데리우치의 부임 당시를 다음과 같이 회고 하고 있다.

데라우치寺內 총독은 무단정치가다. 나는 그때 익산군수로 재근하엿든 관계로 데라우치 총독을 만히 보앗다. 한마듸로 말하면 데라우치란 사람은 밧그러는 무위당당武威堂堂 안으로도 무단일편武斷一片이엇다. 그러기까닭에 군벌정치가軍閥政治家라고 이세一世의 불평도 만하엿지만은 그러나 데라우치시대

625 京城府, 『京城府史』 제2권, 1936, pp.152-153.

1910년 데라우치의 경성 착임 모습
(京城府, 『京城府史 제2권』)

까지 그 위령이 일계불란—系不亂하게 펴진 때가 업섯다. 그가 동경서 육군대신으로 잇다가 6월부터 7월까지 2개월 동안에 비밀히 한국병합위원회라는 것을 설設하여 외무성 정무국장 구라치倉地鐵吉, 내각서기관장 시바타柴田家門, 법제국장관 야쓰히로安廣伴一郎, 척식국서기관 에자江木翼, 부총재 고토後藤新平, 고마쓰小松綠, 고다마兒玉秀雄의 제위원으로부터 각종 제도 법령의 입안과 한국 황실의 대우안 등을 모다 만드러 가지고 7월23일 인천에 상륙하여 경성의 드러오든 날의 광경은 실로 무시무시하여 위의威儀를 갓추엇섯다.[626]

1910년 7월

한성부윤 장헌식이 경복궁 안 진전의 석재와 목재를 사서 한성구락원 들어가는 동구에 집을 건축하는데 현임관리로 막중한 궁궐재목을 사서 거처할 집을 건축함은 불경한 일이라고 사람들의 입에 오르내리고 있다.[627]

데라우치 통감은 한국의 백년대계를 정함이 한인의 종교 신앙력을 이용하는

---

626 朴榮喆,「歷代總督의 人物, 내가본 伊藤·曾根·寺內·長谷川·齋藤·山梨·宇垣의 7대總督記」,『삼천리』제6권 제5호, 1934년 5월.
627 『大韓每日申報』1910년 7월 5일자.

것보다 나은 것이 없다고 하여 착임이래로 다수의 전문가와 토의하여 그 방침을 정했는데 그 내용은,

"첫째. 일본승려로 불교를 광포廣布케 할 사事

둘째. 재한미국인 선교사를 후대하여 그 아래에 있는 수천만 신도를 지도할 사" 라고 하였다.[628]

개성군 성첩城堞을 철거하였는데, 서소문, 동대문, 내리문 목재를 부에서 60원에 방매했다.[629]

한양상회의 광고

경성의 한양상회에서는 한국의 고물류 등을 해외로 수출한다는 광고를 내고 있다.

일본인 모가 많은 금액으로 대관들의 홍패紅牌(과거시험 최종 합격자에게 주는 증서)를 널리 매수하는 중인데, 어떤 것은 엄청난 금액으로 매수했다.[630]

북일영北一營은 훈련도감訓練都監의 분영分營으로 궁궐의

『황성신문』 1910년 7월 8일자 광고

628 『皇城新聞』 1909년 7월 7일자.
629 『皇城新聞』 1909년 7월 8일자.
630 『大韓每日申報』 1910년 7월 27일자.

호위를 맡았던 부대의 하나인데 경희궁 북쪽 무덕문 밖에 있었다. 1910년 7월에 궁내부 일인 관리의 관사官舍로 사용하고 영내營內의 낭무廊廡 백여 칸을 일본인에게 입찰공매入札公賣하였다.[631]

양향청(粮餉廳) 철거

한성재목주식회사에서 전 양향청粮餉廳[632]을 팔백환에 매입하여 철거에 착수하다.[633]

일본 고고학회에서 일본에 있는 조선종 사진집을 발간하다.[634]

1910년 8월 9일

8월 9일 개성군 천마산 관음사에 도둑이 숨어들어 불상 3구를 파괴하고 불복佛腹에 장치한 불경과 기타 물품을 절취해 갔다.[635]

---

631 『皇城新聞』 1910년 7월 9일자.
632 군복, 무기, 군량 등에 관계되는 일을 맡아보던 훈련도감에 딸린 관아의 하나
633 『皇城新聞』 1910년 7월 30일자.
634 「彙報」, 『史學雜誌』 제21편 제7호, 1910년 7월.
635 『大韓每日申報』 1910년 8월 17일자.

1910년 8월 16일

도쿄국립박물관에서 청자상감국화문배靑磁象嵌菊花文杯 등 청자 3점을 구입했다.[636]

1910년 8월 23일

'토지조사조사법시행규칙(上地調査法施行規則)' 공포

1910년 8월 23일에는 '토지조사조사법시행규칙土地調査法施行規則'을 공포하여 토지소유의 신고를 고시告示했다.[637]

토지조사명령은 합병당시 일반 조선인의 법률적 관념이 매우 박약하였으며 [638] 부동산증명령不動産證明令과 부동산등기령不動産登記令이 무엇인지도 잘 모르는 상태였기 때문에 국민들은 처음 겪는 일이라 의신疑信을 정하지 못하였다. 또한 토지조사가 토지소유권자들의 신고를 받아들여 토지조사의 기초를 마련하였기

---

636 『東博圖版目錄』, 2007, 圖125, 148, 150.
637 官報 隆熙4년 8월 24일(李志泰『大韓帝國期政策史資料集』1999).
638 최원규는 당시 일본이 한국법에 대한 기본적 인식 태도를 다음과 같이 기술하고 있다. 첫째, 한국인은 권리관념이 유치하고 법제가 불분명하며 대체로 덕의적 관계로 이를 처리한다고 하였다. 권리는 있으나 보호장치가 없다고 한 것이다. 둘째, 관의 법률행위 는 절대적이며 인민은 이에 대해 불복신청권이 없으며 여기서 관리의 전단과 부패가 극심하게 되었다고 하였다고 하였다. 셋째, 인민 상호간에도 사리에 따른 정당한 이익 범위는 있지만 불안정한 것일 수밖에 없다고 하였다(崔元奎, 「韓末 日帝初期 日帝의 土地權 認識과 그 整理」, 『韓國 近現代의 民族問題와 新國家 建設』, 1997).

때문에 총독부의 신고주의는 일제에 대한 반감으로 신고를 거부한 민유지들이 소유권을 잃는 결과를 낳았고 부적절한 토지소유자료를 잣대로 내세워 많은 농지를 분쟁지로 만드는 등 궁극적으로 일제의 토지수탈을 합법화 시켰다.[639]

이로 인하여 미처 신고하지 않은 사유지와 국유지에 있던 폐사지廢寺址의 수많은 탑비塔碑, 불상佛像 등이 무단으로, 또는 밀매매에 의해 일본으로 반출되면서 엄청난 수난을 가져오게 되었다.

그간 조선인은 폐사지에 남겨져 있던 부도나 탑 등에 손상을 가한다거나 그것에서 보물을 도취한다는 것은 꿈에도 생각하지 않았다.[640] 그러나 토지조사와 더불어 동산 부동산의 개념이 생기고 이에 따라 사유지에 있는 석조물들이 개인 사유물로 취급되면서,[641] 일본인의 소유로 돌아간 사유지에 있는 것은 개

---

639 黃玹의 『梅泉野錄』(李章熙 譯, 大洋書籍, 1973, p.363)에 의하면,
측량하는 그 기계가 교묘하고 괴상하여 일본인이 아니면 만들지 못해서 많은 경비를 아끼지 않고 일본에 가서 사들여 왔으며 1좌에 35원에 이르렀다. 일본인들이 측량기를 판매하는 자는 돈을 쌓아둔 것이 구릉같고 앉아서 10배의 이득을 보았다. 이에 이르러 서울에는 측량사무소가 있었고 측량총관회가 있으며 각 도, 군에 는 지회가 있었으니 신문사에서 또한 날마다 실려서 알려주며 속히 측량할 것을 권유하였다. ············ 측량하기 위해 들어가는 돈이 땅값보다 높아서 왕왕 포기하며 말하기를 "법에 맡길테니 뺏어 가든지 하라" 하고 말했다. 대개 측량비는 정한 규칙이 없고 매 만평당 1원 혹은 2원으로 서로 버티다가 결정하지 못하였다. 그러므로 기한인 경술 겨울에 이르기까지 측량을 마친 사람은 10분의 1도 미치지 못했다.

640 1916년 내무부에서 총무국장에게 보낸 '古石塔賣却에 관한 調査書'에,
"조선의 풍습으로 개인의 住居에 탑을 세우는 일 같은 것은 일찍이 들어보지 못한 일로서 조선인은 아무리 그의 주거 내에 석탑 석불류가 있더라도 이를 자기의 소유라고 思惟하는 자가 없는 바로 이를 매각함과 같음은 全然 근래의 폐풍으로서 모두 盜賣임을 알고서 이를 감히 하는 것이다."(金禧庚 編, 「韓國塔婆研究資料」, 『考古美術資料』第20輯, 考古美術同人會, p.136)

641 總務局長이 中樞院書記官長에게 보낸 「宮城寺刹 等의 廢址에 存하는 塔碑 等에 관한 舊慣調査 件」(總第225號), 中樞院書記官長이 總務局長에게 보낸 「宮城寺刹 等의 廢址에 存하는 塔碑 等에 관한 舊慣調査 件」(大正6년 5월 29일 朝中第132號).

인의 사유물로 하였으며 조선인 개인의 사유지에 있는 석조물을 매매 등의 형식을 취하여 반출하는 등 그들의 석조물 반출에 대해 법망를 교묘하게 빠져나가는[642] 활로 내지는 정당화시키는 결정적 계기가 되어 폐사지나 개인의 전답에 있던 수많은 석조물들의 반출이 토지조사와 함께 성하게 이루어졌다.

식민지 경영을 위한 토지조사는 합방 후에도 계속 발전 진행되어 5만분의 1의 지형도地形圖 제작을 시작으로 1천2백분의 1의 지적도地籍圖까지 완성되면서 1만분의 1의 도읍도都邑圖, 2만 2천분의 1의 고적명승도古蹟名勝圖의 제작이 부산물로 생겨[643] 이 방면의 관계자들에 연결하여 고분군古墳群, 성지城址, 사지寺址, 요지窯址 등의 고적古蹟까지 유의留意시켜 문화유적조사를 유발하였으며,[644] 그것을 기초로 한 조직적인 약탈을 가능케 했다.[645] 그러므로 이 시기에 있어서의 한국에 대한 일제의 문화정책은 제도적 측면에서 보아 무법적無法的인 약탈의 자행이라 하겠으며 조직적인 약탈을 위한 또 하나의 준비단계라 할 수 있

---

642 석조물 반출로 형사처벌을 받은 1908년 5월 11일 판결문이 1995년 총무처기록보존소에서 간행한 『國權回復運動判決文集』 '일본인의 高麗磁器 盜掘 등 文化財掠奪' 조에 수록되어 있는 바. 석조물 반출에 관계된 한국인은 모두 형사처벌을 받았으나 정작 석물 반출을 조종하여 자신의 정원에 두었던 일본인은 정당한 절차로 돈을 주고 샀다는 이유로 아무런 처벌을 받지 않았다.

643 藤田亮策, 『朝鮮考古學論考』, 藤田先生記念事業會刊, 1963, pp.70-71.
『朝鮮土地調査事業報告書』, 朝鮮總督府臨時土地調査局, 1918, pp.453-454.

644 李弘稙, 「國史研究의 回顧와 展望」, 『思想界』, 1955년 3월.

645 日帝는 土地調査와 아울러 1916-1917年頃에 殖産局山林課에서 林野中에 있는 寺址, 城址, 佛像, 塔, 窯址, 古墳, 書院址, 등을 조사하여 要存林野 其他 管理 또는 處分할 때 參考로 하기 위해 『古蹟臺帳』을 만들었는데 원본은 13책으로 분책으로 되어 있던 것을 1책으로 하여 보물고적보존사무 담당자의 참고자료로 하기 위하여 1942년에 《朝鮮寶物古蹟調査資料》로 發刊하였는데, 일반인에게는 미공개로 책표지에 「秘」로 표시되어 있다.

다.[646] 이처럼 무력의 강압하에 일본의 시책施策은 착착 수행해 가는 노선에서 일인 학자들의 진출과 활동은 결코 한국을 위한 것이 아니라 어디까지나 일본 제국주의日本帝國主義의 시책施策의 일부로서 그 활동을 전개하였다.

1910년 8월 28일

각 지방 군청에 무용無用의 공해公廨는 7월에 내부에서 조사하여 수리 사용할 수 있는 것 외에는 방매하기로 정하고 각 해당 관찰사에게 위임했다. 8월 26일에 입찰 방매한 결과 외국인이 낙찰한 것이 가장 많았다.[647]

『대한매일신보』 종간

『대한매일신보』는 1904년에 영국인 배설裵說(Bethell E. T)을 발행인 겸 편집인으로, 양기탁梁起鐸을 총무로 하여 창간되었으며, 대중 계몽과 항일사상을 고취시키는데 앞장선 구한말의 대표적인 일간 민족지이다. 1905년 8월 11일부터 국문판과 영문판을 따로 발간하였으며 국문판은 국한문을 혼용하였다. 1907년 5월 23일에는 한문을 모르는 독자들을 위해 순한글판을 추가하여 총 3종의 신문을 발행하였고 발행부수도 1만 부를 넘었다. 그러나 일제의 끊임없는 탄압과

---

646 吳世卓, 「日帝의 文化財 政策」, 『文化財』 제29호, 문화재관리국, 1996.
647 『皇城新聞』 1909년 7월 10일자, 8월 16일자, 8월 27일자.

『대한매일신보』 마지막호

방해로 8월 28일까지(1461호) 발행되다가 경술국치 다음날부터 '대한大韓'의 두 자를 떼어낸 채『매일신보』가 되어 총독부기관지로 바뀌었다.

1910년 8월 29일

경술국치, 조선총독부 설치

1910년 8월 29일 병합조약 공포와 동시에 칙령 318호로 조선총독부를 설치하고 총독을 두었다. 총독은 위임 범위 안에서 육해군을 통솔하고 일체의 정무를 통활하도록 하였다. 약 1개월 후인 9월 30일 일련의 칙령을 통해 '조선총독부관제 및 소속관제'를 공포하고 10월 1일부터 이를 시행함과 동시에 통감부를 폐지하였다.[648]

648 서울특별시 시사편찬위원회,『국역 경성부사』제2권, 2013.

1910년 8월 30일

국호를 '조선(朝鮮)'으로 개칭

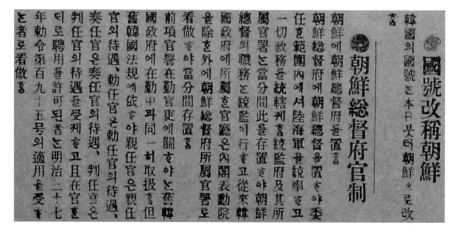

『황성신문』 1910년 8월 30일자

1910년 8월

경남 진주군 향교 앞 남산 옥봉玉峯은 원래 인조산판人造山坂이라는데 이번 장마에 파괴되어 통혈처通穴處가 있으므로 일본인 모가 고려총高麗塚인가 하여 몰래 파굴하고 달아났다.[649]

---

649 『皇城新聞』 1909년 8월 18일자,

서화포 발기

김가진金嘉鎭 오세창吳世昌 안중식安中植 이도영李道榮 등이 발기하여 종로청년 회관에 에 서화포書畵舖를 개설하기로 협의 중이라고 하는데 그 결과는 알 수 없다.[650]

공주군수 권태용과 일본인 군주사가 공모하여 모 면장으로 하여금 마곡사麻 谷寺 금불상 1좌를 가져오게 한 후에 마곡사에 5원을 지급케 했다. 마곡사에서 폭로하여 모두 체포됨[651]

내부 사사과에서 국내 사사조사 사무를 일인 가와이 히로다미河合弘民에게 위임하였다.[652]

고대자기 매입

어원사무국에서 박물관진열품으로 고물을 매입차로 각 지방에 인원을 파견 하였는데 최근에 경주군에서 1600년 된 자기를 매입하다.[653]

650 『皇城新聞』1910년 8월 19일자.
651 『皇城新聞』1910년 8월 21일자.
652 『皇城新聞』1910년 8월 24일자.
653 『皇城新聞』1910년 8월 21일자.

데라우치(寺內)의 취미

　데라우치 총독은 고미술품 수집에 열심이었는데,『황성신문』1910년 8월 26일자에는 다음과 같은 기사가 있다.

사내통감 근태. 사내총독은 시국의 대강을 이미 해결함으로 심중에 한가함이 생기면 혹 남산구락에 출왕 소요도 하고 혹 골동상 등을 소집하여 우리나라 고미술품을 收集玩賞한다더라.

　통감으로 임명된 후 그의 행보가 이러하니, 그의 통감 및 총독 임기 동안 어떠했을까? 그의 고미술품 수집품이 엄청난 양이란 사실에는 이 같은 그의 취향에 따른 아부성 선물이 많았음을 짐작할 수 있다.

1910년 9월 10일

　황현黃玹(字 雲鄉 號 梅泉)이 일본의 한국 병탄을 통한하여 유시遺詩 4수를 남기고 음독 순절하다.
　매천梅泉이 남긴 유시는 다음과 같다.

유시사수遺詩四首

난리를 겪다보니 백두년白頭年이 되었구나.

몇 번이고 목숨을 끊으려다 이루지 못했도다.

오늘날 참으로 어찌할 수 없고 보니

가물거리는 촛불이 창천蒼天에 비치도다.

요망한 기운이 가려서 제성帝星이 옮겨지니

구궐九闕은 침범하여 주루晝漏가 더디구나.

이제부터 조칙을 받을 길이 없으니

구슬 같은 눈물이 주룩주룩 조칙에 얽히는구나.

새와 짐승도 슬피 울며 해악海岳도 찡그리는데

근역槿域 삼천리 강산은 이미 침륜沈淪 됐구나.

가을 등불 아래 책을 가리고 천고를 회상하니

인간의 안다고 하는 것이 고민이로다.

일찍이 나라를 지탱할 조그만한 공도 없었으니

단지 인仁을 이을 뿐이요, 충은 아닌 것이로다.

겨우 능히 윤곧尹穀을 따르는데 그칠 뿐이요

당시의 진동을 밟지 못하는 것이 부끄럽구나.

서북학회西北學會는 학회령學會令 제8조에 의하여 본회 및 지회 설립 인가가

취소되다.[654]

1910년 9월 14일

『황성신문』 종간

　『황성신문』은 광무2년(1898) 9월 5일에 창간된 일간 신문. 남궁억, 나수연, 장
지연 등이 『경성신문』을 인수하여 창간한 것으로, 국한문체 소형小型 4면으로
발간하였다. 애국적 논필로 여러 차례 정간을 겪다가 1910년 8월 28일 『한성신
문』으로 제호를 변경하여 발행되다가 1910년 9월 14일에 종간하였다.

　사고 우측에 "서적의 제목 중에 '대한大韓' 이란 자만 들어가도 일체 압수하였

『황성신문』 마지막 호

---

654 『朝鮮總督府官報』 1910년 9월 19일자.

다"는 기사가 보인다.

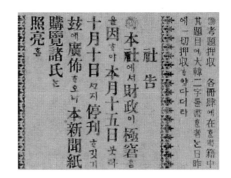

1910년 9월 20일

미야케 쵸사쿠(三宅長策)의 기증품

통감부 법무원 재판장의 평정관, 경성복심원 부장으로 활동하다가 1912년부터 변호사로 활동한 미야케 쵸사쿠三宅長策는 1910년 9월 20일자로 도쿄국립박물관에 정자인물상靑瓷人物像, 고려시대 농제교구편銅製鉸具片 4개 등을 기증했다.[655]

미야케 쵸사쿠三宅長策는 1906년에 한국에 건너와 일찍부터 고려자기 수집에 깊은 관심을 두었는데, 그의 회고에 의하면,

미야케 쵸사쿠
(『매일신보』 1912년 8월 30일자)

내가 조선에 부임한 것은 메이지 39년(1906) 이토 히로부미伊藤博文공이 초대통감으로 취임한 해로, 그 이전부터 나는 고도자기에 깊은 감흥을 느껴 멀리 조선에 간 것도 조선 고도자기에 대한 친밀감에 끌려서 였다. 아직 고려청자가 세상에 널리 알려지기 전의 일로서, 당시 이미 아유카이 후사노신鮎貝房之進, 아가와 시게로阿川重郎 등 한 두 사

655　東京國立博物館, 『收藏品目錄』, 1956; 東京國立博物館, 『東博圖版目錄』, 2007.

람의 수집가는 있었으나 고도자에 관심을 갖는 사람은 경성에는 없었다.[656]

라고 하고 있어 고려자기 수집에 있어서는 한국재주의 일본인 중에 가장 일찍 시작한 사람 중의 한 사람이라 할 수 있다. 그의 회고에서처럼 그가 조선에 건너온 것이 "조선의 고도자기에 대한 친밀감에 끌려서"였다면 당연히 그의 수집품의 고려자기로 그 양이 상당했을 것으로 추정된다.

마시미즈 조로쿠眞淸水藏六는 1933년에 한국을 여행하면서 당시 서울에서 관리로 근무하던 미야케三宅長策를 방문하였는데, "그는 애장가로 소장하고 있는 고려자기가 많았다"[657]고 한다.

하지만 그의 수집품은 좀처럼 밖으로 내놓지 않아 알려진 것이 많지 않다.

『조선미술대관朝鮮美術大觀』(1910)에는 고려경高麗鏡 5면 외 14면이 실려 있으며,[658]

금동보살반가상(『조선고적도보』3권)

1909년에 탁지부건축소에서 간행한 『한홍엽韓紅葉』에는 미야케 소장으로 되어 있는 고려동경이 무려 9점이나 도판으로 실려 있다. 또 『도자』 제6권 제6호高麗特輯號에는 과문회고려완過文繪高麗盌 1점과 고려다완高麗茶碗 1점이 도판으로 게재되어 있다.[659]

---

656 三宅長策,「そのころの思ひ出'高麗古墳發掘時代'」,『陶磁』第6卷 6號(高麗特輯號), 東京陶磁研究所, 1934년 12월, p.70.
657 眞淸水藏六,「朝鮮の旅」,『陶磁』, 1933년 4월.
658 朝鮮古書刊行會,『朝鮮美術大觀』, 1910.
659 『陶磁』 제6권 제6호(高麗特輯號), 東洋陶磁研究所, 1934년 12월, 圖版7-a, b.

『조선고적도보』에는 도자기나 동경은 보이지 않고, 제3권에 도판 1367~1368로 나타나 있는 금동보살반가상金銅菩薩半跏像 1점이 미야케 소장으로 게재되어 있다. 이 불상은 초국보급 불상으로, 현재 도쿄국립박물관 오구라컬렉션에 포함되어 있다. 그간에 어떤 경로를 통한 것인지는 구체적으로 밝혀져 있지 않으나 오구라가 미야케 쵸사쿠三宅長策로 부터 입수하였음을 알 수 있다.

1910년 9월 21일

고미술품 매집 광고

미국인 조셉은 한국의 고미술품 등을 높은 가격으로 산다는 광고를 냈다.

『신한민보』
1910년 9월 21일자 광고

1910년 9월 22일

1910년도 세키노 일행의 고적조사

세키노 일행이 9월 22일로 한국에 도착하여 박물관원과 탁지부 직원이 환영하기 위해 남대문정차장에서 맞이했다는 기사(『매일신보』1910년 9월 24일자).

1010년 9월 22일에 경성에 도착한 세키노 일행(關野貞, 谷井濟一, 栗山俊一)은 전년도와 같이 내무부의 철저한 보호 아래[660] 조사를 진행했다.

세키노 일행의 고적조사에 지방관들은 극력 보호하라는 내무부의 협조 기사(『매일신보』1910년 10월 13일자 기사).

세키노 일행은 9월 22일 경성에 도착, 30일 개성을 경유하여 10월 1일 평양에 도착하여 6일간 조사, 8일 경성에 귀착했다. 10월 12일에는 다시 경성을 출발하여 옥천, 보은, 성주, 합천(해인사), 고령, 창령, 영산, 함안, 진주, 하동, 구례, 곡성, 옥과, 창평, 광주, 남평, 능주(다탑봉), 나주, 목포, 영암(도갑사), 해남, 군산, 전주, 금구(금산사), 익산 등의 유적을 조사하고 12월 7일에 다시 경성에 돌아왔다.

그간 익산, 평양 지방에서 마한, 고구려시대 유적을 조사하고, 고령, 창령, 함안, 진주에서 가야시대의 것으로 생각되는 궁지, 성지, 분묘 등을 조사하고, 보은 법주사, 구례 화엄사, 금구 금산사, 익산 미륵사지, 하동 쌍계사에서 걸출한 석탑, 석등, 석불, 석비류를 조사하고, 경성 북한산, 남원 만복사지, 남해 대흥사, 영암 도갑사, 합천 해인사 등을 조사했다.

---

660 『每日申報』1910년 10월 13일자 기사.
　　關野 박사의 고적 시찰. 조선 내지의 명소 고적을 시찰하기 위하여 건너온 관야 박사는 경기 충청북도, 경상북도, 전라남북 각 도를 시찰할 차로 작일 출발하였는데, 내무부에서 지방관에게 발훈하여 극력 보호하라 하였다더라.

당시 조사 일정을 보면 다음과 같다.[661]

조사 일	내용
9월 27일~29일	경성 일대, 승가사 마애석가상, 동대문, 경희궁 숭정전, 문묘비, 용산 연복사 탑중창비, 태고사원증국사비 및 묘탑, 경희궁 흥정당 및 회상전, 혜화문, 광희문, 승가사 국락전 및 영산전 등을 조사했다.
9월 30일	경성을 출발하여 개성도착. 개성일대의 개국사지7층석탑, 흥국사지석탑 등을 조사
10월 1일	개성을 출발하여 평양에 도착
10월 2일~7일	평양 일대 안학궁지, 대성산성, 대성산성서록 고분 조사
10월 8일	평양을 출발하여 경성에 도착
10월 9일~11일	경성에 체류
10월 12일	경성을 출발하여 옥천에 도착, 옥천관, 문묘 대성전, 명륜당, 군청정문 등 옥천 일대의 건축 조사
10월 13일	옥천을 출발하여 보은에 도착, 보은향교, 문묘 등을 조사
10월 14일	보은을 출발하여 속리산에 도착, 법주사 사천왕석등, 쌍사자석등, 천왕문, 대웅전, 기타 유물을 조사
10월 15일	속리산을 출발하여 보은에 도착
10월 16일	보은을 출발하여 옥천에 도착
10월 17일	옥천을 출발하여 왜관에 도착, 왜관을 출발하여 성주에 도착
10월 18일~19일	7층석탑, 문묘대성전, 객사성산관, 관왕묘, 법수사지3층석탑 등 성주 일대의 석탑, 문묘, 향교 등을 조사
10월 19일	성주를 출발하여 가야산 해인사에 도착[662]

---

661 關野貞, 谷井濟一, 栗山俊一, 「朝鮮遺蹟調查略報告 上」, 『考古學雜誌』 제1권 제5호, 제6호, 1911년 1월, 2월.

662 『每日申報』 1910년 10월 21일자에는 다음과 같은 기사가 있다.
大藏經譯刊計劃. 중부 전동에 있는 각황사 주무 이해광 씨는 합천 해인사에 있는 대장경을 다시 번역 발행하기 위하여 고적을 시착차로 濱本한 關野 바사를 동반하여 기타 일 오전에 남대문 발 경부열차로 同寺에 向往하여다더라.

조사 일	내용
10월 20일	대장경판, 3층석탑, 석등, 대적광전, 경판고 2동, 홍하문, 법보전비로사나불, 경홍전, 명부전, 홍제암, 송운대사석종, 기타 해인사 유물을 조사
10월 21일	해인사를 출발하여 고령에 도착
10월 22일~23일	고령 가야시대 고분, 가야왕궁지, 주산가야산성지, 향사당남3층석탑, 당간지주, 객사 가야관, 그외 문묘, 향교 등을 조사
10월 24일	고령을 출발하여 창령에 도착
10월 25일	창령 일대의 석탑(3층석탑 2기), 수마산성, 가야시대 고분, 문묘, 향교 등을 조사
10월 25일	창령을 출발하여 영산에 도착하여 영산 문묘, 향교 등을 조사
10월 26일	영산을 출발하여 함안에 도착
10월 27일	함안 일대의 성산산성, 가야시대 고분, 대사동석불, 문묘, 객사 등을 조사
10월 28일	함안을 출발하여 진주에 도착
10월 29일~2일	진주 옥봉 및 수정봉 가야시대 고분, 촉석루, 객사, 문묘, 향교 등 조사하고 진주 청곡사 유물을 조사[663]
11월 3일	진주를 출발하여 하동에 도착
11월 4일	하동을 출발하여 지리산 쌍계사에 도착
11월 5일	쌍계사 유물을 조사
11월 6일	지리산 출발 구례 도착
11월 7일	구례객사, 화엄사 화엄경석각단편, 화엄사 묘법연화경 권41첩 등을 조사
11월 8일	구례를 출발하여 남원에 도착
11월 9일	남원 만복사미륵상 및 5층석탑, 만복사불좌석, 광한루, 문묘 등을 조사
11월 10일	남원을 출발하여 곡성에 도착하여 곡성향교, 문묘 등을 조사
11월 11일	곡성을 출발하여 옥과에 도착하고, 옥과객사, 향교 등을 조사
11월 12일	옥과를 출발하여 광주에 도착했다. 창평 개선사지, 객사 등을 조사

663 『每日申報』1910년 11월 8일자에는 다음과 같은 기사가 있다. 고기 발굴. 진주군 옥봉 (일명 수정봉)상에 수3의 고총이 있는데 어느 시대 어떤 사람의 所葬인지 알지 못하더 니 금년 여름에 어떤 자가 발굴하여 그 중에서 기괴한 고기물 등을 다수 발굴하였는지 라 일전 해당도청에서 나머지 양 곳을 파굴하여 역시 기괴한 고기물을 다수 발견한 고 로 장차 이군의 유식자와 함께 관야 박사의 鑑辨品評에 붙였다더라.

조사 일	내용
11월 13일	광주 성동5층탑, 성서5층탑, 문묘, 향교, 증심사 등을 조사
11월 14일	광주를 출발하여 능주에 도착
11월 15일	능주 다탑봉석탑, 석불을 조사
11월 16일	남평을 출발하여 나주 도착
11월 17일	나주동문, 서문, 서부면3층석탑, 나주읍내석등, 문묘, 심향사 등을 조사
11월 17일	나주를 출발하여 목포에 도착
11월 18일	목포 이순신유허비 조사
11월 19일	목포를 출발하여 영암 도갑사 도착하고, 영암 도갑사를 조사
11월 20일	도갑사에서 묘법연화경 7첩 등을 조사하고, 목포에 도착
11월 21일	목포를 출발하여 해남에 도착
11월 22일~23일	해남 대흥사, 객사 등을 조사
11월 23일	해남을 출발하여 목포에 도착
11월 25일	목포를 출발
11월 26일	군산에 도착, 군산 선종암, 은적사를 조사
11월 27일	군산 출발 전주 도착
11월 28일~30일	전주 조선시대 건축물, 귀신사를 조사
11월 30일	전주를 출발하여 금구 금산사 도착
11월 30일~12월 1일	금구 금산사 유물을 조사
12월 2일	금산사를 출발하여 익산에 도착
12월 3일~4일	익산 마한궁지, 미륵사지, 사자암, 쌍릉 등을 조사
12월 5일	익산을 출발하여 강계를 경유 군산에 도착
12월 6일	군산을 출발
12월 7일	인천을 경유하여 경성에 도착
12월 8일~14일	경성에 체류

『조선유적조사약보고』

1910년 9월 22일부터 12월 7일까지 어원사무국御苑事務局 평의원 세키노 다다시關野貞, 야쓰이 세이이치谷井濟一, 구리야마 순이치栗山俊一가 경기도, 경상남북도, 전라남북도, 충청북도, 평안남도의 고적을 조사하고, 조사일정과 고적현황을 서술해 1910년 12월 13일에 약보고서를 제출했다. 이 보고서는 고적을 가치에 따라 갑을병정으로 분류하여 명칭, 시기, 조사일 등을 기재한 일람과 갑을로 분류된 고적만을 별도로 골라 명칭, 소재지 등을 기재한 일람이 첨부되어 있다.[664]

세키노 일행에 의한 1910년도의 조사는 고대문화의 상태 및 변천을 조사, 건축물은 물론 능묘, 궁지, 성적城跡, 석등, 찰간, 비갈, 불상, 종고, 묘탑, 서화 등을 조사하고 유물 중 특히 산일의 우려가 있어 감독 보호를 요하는 것을 분류했다. 중요한 것을 보면 다음과 같다.[665]

664 『국립중앙박물관 소장 총독부박물관 공문서』 목록번호 96-320.
665 關野, 谷井, 栗山,「朝鮮遺蹟調査略報告 上」,『考古學雜誌』제1권 제5호, 제6호, 1911년 1월, 2월. 「關野博士一行の朝鮮遺蹟調査槪況」,『歷史地理』제17권 2호, 歷史地理學會, 日本歷史地理學會, 1911년 2월.

1. 금회조사에서 급히 수선을 요하는 것은 다음과 같다.

(갑)익산 폐미륵사지탑 - 현재 태반이 파괴 붕괴되어 겨우 6층의 모양만 가지고 실로 위험한 상태.

(을)영암 도갑사 해탈문 - 약 4백년전의 건축으로 급히 수리가 필요한 것으로 수리비 약 3천원.

(병)광주읍 동5층석탑 - 신라시대의 비교적 큰 석탑이다. 지금 심하게 한 쪽으로 기울어져 도괴될 위험이 있으므로 속히 수리를 요함, 경비 100원.

2. 유물 중 현재의 위치에서 감독 보호가 어려워 파괴 도난의 우려가 있어 박물관이나 그 외 적당한 곳으로 이전을 요하는 것으로는 다음과 같은 것을 들고 있다.

(갑)폐개선사석등 - 현재 산간의 밭에 있는데 반은 지중에 매몰되어 있다.

(을)나주읍내 석등 - 대안9년大安九年 명이 있는 석등으로 현재 읍의 서문 내 시가 도로에 세워져 있어 피해를 입을 우려가 있다.

(병)해남 남문상 동종 - 고려시대의 우수한 일품으로 원 대흥사에 있던 것

익산 미륵사지탑과 광주읍 동5층석탑

개선사석등과 나주읍내석등

으로 본년 5월에 군청에서 빌려와 성문상에 걸고 경종警鐘으로 삼고 있다.
비교적 작은 것이라 2, 3인의 힘으로도 들 수 있고, 누상에는 아무나 자유
로이 오르내릴 수 있으므로, 역시 박해를 받기 쉬운 위치에 있다. 소관 등
의 조사 후 임의로 경찰서에 보관하도록 했다.

3. 유물 중 특히 산일의 우려가 있어 상당 감독 보호를 요하는 것.
(갑)화엄사 화엄경석편 - 현재 수천의 단편으로, 동사의 불전 벽면을 돌로
만들고 화엄경을 새긴 것으로, 임진역에 병화를 입어 파괴된 것이라고 전
한다. 지금은 수천의 단편으로 되어, 각황전 불단 아래에 퇴적되어 보호의
길이 없으며 매우 산일의 우려가 있다.
(을)화엄사 묘법연화경 권41책
도갑사 묘법연화경 전7첩(跋 洪武六年)

1910년 9월 30일

조선총독부관제 공포

9월 30일로 조선총독부 및 소속관서관제를 공포하고 10월 1일부터 시행하다.

조선총독부관제朝鮮總督府官制[666]

제1조 조선총독부에 조선총독을 두며 총독은 조선을 관할한다.

제2조 총독은 친임으로 하며 육군대장으로 이를 충한다.

제3조 총독은 일본천황에 직례하며 위임의 범위 내에서 육해군을 통솔하며 조선 방비의 사事를 장한다. 총독은 제반의 정무를 통할하며 내각총리대신을 거쳐 상주하여 재가를 얻는다.

제4조 총독은 그 직권 또는 특별위임에 의하여 조선총독부령을 발하며 이에 1년 이하의 징역 또는 금고구류 200원 이하의 벌금이나 과료의 벌칙을 附할 수 있다.

제5조 총독은 소할관청의 명령이나 처분에 대하여 규제에 위반되어 공익을 해하거나 또는 권한을 범하였다고 인정할 때는 그 명령 또는 처분을 취소하며 또한 정지할 수 있음.

제6조 총독은 소부의 관리를 통독하며 주임문관의 진퇴는 내각총리대신을 거쳐 이를 상주하며 판임문관 이하의 진퇴는 이를 전행한다.

---

666 『朝鮮總督府官報』 1910년 9월 30일자; 朝鮮總督府, 『施政30年史』, 1930.

제7조 총독은 내각총리대신을 거쳐 소부문관의 서임 서훈을 상주한다.

제8조 총독부에 정무총감을 둔다. 정무총감은 친임으로 한다. 정무총감은 총독을 보좌하며 부무府務를 통리하며 각 부국의 사무를 감독한다.

제9조 총독부에 관방 및 다음의 5부를 둔다. 총무부, 내무부, 탁지부, 농상공부, 사법부

제10조 총무부에 인사국외사국회계국, 내무부에 지방국학무국, 탁지부에 사재국, 사계국, 농상공부에 식산국상공국을 둔다. 관방, 각부 및 각국의 사무분장은 총독이 이를 정함.

제11조 총독부에 다음의 직원을 둔다.

제12조 장관은 각부 의장으로 하고 총독 및 정무총감의 명을 승承하여 부무를 장리하며 부하의 관리를 지휘 감독한다.

제13조 국장은 상관의 명을 승하여 국무를 장리한다.

제14조 참사관은 상관의 명을 승하여 심의 입안을 장하거나 각부 국의 사무를 돕는다.

제15조 비서관은 총독의 명을 승하여 기밀에 관한 사무를 장함.

제16조 서기관은 상관의 명을 승하여 부무를 장함.

제17조 사무관은 상관의 명을 승하여 부무를 도움.

제18조 기사는 상관의 명을 승하여 기술을 장함.

제19조 통역관은 상관의 명을 승承하여 통역을 장함.

제20조 속, 기수 및 통역생은 상관의 지휘를 승하여 서무, 기술 및 통역에 종사한다.

제21조 총독부에 총독 부 무관 2인 및 전속부관 1인을 둔다. 총독부무관은

육해군 소장 또는 좌관으로써 이를 보함.

총독부부관은 참모로 함.

부관은 육해군 좌위관으로서 이를 보함.

총독부무관 및 부관은 총독의 명을 승하여 사무에 복함.

조선총독부 중추원 설치

조선총독부중추원은 1910년 9월 30일자로 공포한 「조선총독부중추원 관제」에 의해 설치된[667] 조선총녹에 대한 자문기관으로 대한제국시의 고위관리 빛 일본의 한반도 진출에 적극 협력하였던 자들로 구성되었다. 이는 총독 개인의 자문을 구하는 형식 기구를 가장하였던 것으로 실제는 조선총독부의 시정에 대한 일방적인 대민 홍보 내지는 이를 합리화하기 위한 것이 그 주요 내용이었다.

이 중추원은 형식상으로는 조선총독朝鮮總督에 예속隸屬되어 그 자문諮問에 응하는 곳으로 겸하여 조선의 관습급제도舊習及制度에 관한 조사를 행하는 기관으로 의장(정무총감), 부의장 1명, 고문顧問 5명, 참의參議 65명을 두고 의장 외 조선인 중 지식인을 기용하여 총독의 자문에 응하고, 부의장 이하의 임기는 각 3년을 원칙으로 하고 총독의 주청奏請에 의해 내각에서 임명하였다.[668] "중추원 부의장은 구한국시대 최공로자 또는 명망이 높은 조선인으로 임명한다"하고 최초 부의

667 朝鮮總督府 官報 第 28號, 1910년 9월 30일.
668 小野淸編, 『朝鮮風土記』, 東京民論時代社, 1935, p.34.

장은 이완용을 임명했다.[669] 그러나 이는 일제의 조선지배에 대한 합리성을 가장하기 위한 기구이었을 뿐 실제 관리 및 행사는 모두 일제의 지휘 하에 움직였다.

취조국 설치

조선에서의 구관舊慣 및 제도制度의 조사는 1907년 구한국정부舊韓國政府에서 부동산조사회不動産調査會를 설치하고 부동산에 관한 관습慣習의 조사調査를 위하여 시작하여 후에 1909년 법전조사국法典調査局을 설치하고 법학박사 우메겐지로梅謙次郎을 초빙하여 민사民事 내지乃至 상사商事 전반에 걸쳐 관습의 조사를 개시하였고, 한일합방이 되자 총독 데라우치寺內는 1910년 9월 30일 칙령勅令 제356호로 조선총독부에 취조국을 설치하여 '조선의 관습慣習과 제도조사制度調査'에 착수한다고 공포公布했다.[670] 총독부 설치 후 법전조사국에서 하던 사무를 취조국에서 계승하고 광범위하게 일반의 구관 제도를 조사했다.

1910년 9월 30일 칙령 제356호로 취조국을 설치했는데 취조국 관제는 다음과 같다.

조선총독부 취조국取調局 관제[671]
제1조 조선총독부 취조국은 조선총독부에 예속되어 다음 사무를 담당한다.

---

669 朝鮮總督府,『朝鮮總督府 30年史(1)』, 1935, p.21.
670 『朝鮮總督府30年史』, 朝鮮總督府, 1940, p.225-226.
671 『朝鮮總督府官報』1910년 10월 1일자.

1. 조선에 있어서 각반의 제도 및 일체의 구관을 조사할 것

2. 총독이 지정한 법령의 입안 및 심의를 할 것

3. 법령의 폐지 개정에 대한 의견을 자세히 말할 것

제2조 취조국에는 다음의 직원을 둔다.

장관 칙임

서기관 전임 2인 주임

사무관 전임 4인 주임

속, 통역생 전임 12인 판임

제3조 장관은 조선총독의 지위 감독을 받아 국무局務를 맡아 처리하고 부하 관리를 감독한다.

제4조 서기관은 장관의 명을 받아 국무를 담당한다.

제5조 사무관은 상관의 명을 받아 국무를 보조한다.

제6조 속 및 통역생은 상관의 지휘를 받아 서무 및 통역에 종사한다.

제7조 취조국에 위원 30인 이내를 둔다.

위원은 조선에 있어서 제도 및 구관에 관한 조사에 종사한다

제8조 위원은 학식 및 명망 있는 조선인 중에서 조선총독이 이를 임명한다.

제9조 위원에게는 1년에 600원 이내의 수당을 지급할 수 있다.

부칙

본령은 명치 1910년 10월 1일부터 이를 시행한다.

칙령勅令 제356호의 '조선총독부 취조국 관제'는 모두 모두 9조로 이루어졌는데, 제2조에는 취조국 직원으로 장관, 서기관(2명), 사무관(4명), 속. 통역(12명)을

두었으며, 제7조에는 "위원 30인 이하를 둔다"고 하며, 제8조에 "위원은 학식과 덕망이 있는 조선인 중에서 조선총독이 이를 명한다"고 하고 있다. 1910년 10월 1일에 취조국의 장관에 이시즈카 에조石塚英藏를 임명하고 서기관에 나카야마 세이타로中山成太郎, 사무관에 오다 간지로小田幹治郎를 포함한 일본인 4명, 속 8명의 직원을 일본인들로만 임명하였으며, 동년 11월에 위원에 김돈희金敦熙 외 한국인 5명을 임명했다.[672] 그런데 주목되는 것은 사무관 중에는 육군 보병중위 사다케 요시준佐竹義準이 포함되어 있다. 이는 처음부터 군사력을 동원하여 한국인의 의사를 무시하고 강제 집행하겠다는 의도를 여실히 보여주고 있는 것이라 하겠다.

'조사항목調査項目'은 토지제도, 종교 및 사원의 제도, 서방 및 향교의 제도 등을 비롯한 18항으로 이루어 있는데,[673] 주목되는 것은 제13항에 "조선의 통치에

---

672 朝鮮總督府中樞院,『朝鮮慣習制度調査事業槪要』, 1938, pp.23-24.
673 取調局 조사 사항
　　1. 토지제도
　　2. 친족제도
　　3. 面 및 洞의 제도
　　4. 종교 및 사원의 제도
　　5. 書房 및 향교의 제도
　　6. 양반에 관한 제도
　　7. 四色의 起因, 연혁 및 정치상 사회상에 있어서 執力 관계
　　8. 四禮제도
　　9. 상민의 생활상태
　　10. 조선에 있어서 救貧 제도
　　11. 조선에서 행해진 중요 舊법전의 번역
　　12. 조선에 있어서 농가경제
　　13. 조선의 통치에 참고할 만한 구미 각국의 屬領地 및 식민지 제도의 연구
　　14. 이전 法典調査局의 조사사항 정리
　　15. 지방제도
　　16. 관개에 관한 구관 및 제도
　　17. 압록강 및 두만강에 관한 조사

참고가 되는 구미각국의 속령지屬領地 및 식민지植民地의 제도연구制度研究"항이
들어 있어 그들의 취조국 설치 목적이 어디에 있는 지를 보여주고 있다.[674]

내세우기를 관습과 제도조사라고 했지만 목적은 한국사를 말살하고 왜곡하
기 위한 전초작업으로 식민지통치에 저해가 되는 사료史料의 인멸湮滅과 통제統
制에 있었다.

취조국 직원[675]

임명	임명 연월일	퇴관 연월일	성명
취조국 장관	1910년 10월 1일	1912년 3월 31일	石塚英藏
서기관 겸 참사관 서무과장	1910년 10월 1일	1912년 3월 31일	中山成太郎
사무관 조사괘장	1910년 10월 1일	1912년 3월 31일	鹽川一太郎
사무관 조사괘장	1910넌 10월 1일	1912년 3월 31일	小田幹治郎
속 겸 본부 속	1910년 10월 1일	1912년 3월 31일	吉田英三郎
속	1910년 10월 1일	1912년 3월 31일	安藤靜
속	1910년 10월 1일	1912년 3월 31일	小田信治
속	1910년 10월 1일	1912년 3월 31일	宮定平
속	1910년 10월 1일	1912년 3월 31일	時永浦三
속	1910년 10월 1일	1912년 3월 31일	田邊八郎
통역생	1910년 10월 1일	1912년 3월 31일	園木末喜
사무관	1910년 10월 1일	1912년 3월 31일	남작 佐竹義準
속	1910년 10월 18일	1912년 3월 31일	有賀啓太郎
속	1910년 10월 24일	1912년 3월 31일	長野虎太郎
취조국 위원	1910년 11월 10일	1912년 3월 31일	金敎熙

---

18. 조선사전의 편찬

674 參考:『朝鮮慣習制度調査事業槪要』, 朝鮮總督府中樞院, 1938, pp.23-24.

675 「조선관습 및 제도조사 연혁의 조사」, 『중추원조사자료』, 국사편찬위원회.

임명	임명 연월일	퇴관 연월일	성명
취조국 위원	1910년 11월 10일	1912년 3월 31일	朴宗烈
취조국 위원	1910년 11월 10일	1912년 3월 31일	李範益
취조국 위원	1910년 11월 10일	1912년 3월 31일	金漢睦
취조국 위원	1910년 11월 10일	1912년 3월 31일	鄭丙朝
취조국 위원	1910년 11월 10일	1912년 3월 31일	崔泓俊
취조국 위원	1911년 1월 17일	1912년 3월 31일	朴秉祖
취조국 위원	1911년 1월 17일	1912년 3월 31일	宋榮大
취조국 위원	1911년 1월 17일	1912년 3월 31일	贊議 劉猛
취조국 위원	1911년 1월 17일	1912년 3월 31일	副贊議 李始榮
취조국 위원	1911년 1월 17일	1912년 3월 31일	具羲書
임시취조국 조사 사무 촉탁	1911년 1월 17일	1912년 3월 31일	河合弘民
취조국 조사사무를 촉탁	1911년 1월 17일	1912년 3월 31일	千葉昌胤
취조국 조사사무 촉탁	1911년 1월 17일	1912년 3월 31일	李王職 사무관 蜷川新
취조국 조사사무를 촉탁	1911년 1월 17일	1912년 3월 31일	本間九介
통역생	1911년 2월 28일	1912년 3월 31일	目良德太
취조국 위원	1911년 3월 31일	1912년 3월 31일	玄㬚
취조국 위원	1911년 3월 31일	1912년 3월 31일	金敎獻
취조국 위원	1911년 3월 31일	1912년 3월 31일	朴彝陽
속	1911년 3월 31일	1912년 3월 31일	西村洪治
속	1911년 4월 13일	1912년 3월 31일	服部敬一
사무관	1911년 4월 27일	1912년 3월 31일	時永浦三
속	1911년 5월 8일	1912년 3월 31일	金原良助
취조국 위원 촉탁	1911년 5월 31일	1912년 3월 31일	鄭萬朝
취조국 위원 촉탁	1911년 6월 21일	1912년 3월 31일	荒浪平治郎
취조국 조사사무를 촉탁	1911년 9월 9일	1912년 3월 31일	鐵道局 통역관 福田幹治郎

1910년 9월

이왕가박물관 본관 건립 착공

이왕가박물관에서는 진열품 수집에 계속적으로 박차를 가하는 한편,[676] 1910년 7월에 창덕궁 내 통명전通明殿 뒤에 경비는 30만원으로 새로 박물관을 건립하기 위한 계획을 수립했다.[677]

1911년 9월에 들어서자 강점의 한 단계로 일본 고유의 건축 양식인 천수관天守館을 모방하여 창경궁내 북쪽 언덕에 박물관 본관이 착공되었다.[678] 이곳은 원래 사도세자의 부인 혜경궁 홍씨가 거저하던 자경전慈慶殿이었던 곳이다. 이런

---

676 다음과 같은 기사가 보인다.

磁器貿易 御苑事務局主事李鵬增氏 博物園에 出品件으로 高麗磁器七十五種을 貿易次로 再昨日慶州地方에 出張 다더라 區劃三十 內部에서 漢城內外를 三十區로 劃定 얏 디 區長은 官選 고 每朔月給을 支給 기로 內定되얏다더라(『皇城新聞』 1910년 1월 25일자).

高麗磁器七十五種을 買入 야 博物館에 陳列 次로 御苑事務局主事李鵬增氏가 再昨日 慶州郡으로 出發 얏다더라(『大韓每日申報』 1910년 1월 25일자).

古物買入員出張 宮內府博物館에서 古物을 買入키 爲 야 該館事務員幾名이 日昨에 楊州等地에 出張 얏다더라(『皇城新聞』 1910년 3월 2일자).

昌德宮內博物館에 陳列 기 爲 야 古蹟書畵를 目下買入中이라더라(『大韓每日申報』 1910년 5월 6일자).

古代磁器賣人 御苑事務局에서 博物館陳列品으로 古物을 買入次로 各地方에 人員을 派送 얏다더니 近聞 즉 慶州郡에서 千六百餘年된 磁器를 買人 얏다더라(『皇城新聞』 1910년 8월 20일자).

677 昌德宮內博物館을 通明殿內에 一新建築 기로 決定 얏 디 所入經費 三十萬圓으로 預算 엇다더라(『大韓每日申報』 1910년 7월 29일자).

博物館建築費 昌德宮內博物館을 通明殿後에 一新建築次로 着手起工中인 디 所入經費 三十萬圓으로 定筭 얏다더라(『皇城新聞』 1910년 7월 29일자)

678 李王職 編,『李王家美術館要覽』, 1938.

자경전을 헐고 그 자리에 일본 전통식 건물을 지어 박물관 본
관으로 삼은 것이다. 즉 일본식 건물 속에 한국의 혼이 담긴 유
물이 들어가게 된 것이다. 이 건물은 1912년 3월에 낙성되었다.

충주군 사우祠宇에 봉안하였던 충민공忠愍公 임경업林慶業 장
군의 영정影幀을 도난당하다.[679]

숙종23년(1679)에 충북 충주시 단월동에 임경업 장군의 충절을
기리기 위해 사당을 세우고 영조2년(1726) 임경업 장군의 영정을
봉안하고 이듬해에 '충렬사忠烈祠'라는 사액현판이 내려졌다.[680]

1726년에 모신 영정은 도난당했기 때문에 후일 종손이 따로 보관해오던 영
정을 다시 모셔놓았다고 한다.

『황성신문』
1910년 9월 2일자

1921년경의 충주 충렬사 모습

---

679 『皇城新聞』1910년 9월 2일자.
680 『英祖實錄』1727년 6월 5일조.

『고고학잡지』제1권 제1호에, 금회 미쓰이가三井家에 소장하고 있는 '고구려호태왕비' 정탁본을 100부에 한해 사진축사하여 배부하겠다는 소식을 게재함[681]

경성(서울)에 일본인들의 각종 상점이 급격히 늘어났으며 고물상의 수도 함께 증가하여 '내지인 직업별 조사'를 보면 1910년 9월말 현재 고물상을 운영하는 일본인 가옥은 92호로 나타나 있다.[682]

1910년의 직업별 조사는 정착한 가구의 수가 92호라면 고물 행상의 수는 그 몇 배에 달할 것으로 추정된다. 그간에 골동업에 대한 급속적인 증가가 있었음을 알 수 있다. 고물, 특히 골동분야에 거의 거래가 없던 한국에서 일본인들의 눈에는 미개적지였다고 할 수 있다.

1910년 9월에는 일본 시모노下野신문사주최로 만한관광단滿韓觀光團을 조직하여 관광단 36명이 서울에 들어 왔을 때 민영희, 당시 한성부민회장 유길준, 한성상업회의소 조병택, 한성부윤 조헌식 등을 포함한 십 수명이 이들을 위한 환영회를 경회루에서 베풀었다. 경회루로 올라가는 작은 문에는 일본기를 달고 부근 누상에는 만국기로 장식한 다음 관광단이 도착하자 폭죽을 터트리고 음악을 연주하여 환영을 하였으며, 경회루에서 술잔치를 벌리고 기생들에게 가무를 하게 하여 흥을 돋우고 유흥을 즐겼다.[683] 이로서 궁궐의 권위는 완전히 추락하여 유흥장으로 격하되었다.

---

681 「好太王碑の縮寫本出版計劃」,『考古學雜誌』제1권 제1호, 1910년 9월.
682 川端源太郎,『京城と內地人』, 日韓書房, 1910.
683 下野新聞社,『滿韓觀光團誌』, 1911.

경회루의 대연회

경무청에서는 『양의사합전_{兩義士合傳}』이라는 출판물이 치안에 방해라 하여 압
수하고 발매금지하였다.[684]

이왕가박물관 본관 건립 착공

이왕가박물관에서는 진열품 수집에 계속적으로 박차를 가하는 한편,[685]

---

684 『皇城新聞』1910년 9월 9일자.
685 다음과 같은 기사가 보인다.
　　磁器貿易　御苑事務局主事李鵬增氏と 博物園에 出品件으로 高麗磁器七十五種을 貿易次로
　　再昨日慶州地方에 出張호얏다더라 區劃三十 內部에서 漢城內外를 三十區로 劃定호얏と디
　　區長은 官選호고 每朔月給을 支給호기로 內定되얏다더라(『皇城新聞』1910년 1월 25일자).
　　高麗磁器七十五種을 買入호야 博物館에 陳列홀 次로 御苑事務局主事李鵬增氏가 再
　　昨日 慶州郡으로 出發호엿다더라(『大韓每日申報』1910년 1월 25일자).
　　古物買入員出張 宮內府博物館에셔는 古物을 買入키 爲호야 該館事務員幾名이 日昨
　　에 楊州等地에 出張호얏다더라(『皇城新聞』1910년 3월 2일자).
　　昌德宮內博物館에 陳列호기 爲호야 古蹟書畵를 目下買入中이라더라(『大韓每日申報』

1910년 7월에 창덕궁 내 통명전通明殿 뒤에 경비는 30만원으로 새로 박물관을 건립하기 위한 계획을 수립했다.[686]

1911년 9월에 들어서자 강점의 한 단계로 일본 고유의 건축 양식인 천수관天守館을 모방하여 창경궁내 북쪽 언덕에 박물관 본관이 착공되었다.[687] 이곳은 원래 사도세자의 부인 혜경궁 홍씨가 거처하던 자경전玆慶殿이었던 곳이다. 이런 자경전을 헐고 그 자리에 일본 전통식 건물을 지어 박물관 본관으로 삼은 것이다. 즉 일본식 건물 속에 한국의 혼이 담긴 유물이 들어가게 된 것이다. 이건물은 1912년 3월에 낙성되었다.

흥천사종 운반

흥천사종을 이왕가박물관으로 옮기다.

『매일신보』
1910년 9월 23일자

1910년 5월 6일자).

古代磁器賣人 御苑事務局에셔는 博物館陳列品으로 古物을 買入次로 各地方에 人員을 派送 얏다더니 近聞 즉 慶州郡에셔 千六百餘年된 磁器를 買入ㅎ얏다더라(『皇城新聞』 1910년 8월 20일자).

686 昌德宮內博物舘을 通明殿內에 一新建築ㅎ기로 決定ㅎ엿는디 所入經費는 三十萬圓으로 預算ㅎ엿다더라(『大韓每日申報』 1910년 7월 29일자).

博物舘建築費 昌德宮內博物舘을 通明殿後에 一新建築次로 着手起工中인디 所入經費는 三十萬圓으로 定筭ㅎ얏다더라(『皇城新聞』 1910년 7월 29일자).

687 李王職 編, 『李王家美術館要覽』, 1938.

1910년 10월 2일

안학궁지 발견 와

전 안학궁지(조선고적도보)

　　1910년 10월 2일 세키노 일행(關野貞, 谷井濟一, 栗山俊一)은 대성산에 석축한 산성과 그 아래 안학궁지安鶴宮址 등을 조사하여 다수의 고와편古瓦片을 수집했는데, 안학궁지 발견 와 15개는 1914년 4월 도쿄제국대학 건축학과 제5회전람회에 진열하기도 했다.

일본으로 반출한 유물

품명	출토지	소장처 및 소장자	출처	비고
안학궁지 발견 와	평양 대동군 임원면	도쿄대 공과대학	『조선고적도보』2, 도판 387	
안학궁지 발견 와	평양 대동군 임원면	도쿄대 공과대학	『조선고적도보』2, 도판 388	
안학궁지 발견 와	평양 대동군 임원면	도쿄대 공과대학	『조선고적도보』2, 도판 389	
안학궁지 발견 와	평양 대동군 임원면	도쿄대 공과대학	『조선고적도보』2, 도판 390	
안학궁지 발견 와	평양 대동군 임원면	도쿄대 공과대학	『조선고적도보』2, 도판 391	
안학궁지 발견 와	평양 대동군 임원면	도쿄대 공과대학	『조선고적도보』2, 도판 392	

품명	출토지	소장처 및 소장자	출처	비고
안학궁지 발견 와	평양 대동군 임원면	도쿄대 공과대학	『조선고적도보』2, 도판 393	
안학궁지 발견 와	평양 대동군 임원면	도쿄대 공과대학	『조선고적도보』2, 도판 394~399	
안학궁지 발견 와	평양 대동군 임원면	도쿄대 공과대학	『조선고적도보』2, 도판 400~402	
안학궁지 발견 토제품	평양 대동군 임원면	도쿄대 공과대학	『조선고적도보』2, 도판 3403	

1910년 10월 4일

평양 일대의 고분 조사

1910년 10월 세키노 일행(關野貞, 谷井濟一, 栗山俊一)은 조선총독부 촉탁으로 고적조사를 하기 위해 평양 대동강면의 고분을 조사를 계획하고 10월 3일 이마이즈미今泉 기사의 도움을 얻어 우선 고분군을 답사했다. 그 중 2기의 고분을 선정하고, 이튿날 4일부터 그 발굴에 종사했다. 그 동방의 고분 내에 전축의 2실을 가지고 있는데 함께 궁륭穹窿이 추락하여 봉토가 실내에 차 있었다. 또 서방의 분은 단실로 이루어 졌는데 이 역시 천정이 낙하하여 흙이 차있었다. 대동강면의 고분 2기를 발굴하는 한편 평남 대동군 임원면 대성산록의 고구려 고분 1기(사동) 발굴하여 석곽 내에서 목관에 소용한 정釘을 발견했다.

사동고분(조선고적도보)

10월 7일에 이르러 일정상 세키노 일행은 이마이즈미今泉 기사에게 발굴을 계속할 것을 부탁하고 이튿날 10월 8일 경성으로 돌아와 다시 남선 지방의 조사에 종사했다.

남선 지방을 조사하고 12월 7일에 다시 경성에 돌아오니 이마이즈미今泉 기사로부터 이미 2기의 고분 조사를 마치고 그 출토품을 총독부로 보내왔다. 이마이즈미今泉 기사의 보고에 의하면 동분(조선고적도보 제1책 57도~62도) 남면에 현실 및 전실의 양실로 이루어져 현실은 동서 9척, 남북 12척이고, 전실은 조금 넓어 동서 12척 5촌, 남북 10척으로 그 전면에 연도羨道가 있으며 그 축조 방법은 전년도 발굴한 것과 동양식으로 현실 내에서 와옹瓦甕 1개, 와배 2개가 발견되었으며 그 부근에 골편이 있고, 전상상塼床上에는 도제원안陶製圓案이 있었으며, 전실 내로부터는 동반銅盤 4개, 도호陶壺, 도증陶甑, 도陶 7개, 도배陶杯 2개, 환도鐶刀잔편 및 입구 가까이에서 방형도안方形陶案 1개, 도옹陶甕 1개를 발견했다.

서분 역시 현실로 이루어진 내부로부터 겨우 도기파편과 동기의 잔결을 얻

대동강면 동분

임원면 대성산록 사동고분 출토 철정
(『조선고적도보』)

는데 그쳤다.(고적도보 1책 제54도~56도)[688]

  * 도쿄대 공과대학 제4회전람회에서 평남 대동군 임원면 대성산록 사동고분 사진을 진열된 것으로 나타나 있는데 1910년 10월 세키노 일행이 발굴 조사한 것으로, 당시 석곽에서 목관에 사용한 철정을 발견했다고 하며, 『조선고적도보』에는 '도쿄대학 공과대학 소장'으로 나타나 있다. 그런데 이번 전람회 목록에는 그 철정이 나타나 있지 않다.

688 「平壤附近に於ける樂浪時代の墳墓 一」, 『古蹟調査特別報告 1冊』, 朝鮮總督府, 1919, 序言; 關野貞 外 5名, 『樂浪時代の遺蹟』, 朝鮮總督府, 1927, pp.52-53; 關野貞, 「伽倻時代の遺蹟」, 『考古學雜誌』第1卷 7號, 1911년 3월, pp.9~11.

1910년 10월 19일

『대각국사문집(大覺國師文集)』반출

1912년 4월에 개최한 도쿄대《건축학과 제4회전람회》목록에서 주목되는 것이 있다. 대각국사문집, 대각국사비 사진 및 탁본이다. 아사미 린타로淺見倫太郎는 "근년에 이르러 발견한 대각국사문집 등이 잔존한 것은 실로 희귀한 일이라"[689]고 하고 있다. 쓰마키 나오요시妻木直良는 1911년에 발표한 「동대사東大寺에 있어서 고려고판경高麗古版經에 대해서」라는 논문에서, "세키노關野 박사와 야쓰이谷井가 조선에서 빌려 온 『대각국사문집大覺國師文集』에 의해 주소간행註疏刊行의 전말顚末을 알 수 있었다"고 한다. 이 문집은 내집內集, 외집外集으로 나누어 졌는데 내집에는 의천의 시문을 수록하고 있으며 외집에는 도우사道友師들의 서한시문書翰詩文 및 비명碑銘 2종이 실려 있다고 한다.[690] 또 쓰마키는 「고려의 대각선사」란 글에서 "근시近時에 세키노 박사가 조선건축조사 차 가야산 해인사에서 빌려온 『대각국사문집』 21권과 『대각국사외집』 13권"은 각처에 결자가 있다고 하나, "국사의 사적 및 고려 당시의 불교 상태를 연구하는데 유일무이의 진서珍書"[691]라고 하여 그가 참고한 『대각국사문집』 21권과 『대각국사외집』 13권은 세키노 일행이 해인사에서 빌려온 것임을 밝히고 있다.

---

689 淺見倫太郎, 「朝鮮文獻의 特色」, 『매일신보』 1915년 6월 24일자.
690 妻木直良, 「東大寺に於ける高麗古版經に就いて」, 『考古學雜誌』第1卷8號, 1911년 4월
691 妻木直良, 「高麗の大覺禪師」, 『佛敎史學』제1권 2호, 1911년 5월, p.147.

세키노 일행이 합천 해인사 유물을 조사한 것은 1910년 10월 19일부터 10월 21일까지 3일간 건축물, 경판, 잡판, 문집 등을 조사하고 돌아갔다.

『고고학잡지』제1권 5호(1911년 1월)를 보면, "세키노, 야쓰이, 구리야마가 작년 9월 이래 도선渡鮮 귀경하여 표본의 정리로 망살忙殺"하다는 기사가 보인다.[692] 따라서 이는 당시 한국에서 막중한 유물을 일본으로 반출하였음을 알 수 있는데, 이때 고고유물 뿐 아니라 그 외에도 그들 연구에 필요한 서적까지도 상당수 일본으로 반출하여 갔음을 짐작케 하는 대목이라 할 수 있다. 또『고고학잡지』제2권 4호에서는 "작추昨秋 세키노 박사 및 야쓰이, 구리야마 양학사 일행이 발견한 가야산 해인사에 전존傳存한 대각국사 외집…운운"[693]하는 것으로 보면 고적조사를 하던 중에 이를 발견하고 곧바로 일본으로 빌려(?)간 것으로 보인다. 하지만 이것은 돌려주지 않았으니, 잠시 빌려간 형식을 취하면서 약탈한 것과 다름없는 행위이다.

1910년 10월 22일

세키노 일행의 고령 일대의 조사

세키노 일행의 1010년의 발굴 조사는 특히 가야유적의 조사에 중점을 두었다. 세키노 일행의 고령일대의 조사는 10월 22일~24일 3일간의 조사로 고령 가야시대 고분, 가야왕궁지, 주산가야산성지, 객사, 문묘, 향교 등을 조사하고 10월 24

---

692 「最近 1年間に於ける 考古學界 近況」,『考古學雜誌』第1卷 5號, 1911, p.80.
693 『考古學雜誌』第2卷 4號, '新刊紹介' 조, p.56.

일에는 창녕으로 떠난 것으로 되어 있다.

주산 동남산복 고분 석곽

고령군의 주산主山이라 부르는 곳의 동남쪽은 마치 산 꼬리가 길게 펼쳐져 있는 것 같이 작은 언덕을 이루고 있는데, 이곳 주산 남쪽의 제일 큰 고분은 『신증동국여지승람』에, "현의 서쪽 2리쯤 되는 곳에 옛 무덤이 있는데, 세상에서 '금림왕錦林王의 능'이라 일컫는다" 라고 하는 거대한 무덤을 비롯한 웅대한 외형의 고분이 수기가 있었다.

세키노關野의 기록에,

고령의 주산主山 남방南方의 산록山麓에는 5, 6기의 대릉묘大陵墓가 있다. 금림왕릉錦林王陵이라 부르는 것도 역시 이 중에 있다. 이런 등의 능묘 아래쪽 방향에 무수한 소분묘가 있다. 이런 등에서 2, 3을 발굴 조사했는데 분혈墳穴의 폭과 깊이는 2척 전후 길이 5, 6척에서 10척 전후 주위는 안산암安山岩으로 축축築하였고 위에 판석을 덮었다. 또 판석으로 사방을 조造하였다.[694]

여기에서 말한 2, 3기의 발굴은 1910년에 세키노關野, 야쓰이谷井 등에 의해 고분 3기가 발굴 조사되어 석곽에서 철정, 곽 중에서 다수의 토기, 다수의 개배蓋杯

---

694 關野貞, 『朝鮮の建築と藝術』, 岩波書店, 1941, p.516.

등을 발굴하여[695] 일부는 이왕가박물관에 넘기고 일부는 도쿄대학교 공과대학으로 반출했다.[696] 일부는 일본『고고학잡지』(1911년 3월)에 유물 사진이 게재되었다. 또「조선고적도보」제3권에 수록되어, 고령수집高靈蒐集 주산부근主山附近 고분 발견 도기陶器(도판 788~790)와 주산 동남산복東南山復 고분 부장품(도판784~787)이 모두 '도쿄공과대학 장藏'으로 수록되어 있어 모두 일본으로 가져간 것이다.

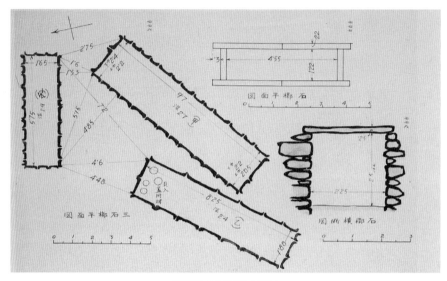

주산동남산복고분 실측도

---

695 關野貞,「伽倻時代の遺蹟」,『考古學雜誌』第1卷 7號, 1911년 3월, pp.9~11.

696 『朝鮮古蹟圖譜 第3册』에는 主山東南山腹古墳 출토품으로 게재한 것 중에 도판 780~783은 '이왕가박물관장'으로 표기하고 있다.

또「조선고적도보」제3권에 수록되어, 高靈蒐集 主山附近 고분 발견 도기(陶器 : 도판 788~790)와 주산 東南山復 고분 부장품(도판784-787)이 모두 동경공과대학 藏으로 수록되어 있는 것으로 보아 대부분 일본으로 가져간 것 같다.

일부는 일본『考古學雜誌』(1911년 3월)에 유물 사진이 게재되었다.

靑柳南冥 編,『朝鮮國寶的遺物及古蹟大全』, 京城新聞社, 1927년의 16쪽과 22쪽에도 東京文科大學藏으로 기록된 수 점의 고령출토 유물이 수록되어 있다.

또한 1927년에 간행한『조선국보적유물급고적대전朝鮮國寶的遺物及古蹟大全』에도 "東京文科大學藏"으로 기록된 수 점의 고령출토 유물이 수록되어 있다.[697]

『조선고적도보』제3책 '해설서' 에는 도판 774-775의 '주산 남방 고분군'에 대해 고령군 주산 남방에 대가야 왕릉으로 전하는 이미 도굴의 화를 입은 것이 많다고 하고, 도판 776~787의 '주산 동남산복 고분'에 대해 "주산 동남산복 일대는 다수의 고분이 군재群在해 있다. 1910년 조사 때 한 고분(776) 중에 수광식竪壙式 석곽 3곳을 가지고 있는데 그 중 한곳에서 도기, 철정을 발견, 철정은 목관에 사용했던 것을 발견하고 다른 곳에서 개배 등을 발견" 했다고 한다.

도판 778~790의 '고령수집 주산부근 고분발견도기'에 대해서는 1910년 고령에서 내지인 및 조선인이 소장하고 있는 것을 수집한 것이라고 해설을 붙이고 있다.

* 일본으로 반출한 유물

품명	출토지	소장처 및 소장자	출처	비고
주산동남산복고분 부장품	경북 고령	도쿄대 공과대학	『조선고적도보』3, 도판784, 785	주산 동남산복에 다수의 고분이 群在해 있는데 그 중 한 고분에서 1910년에 출토

---

697 靑柳南冥 編,『朝鮮國寶的遺物及古蹟大全』, 京城新聞社, 1927년의 16쪽과 22쪽.

품명	출토지	소장처 및 소장자	출처	비고
주산동남산복고분 부장품	경북 고령	도쿄대 공과대학	『조선고적도보』3, 도판786	주산 동남산복에 다수의 고분이 群在해 있는데 그 중 한 고분에서 1910년에 출토
주산동남산복고분 부장품	경북 고령	도쿄대 공과대학	『조선고적도보』3, 도판786, 787	주산 동남산복에 다수의 고분이 群在해 있는데 그 중 한 고분에서 1910년에 출토
주산부근고분 발견 도기	경북 고령	도쿄대 공과대학	『조선고적도보』3, 도판788	고령 주산부근 고분에서 출토된 것으로 일본인 및 조선인에 의해 도굴된 것 을 세키노 일행이 발견하 고 수집하여 1910년 반출

품명	출토지	소장처 및 소장자	출처	비고
주산부근고분 발견 도기	경북 고령	도쿄대 공과대학	『조선고적도보』3, 도판789	 고령 주산부근 고분에서 출토된 것으로 일본인 및 조선인에 의해 도굴된 것 을 세키노 일행이 발견하 고 수집하여 1910년 반출
주산부근고분 발견 도기	경북 고령	도쿄대 공과대학	『조선고적도보』3, 도판790	 고령 주산부근 고분에서 출토된 것으로 일본인 및 조선인에 의해 도굴된 것 을 세키노 일행이 발견하 고 수집하여 1910년 반출

＊ 전 대가야 왕궁지(고령) 발견 와

『조선고적도보』제3책 '해설서'에는 도판 761~763에 대해 고령읍 서의 고대
를 대가야 왕궁지로 칭함, 1910년 조사에서 삼국시대에 속하는 연화문을 가진

전 대가야왕궁지

와당을 획득했다고 한다.

도판 764~767의 '주산성 발견 와'에 대해서는 대가야 왕궁지로 전하는 고대 高臺의 서방 석축으로 쌓은 성벽 산성지 부근에서 당시의 것으로 생각되는 평 와파편을 획득했다고 한다.

대가야 왕궁지는 1910년에 세키노關野와 야쓰이谷井가 조사하여 "나는 지형과 이 고와편으로 보아 전해지는 설과 같이 이곳이 가야시대의 왕궁지로 인식하는 것이 타당하다고 믿는다" 라고 하며 대가야의 왕궁지로 추정하고[698] 이곳에서 고 와 등을 채집하여 일본으로 가져 가 1912년 도쿄공과대학 건축학과 제4회 전람

698 關野貞,「伽倻時代 遺蹟」,『考古學雜誌』第1卷 7號, 1911, p.3.

회에 전시하는 등 일찍부터 일인들의 주목을 받아 왔었다. 세키노는 「가야시대의 유적」[699]에서와 1911년 1월 29일에 발표한 「남선여행담」[700]에서 고령가야 왕궁지에서 와를 발굴하고 문묘 후방에서 1개의 기와를 습득했다고 밝히고 있다.

고령 출토 반출 와

품명	출토지	소장처 및 소장자	출처	비고
대가야왕궁지 발견 와	경북 고령	도쿄대 공과대학	古蹟圖譜3권, 도판764	 1910년의 조사에서 대가야 왕궁시에서 발선
주산성 발견 와	경북 고령	도쿄대 공과대학	古蹟圖譜3권, 도판766	 1910년 대가야 왕궁지로 전하는 高臺의 서방 산성지에서 발견

---

699 關野貞, 「伽倻時代の遺蹟」, 『考古學雜誌』 제1권 제7호, 1911년 3월, pp.448-449.
700 關野貞, 「南鮮旅行談」, 『史學雜誌』 제22편 제2호, 1911년 2월.

품명	출토지	소장처 및 소장자	출처	비고
주산성 발견 와	경북 고령	도쿄대 공과대학	古蹟圖譜3권, 도판767	1910년 대가야 왕궁지로 전하는 高臺의 서방 산성지에서 발견

1910년 10월 27일

금불 봉안

27일 오전 11시에 동대문 밖 원흥사元興寺에 봉안하였던 금불을 전동 각황사로 이안하고 봉안식을 성대히 거행하였다.[701]

1910년 10월 29일

세키노 일행의 진주일대 고적조사

세키노 일행(關野貞, 谷井濟一, 栗山俊一)은 1910년 10월 29일부터 11월 2일까지

---

701 『每日申報』1910년 10월 28일자.

진주 옥봉 및 수정봉 가야시대 고분, 촉석
루, 객사, 문묘, 향교 등 조사하고 진주 청곡
사 유물을 조사하고, 진주의 수정봉 제2호
분, 제3호분, 옥봉 제7호분을 발굴했다.[702]

진주 일대의 고분은 세키노 일행이 도
착하기 전에 이미 많은 고분이 도굴되고
심지어는 도청에서 2기의 고분을 파헤
치기도 했다.『매일신보』1910년 11월 8일자에는 다음과 같은 기사가 있다.

> 고기 발굴. 진주군 옥봉(일명 수정봉)상에 수 3의 고총이 있는데 어느 시
> 대 어느 사람의 무덤인지 알 수 없더니 금년 하기에 어떤 자가 발굴하였는
> 지라 일전 해 도청에서 나머지 총 양 처를 파굴하여 역시 기괴한 고기물을
> 다수 발견한 고로 장차 해군인該郡人의 유식자와 함께 관야 박사의 감변품
> 평鑑辨品評에 부附하리라더라.

가야 고분에 대한 일인들의 파괴는 그들의 억지 학설에 대한 욕심에 의해
처음부터 부장품을 반출 목적으로 진주 수정봉 고분, 옥봉 고분 등이 1910년
에 발굴되어 그 부장품을 몽땅 반출해 갔는데, 세키노는 이에 대한 조사기록을
1911년 3월에 일본의『고고학잡지』에 보고했다.

그의 기록에,

---

702 關野貞,「伽倻時代の遺蹟」,『考古學雜誌』제1권 제7호, 1911년 3월.

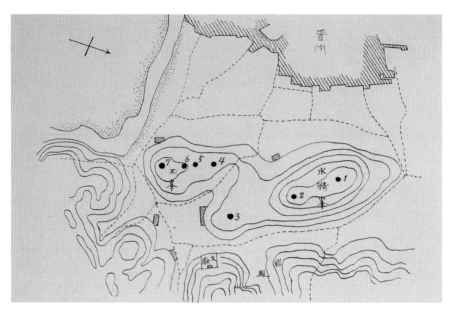

수정봉 및 옥봉 고분 분포도

최후에 진주에서 큰 고분 2, 3개를 발굴했었다. 이것들은 가장 흥미로운 유적들이다. 지금 그 중 한 개에 대해서 대표적으로 말하면, 진주성에서 가까운 진주성 동북쪽에 있는 옥봉玉峯, 수정봉水精峯의 2개의 봉이 서로 연결되어 있다. 언덕 위에 약 7, 8개의 큰 고분이 있는데 지금 말하는 것은 수정봉 위의 것으로, 산 정상에 둥근 고분이 만들어져 있어 지금도 그 석곽石槨이 남아 있고 연도가 있다. 이 고분에서 여러 가지 것이 발견되었다. 석곽 안쪽에 좌우 두 개의 목관을 두고 최소한 관대棺臺로서 각각 두 개의 돌을 두었다. 목관에 사용되었다고 생각되는 철정이 나왔다. 부장품에는 토기, 신기한 철기, 그 외에 갑옷, 교구鉸具, 도끼, 직도直刀, 도자刀子, 청동그릇, 작은 옥, 및 투구라고 여겨지는 것도 있었다. 또 토기 중에는 어떤 것은 물고기모양이 선명히 남아 있었다. 사람 뼈로 보이는 것은 하나도 없었다.

이들 부장품은 가까운 시일 내에 대학에 보존되어야만 한다. 지금 이 석곽의 설계와 유물이 발견된 위치를 나타내면 왼쪽과 같다. 석곽은 남동 10도 방향에 면面해 있다. 또, 그 외에 1기의 무덤을 조사하였는데 석곽의 구조와 부장품에는 많은 토기와 3개의 방패 및 두 자루의 직도直刀를 꺼낼 수 있었다. 이 무덤의 부장품은 경성의 박물관에 보관되어 있다.

지금 또 하나의 옥봉玉峰 위에 이미 발굴된 무덤이 있다. 이것도 석곽의 구조는 같지만 연도羨道는 한 방향에 편중되어 있다. 이 무덤으로부터 많은 도자기와 철기가 나왔는데. 진주의 경찰서에서 보관되어 있다. 이것들은 공과대학에 기증되어 근일 중 도착한다.[703]

이는 처음부터 그들 학계의 자료로 삼고자 발굴하였음을 알 수 있다.

세키노는 「가야시대의 유적」에서, "진주 옥봉 및 수정봉 철정, 토기, 철기, 교구鉸具, 부斧, 직도直刀, 도자刀子, 청동원靑銅鋺, 소옥 및 두兜 등 발굴, 이러한 등은 근일 내 대학에 도착할 것이다" 하고, "옥봉상의 고분에서 도기, 철기 등이 나왔데 진주경찰서에 보관하고 있다. 이런 등은 공과대학에 기증하여 근일 중 도착한다" 하는 것으로 보아 진주의 수정봉 제3호분[704]을 제외한 제2호분 출토 유물[705]과 옥봉 제7호분 출토 유물[706]은 모두 반출한 것이다.

---

703 關野貞, 「伽倻時代の遺蹟」, 『考古學雜誌』 第1卷 7號, 1911년 3월, pp.9~11.

704 수정봉 제3호분에서 출토한 유물이 이왕가박물관에 수장되었다가 국립중앙박물관을 거쳐, 현재 국립진주박물관에 보관되어 있다.

705 진주 수정봉 제2호 고분의 현실내 발견 環, 釘, 大刀, 鐵器 및 그 외 부장품은 『조선고적도보 제3책』 도판819~820, 823~829로 동경공과대학 藏으로 되어 있다.

706 옥봉 제7호분 발견품 土器, 鐵器(고적도보, 도판839~846) 東京工科大學藏

진주 수정봉 제2호 고분의 현실내 발견 환環, 정釘, 대도大刀, 철기鐵器 및 그 외 부장품은『조선고적도보』제3책 도판819~820, 823~829로 도쿄공과대학 장藏으로 되어 있다. 그리고 진주군 도동면 옥봉 제7호 고분의 부장품은『조선고적도보』제3책 도판839~846로 게재되어 있는바 모두 도쿄공과대학 장藏으로 수록되어 있다.

반출搬出한 이 유물들은 모두 1912년 4월 도쿄제국대학 공과대학 건축학과 제4회전람회에 대가야왕궁지발견고와大伽倻王宮址發見古瓦 및 부장품副葬品 도기陶器, 진주에서 발굴한 부장품, 김해가락국왕릉金海駕洛國王陵 부장품 도기 등을 진열해 놓고 "임나任那는 상대上代에 아我의 영토가야연방領土伽倻聯邦의 유적遺蹟 일부一部가 처음으로 조금 상세하게 학계에 소개되었다."[707]라고 하면서 임나일본부설이 마치 증명이라도 된 듯이 잔치를 벌였다.

진주 수정봉 제3호고분

707「東京帝國大學工科大學建築學科 第4回 展覽會」,『考古學雜誌』第2卷 9號, 1912년 5월.
　「東京帝國大學工科大學建築學科 第4回 展覽會 陳列品 槪要目錄」,『考古學雜誌』第2卷 10號, 1912년 6월.

* 도쿄제국대학 공과대학으로 반출한 유물

품명	출토지	소장처 및 소장자	출처	비고
수정봉 제2호고분 발견 정, 대도 등	진주 도동면	도쿄대 공과대학	『조선고적도보』3, 도판 819	
수정봉 제2호고분 발견 철기	진주 도동면	도쿄대 공과대학	『조선고적도보』3, 도판 820	
수정봉 제2호고분 발견 철기	진주 도동면	도쿄대 공과대학	『조선고적도보』3, 도판 821	
수정봉 제2호고분 발견 철기	진주 도동면	도쿄대 공과대학	『조선고적도보』3, 도판 822	
수정봉 제2호고분 부장품	진주 도동면	도쿄대 공과대학	『조선고적도보』3, 도판 823	
수정봉 제2호고분 부장품	진주 도동면	도쿄대 공과대학	『조선고적도보』3, 도판 824	
수정봉 제2호고분 부장품	진주 도동면	도쿄대 공과대학	『조선고적도보』3, 도판 825	

품명	출토지	소장처 및 소장자	출처	비고
수정봉 제2호고분 부장품	진주 도동면	도쿄대 공과대학	『조선고적도보』3, 도판 826	
수정봉 제2호고분 부장품	진주 도동면	도쿄대 공과대학	『조선고적도보』3, 도판 827	
수정봉 제2호고분 부장품	진주 도동면	도쿄대 공과대학	『조선고적도보』3, 도판 828	
수정봉 제2호고분 부장품	진주 도동면	도쿄대 공과대학	『조선고적도보』3, 도판 829	

품명	출토지	소장처 및 소장자	출처	비고
옥봉 제7호고분 발견품	진주 도동면	도쿄대 공과대학	『조선고적도보』3, 도판 839	
옥봉 제7호고분 발견품	진주 도동면	도쿄대 공과대학	『조선고적도보』3, 도판 840	
옥봉 제7호고분 발견품	진주 도동면	도쿄대 공과대학	『조선고적도보』3, 도판 841	
옥봉 제7호고분 발견품	진주 도동면	도쿄대 공과대학	『조선고적도보』3, 도판 842	
옥봉 제7호고분 발견품	진주 도동면	도쿄대 공과대학	『조선고적도보』3, 도판 843	
옥봉 제7호고분 발견품	진주 도동면	도쿄대 공과대학	『조선고적도보』3, 도판 844	

품명	출토지	소장처 및 소장자	출처	비고
옥봉 제7호고분 발견품	진주 도동면	도쿄대 공과대학	『조선고적도보』3, 도판 845	
옥봉 제7호고분 발견품	진주 도동면	도쿄대 공과대학	『조선고적도보』3, 도판 846	

진주조일여관 수집품(세키노 일행은 조사 과정에서 진주조일여관에서
도굴품을 수집한 상당한 유물을 발견하고 『조선고적도보』에 게재하고 있다).

1910년 10월

각황사 금불 봉안

금강산 건봉암乾峯庵에 안치하였던 금불 1좌를 중부 전동(현 종로구 수송동) 각황사로 옮겼다.[708]

프랑스총영사관이 신문 외 고 민충정공閔忠正公의 정자를 1만 2천원에 매입했다.[709]

왕릉을 도굴한 일본인 도굴꾼을 일본 헌병이 묵인하다.

한국 정부는 당시 이를 제지할 힘이 없었으며, 일본 관리들은 막을 의사가 없었다. 미야케 쵸사쿠三宅長策는,

발굴이 성해 짐에 따라 조선인의 반감도 따라서 높아
갔다. 그러나 취체하여 금지하기로 방침을 세운 때는
이미 수천인이 이것으로 생활하고 있었기에 갑자기 금
지하면 이들에게 사활이 달린 문제가 되어 총독부에서

고양군 원당리의 고려
왕릉을 도굴한 일본인
도굴꾼을 일본 헌병이 이를
덮어 두었다는 『신한민보』
1910년 10월 9일자 기사

도 정책상 서서히 금지하는 방침을 취하고 당분간은 묵인하는 상태였다.[710]

---

708 『每日申報』1910년 10월 16일자.
709 『每日申報』1910년 10월 9일자.
710 三宅長策,「高麗古墳發掘時代」,『陶瓷』第6卷 6號, 東洋陶磁研究所, 1934년 12월, p.74.

라고 당시를 증언하고 있다.

경무총감부에서 『신한국보』 제113호와 『조선통신』 제368호(10월 10일자 발행)는 치안 방해를 이유로 발행 정지하다.[711]

일본의 대곡파大谷派 동본원사東本願寺에서는 조선인을 일본에 동화시키기 위한 대거전도大擧傳道 계획을 결정하다.[712]

경무총감부에서 『경남일보』 제148호(10월 11일 발행, 발행인 金弘祚)를 치안 방해를 이유로 발매 금지하고 압수하다.[713]

도쿄제실박물관(도쿄국립박물관) 본관 제30호실에 고려국내부문섭정원 최항崔沆의 석관을 진열하다.[714]

1910년 11월 16일

경복궁 관람료를 대인은 십전, 아동은 오전이었는데, 16일부터 대인은 5전

---

711 『朝鮮總督府官報』 1910년 10월 11일자.
712 『每日申報』 1910년 10월 6일자.
713 『朝鮮總督府官報』 1910년 10월 19일자.
714 「地方雜조」, 『歷史地理』 제16권 5호, 歷史地理學會, 日本歷史地理學會, 1910년 11월.

아동에게는 3전으로 하다.[715]

1910년 11월 7일

화엄사석경 조사

1910년 11월 7일에 화엄사 석경을 조사
한 세키노는 『조선예술지연구 속편』에서,

화엄사 불전의 벽을 돌로 만들고 이
에 화엄경을 각한 것으로 임진병화로
인하여 파괴되었다고 하는데, 현재는
수천의 단편이 각황전 아래에 퇴적堆
積하여, 보호의 정도가 완전치 못하니
산일의 염려가 있다.

도쿄제국대학으로 반출된 화엄사 석경편
(도쿄대 문과대학 소장, 『조선고적도보』3)

라고 기록하고 있다. 이 당시 이미 상당

수가 도난당한 것으로 보인다. 그래서 세키노 등은 1910년 보고에, "유물 중 특
히 산일의 우려가 있고 상당 감독보호를 요하는 것"으로 분류하고 있다.[716]

---

715 『每日申報』1910년 11월 16일자.
716 關野貞, 谷井濟一,「朝鮮遺蹟調査 略報告」,『考古學雜誌』1-5, 1910, p.70.

가츠라기 스에지葛城末治의 기록에도 "호사가好事家들이 지니고 간 것이 많아 지금은 많이 산일되었다"고 하며, 자신이 소장하고 있는 석편石片 한 점을 『조선금석고朝鮮金石攷』에 소개하고 있다.

『조선고적도보』 제4책에는 구례 화엄사 화엄경 각석편 2점이 도쿄제국대학 문과대학 소장으로 게재되어 있다. 도쿄대학에 소장되어 있는 화엄사 석경 2점에 대해 이마니시 류今西龍는 "세키노 박사의 권유로 사寺로부터 기증 받은 것"[717]이라고 하고 있으나 이는 강탈이라 할 수 있다. 『도쿄국립박물관 소장목록』에는 '오카노岡野 기증寄贈'으로 된 '화엄사 화엄석경편' 1점이 게재되어 있는 사실을 보아도 알 수 있다. 당시 힘없는 사찰로서는 일인들의 석경 반출을 막을 수가 없었던 것이다.

1910년 11월 19일

소위 불온서적 압수

1910년 11월 19일에는 1909년 2월에 법률 제6호로서 제정한 구한국 출판법을 적용하여, 경무총감부警務摠監部에서 이른바 식민정책에 저해되는 불온서적으로 분류한 것을 일체 압수하였는데, 조선총독부 경무총감부 고시 제72호의 내용은 다음과 같다.

---

717 今西龍. 「新羅 僧 道詵에 대하여」, 『東洋學報』 第2卷 2號, 1912년 5월.

조선총독부경무총감부 고시 제72호

좌기 출판물은 안녕질서安寧秩序에 방해妨害가 되는 것으로 인하여 부付 융희3년 법률 제6호 출판법 제12조 및 제16조에 의하여 그 발매 반포頒布를 금지하여 해 인본 및 각 판인본을 압수함

명치43년 11월 19일 조선총독부경무총감 아카시 모토지로明石元二郎

그 서목書目은 다음과 같다.[718]

책명	저작자	발행처(자)
初等大韓歷史	鄭寅琥	鄭寅琥
普通敎科東國歷史	玄采	불명
新訂東國歷史	元泳義	徽文館
大韓新地誌	張志淵	南章熙
大東歷史略	俞星濬	博文書館
最新高等大韓地誌	鄭寅琥	博文書館
問答大韓新地誌	박문서관편집	盧益亨
最新初等大韓地誌	鄭寅琥	鄭寅琥
最新初等小學	鄭寅琥	鄭寅琥
大韓地誌	玄采	廣文社
高等小學讀本	휘문의정편집부	휘문관
국문과본	원영의	중앙서관
初等小學	국민교육회	국민교육회
國民小學讀本	불명	불명
녀자독본	張志淵	金相萬

---

718 『朝鮮總督府官報』第69號(1910년 11월 19일).

책명	저작자	발행처(자)
小學漢文讀本	원영의	원영의
婦幼獨習	姜華錫	李駿求
高等小學修身書	휘문의정편집부	휘문관
初等倫理學敎科書	安鍾和	金相萬
中等修身敎科書	휘문의정편집부	휘문관
初等小學修身書	柳瑾	金相萬
讀習日語正則	鄭雲復	金相萬
精選日語大海	朴重華	李鍾植
實地應用作文法	崔在學	정인복
飮氷室文集	梁啓超	상해 廣智書局
國家思想學	鄭寅琥	정인호
民族競爭論	劉鎬植	古今書海舘
國家學綱領	안종호	金相萬
準備時代	중앙총부	보문관
國民須知	金宇植	金相萬
國民自由進步論	劉鎬植	고금서해관
世界三怪物	卞榮晩	金相萬
强者의 權利競爭	劉文相	義進社
大家論集	劉文相	弘文館
靑年立志編	劉文相	弘文館
男女平權論		崔翼承
片片奇談警世歌	洪鍾隱	보문관
소아교육	임경자	휘문관
愛國精神	李埰雨	朱翰榮
애국정신담	李埰雨	朱翰榮
夢見諸葛亮	劉元杓	金相萬

책명	저작자	발행처(자)
乙支文德	申采浩	金相萬
伊太利大建國三傑傳	申采浩	金相萬
喝蘇士傳	李輔相	박문서관
華盛頓傳	李海朝	高裕相
美國獨立史		玄公廉
埃及近世史	張志淵	皇城新聞

또 『경남일보』 1910년 11월 27일자에는 다음과 같은 기사가 있다.

금반 총독부 경무부에서 각종 서적 51종을 압수함에 대하여 그 상황을 전
문한 즉 각 서점에서는 작년 하간夏間에도 각종 서적의 압수로 인하여 다대
한 피해를 입었고 그 영향으로 서적점 뿐 아니라 저술자, 역서업자, 인쇄업
자 등에도 비참이 극하였다더니 금회에
또 대압수를 당하여 이상 각종 영업자는
거의 대부분이 실업의 경에 달하였고 각
서점은 일체 폐점하게 되앗다더라.

하는 기사와 함께 『경남일보』 1910년 12월
21일자에는 경성 20개 서점의 피해 책 수
가 실려 있다.

『제헌국회사制憲國會史』는 데라우치寺內가
1910년 11월부터 서각書閣, 향교鄕校, 서원書

대한신지지(필자 소장)

院, 구가舊家 등을 급습急襲 압수押收하여 불사른 서적만이 20만여 권에 달한다고
추산하였다.[719] 이들이 소각한 서적 중에는 한국사 관련서적이 가장 많았는데
이는 한국의 사서편찬과 전통 등 문화적 유산을 매우 부담스럽게 여겼던 것으
로 보인다. 그것은 곧 이러한 정신유산이 독립운동의 기축으로 작용할 것을 우
려하였기 때문이다.[720]

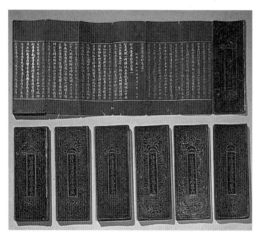

원 도갑사 전래 『묘법연화경』(문화재청 자료)

1910년 11월 20일

영암 도갑사 해탈문과 『묘법
연화경』 조사

세키노 일행은 1910년 11월
20일에 전남 영암군 월출산 도
갑사의 유물을 조사했다.

고려 공민왕의 원기願記가
있고 전래가 확실하며 보존이 양호한 『묘법연화경』의 전7권은 한말에 이르기
까지 시납사원施納寺院이었던 전남 영암군 월출산 도갑사道甲寺에서 기적적으로
전승되었던 것인데, 그것을 처음 소개한 것은 세키노關野와 그 일행이었다. 세
키노關野는 1910년 11월 20일에 이곳을 찾아 이 완질完帙의 고려사경을 확인하

---

719 金鎭學, 韓徹永『制憲國會史』, 新潮出版社, 1954, p.22.
720 朴杰淳, 『韓國 近代史學史 硏究』, 國學資料院, 1998.

고, 총독부에 약보고서를 제출했다. 약보고서에는 "유물 중 특히 산일의 우려가 있어 상당 감독 보호를 요하는 것"으로 분류하고 있다.[721] 후에 이것은 도갑사를 떠나 일본으로 반출되고 말았다.

　도갑사의 『묘법연화경』 전 7권은 세키노 일행의 조사기록에 나타나 있었기 때문에 해방 후 황수영 박사는 이 사경의 행방을 알고자 도갑사에 문의도 했으나 단서를 찾지 못했다. 그러던 중 1960년대 초에 일본에서 발견했는데, 일제강점기에 일본으로 반출된 것을 2차대전 후 도쿄재주 실업가 재일교포 장석 씨가 이를 구입하여 소장하고 있었다. 황수영 박사는 이것의 환국을 위해 그곳 실업인 김대현 씨에게 권고하고, 1969년 2월에 김대현 씨는 거금으로 이를 구입하여 우리나라 정부에 기증함으로써 다시 환국하게 되었다. 현재 국보로 지

도갑사 해탈문(국립중앙박물관 소장 유리건판사진)

---

721 『考古學雜誌』 第1卷 5號, 1910, p.71; 『大正元年 古蹟調査報告』, 朝鮮總督府刊, 1914.

정되어 국립박물관에 보관 중이다.[722] 책 끝의 기록에 의하면 당시 봉상대부 허칠청의 시주로 간행하였음을 알 수 있다. 뒷면에 '영암도갑사유전靈巖道岬寺留傳' 또는 '당사유전當司留傳'이라고 먹으로 쓴 기록이 몇 군데에 보이고 있어 원래 전라남도 영암의 도갑사 소장본이었음을 알 수 있다.

도갑사 해탈문 측면
(국립중앙박물관 소장 유리건판사진)

세키노 일행이 제출한 약보고서에는 도갑사의 해탈문에 대해서 "(을)영암 도갑사 해탈문", "금회 조사에서 급히 수선을 요하는 것"으로 분류하고 있다.[723] 도갑사에서 가장 오래된 건축물로 1957년 중수할 때 발견된 묵서명에 의해 조선 성종4년(1473)에 건립된 문임이 확인되었다.[724] 도갑사의 정문임을 알리는 '월출산도갑사月出山道岬寺'라는 현판이 걸려 있으며, 반대편에는 '해탈문解脫門'이라는 현판이 걸려 있다. 국보 제50호로 지정되어 있다.

1910년 11월

함경북도장관 다케이 도모사다武井友貞는 그 관하 각 군 사찰에 있는 고서 등을 조사하여 내무부로 보고했다.[725]

---

722 黃壽永, 『황수영전집』 5, 도서출판 혜안, 1997.
723 『考古學雜誌』第1卷 5號, 1910, p.71; 『大正元年 古蹟調査報告』, 朝鮮總督府刊, 1914.
724 尹武炳, 「道甲寺 解脫門 上樑文」, 『고고미술』 제1권 제1호, 고고미술동인회, 1960.
725 『每日申報』 1910년 11월 2일자.

경성헌병대본부에서 조선 유래由來의 풍속, 관습을 참고하기 위하여 경성내의 각 인가에 있는 『대전회통大典會通』과 『사례편람四禮便覽』 등의 책을 빌려 조사하다.[726]

1908년 칙령 제62호에 의하여 시행하던 '사립학교설립인가령'을 이후로는 1910년 일본의 제령 제1호에 의하여 시행키로 하다.[727]

평북 영변 묘향산 보현사포교사 일본인 오가와大川 씨가 조선 각 지방의 사원을 관리할 생각으로 총독부에 인허認許 청하여, 총독부에서는 내무부로 통지하고 그 사실을 조사하라 하였다.[728]

조선총독부 학무국 편집과에서는 한국 통치에 적합하지 않은 문구文句나 또는 학동學童들에게 구국사상救國思想을 불어 넣을 창가唱歌 등을 삭제하기 위하여 불량 교과서를 일소一掃한다는 명목으로 전교과서를 검토 조사하다.[729]

강원도 강릉군 오대산에 있는 사고에 관한 사무는 강릉군수가 관리하기로 결정하다.[730]

각 도청 학무계에서 사사대장社寺臺帳을 작성하다.[731]

---

726 『每日申報』 1910년 11월 15일자.
727 『每日申報』 1910년 11월 15일자.
728 『每日申報』 1910년 11월 27일자.
729 『每日申報』 1910년 11월 27일자
730 『每日申報』 1910년 11월 27일자
731 『慶南日報』 1910년 11월 23일자

1910년 12월 30일

이왕직 도서과 개편

1910년 12월 30일에는 일본 황실령 제34호로 '이왕직관제설치령'이 발포되어 재실도서는 이왕직 도서과로 개편되었다. 그간 규장각 구장본과 사고본까지 이왕직에서 그대로 관리하였다. 한일합방 후 외사고에 보관되어 있던 실록을 조사하였다. 조사자는 무라카미村上란 자였다. 무라카미는 소중한 사료를 사찰에 맡겨두면 화전민들 때문에 불타버릴 염려가 있으니 모두 서울로 옮겨야 한다고 주장했다. 옮겨온 실록은 이왕직 도서과에 보관하였다.

1910년 12월 30일에 일본 황실령 제34호로 이왕직관제 설치령이 발포되어 이왕가라는 명칭을 사용하게 되어 이왕가박물관이라 부르게 되었다. 이는 일본 천황가에 복속한 식민지의 왕가란 뜻이다.

1910년 12월

개성에 있는 고려릉이 길이 6척, 폭 7척, 깊이 6척으로 도굴되다.[732]

---

732 『每日申報』 1910년 12월 10일자.

같은 해

덕수궁 석조전을 준공하다.

1900년(광무 4) 당시 총세무사로 있던 영국인 브라운Brown(柏卓安)의 발의로 상해의 건축기사 하딩G. R. Harding을 초청, 설계를 의뢰하고 내부 장식을 영국인 로벨Lovell이 맡도록 하였다. 초기 감독관은 한국인 침의석沈宜碩과 러시아인 사바틴Sabatin, 일본인 오카와小川 등이었다.

1901년(光武5년) 가을에 석초石礎를 끝냈으나 그동안 정변政變으로 공사가 중지되었다가 1903년 9월에 다시 공사가 계속되었고 1906년에 브라운이 귀국한 후에는 데이비슨이 인계하여 1907년 6월까지에는 공사가 대략 완료하게 된 것으로 총 4백평이며 높이는 7칸 반이고 넓이는 25칸으로 되어 있다. 이번에 내부 장식까지 완료하다.[733]

대마도에는 예전에 우리나라가 만들어 준 금인金印 1개와 동인銅印 2개가 있었는데 지난 병자년(고종13년 : 1876) 신조약 후에 도주 의달義達은 우리 정부에 돌려주었다. 그러므로 동래부에 보관하도록 하였는데 이에 이르러 일본인이 와서 찾아갔다.[734]

분묘 도굴을 업으로 삼는 일본인들이 문성공 안유安裕의 묘소를 도굴하여 명

---

733 『每日申報』 1910년 12월 3일자.
734 黃玹, 『梅泉野錄』李章熙 譯, 大洋書籍, 1973.

나라 때 기물 및 고물을 가져가고 그 해골을 버리고 갔다.

또 이익재李益齋 제현齊賢의 묘소는 장단군 지금리에 있는데, 그 성내에는 고총이 많으나 명위名位를 자세히 알 수 없다. 그러나 묘적墓賊의 도굴로 인하여 한 분묘에서 지석이 발견되었는데 이제현의 아버지 묘소였다.[735]

시게타 사다이치重田定—가 개성 만월대에서 사목문평와蛇目紋平瓦 외에 연화문파와와 당초문와를 채집했다.[736]

일본의 한국관(韓國觀)

국권침탈이 이루어지자 일본역사지리학회에서는 『역사지리歷史地理』의 임시증간호로 '조선호朝鮮號'를 발행하고, 「본지기념호발간本誌記念號發刊」의 변에서 "한국병합은 본방사상 특필한 것으로 이 천재일우의 사실에 대한 역사적 연구와 아울러 일한의 역사적 관계를 밝히는 것이 우리 역사지리학 연구에 종사하는 자의 임무다"라 하고 있다.[737] 또 「한국의 병합과 본지임시호발간의 기도企圖」에서는 "고래 수천년의 역사를 통해, 아국과 긴밀한 교섭을 가지고, 또 순치脣齒의 관계를 가지고 있는 한국은 신무기원神武紀元 2570년 8월 29일로 아국에 병합하게 되어, 조선의 명칭을 복원하고 영구히 아국의 일부분이 되었다. 이는

735 黃玹, 『梅泉野錄』李章熙 譯, 大洋書籍, 1973.
736 重田定一, 「高麗の舊都」, 『歷史地理』 제16권 6호, 歷史地理學會, 日本歷史地理學會, 1910년 12월, p.15.
737 「本誌記念號發刊」, 『歷史地理』 제16권 제4호, 1910년 10월. p.102.

실로 역사상 현저중요顯著重要한 일사항—事項으로 우리들이 영구히 기억할 사건이다"라고 하며[738] 이를 기념하기 위하여 임시호를 발간한다고 한다. 또한 국권침탈을 "한동안 떨어졌던 친척이 다시 만난 것"과 비유하면서 일선동조론을 주장하면서 합리화 하고 있다.

문학박사 기타 사다키치喜田貞吉는 『한국의 합병과 국사』에서 "조선은 정토征討 이전부터 속지屬地이므로 진구황후의 정한征韓은 결코 다른 나라를 침략, 약탈한 것이 아니라 우리 속지의 이반離反을 문책問責하고 영유領有를 확실히 한 것이다"[739]라고 하면서 한국병합은 국사상으로 보면 한국은 일본의 일부로서 동일인종으로 규정하고, 한일 간이 융화해야 한다는 것을 강조 하고 있다. 그들의 논소에는 다소 뉘앙스의 차이는 있으나, 모두 병합을 예찬하고 일본의 한국지배를 당연한 것으로 간주하고 있다. 주요 논거로서 들고 나온 것은 신대의 옛적부터 일본은 한국을 일본의 본토와 마찬가지로 지배했다는 것이다. 여기에서는 한국병합은 태고에 일본의 신이나 천황이 한국을 지배했던 것의 재현이며, 역사의 본래의 모습으로 되돌아온 것이라고 말해지고 있다.[740]

『경성발달사』'서설'은 다음과 같은 내용을 싣고 있다.

1910년 8월 29일 일한병합을 알리는 천황 폐하의 말씀과 더불어 조선반도 1만 2천리는 새롭게 우리의 영토가 되었고, 1천 2백만 명의 민중은 천황의

---

738 「韓國の倂合と本誌臨時號發刊の企圖」, 『歷史地理』 제16권 제4호, 1910년 10월, p.95.

739 黃宣喜, 「일제의 '神功神話' 解析과 歷史敎育」, 『韓日民族問題硏究』 2호, 2002, p.179에서 재인용.

740 旗田巍, (李基東 譯) 「日本에 있어서의 韓國史 硏究의 傳統」, 『韓國史 市民講座』 제1집, 一湖閣, 1987년 9월, p.86.

백성이 되었다. 이것은 실로 우리 2천5백년 이래의 국시로서, 동양의 섬나라 일본제국이 이곳에 그 팽창의 꿈을 실현하고 대륙정책에 착수하였다고 할 만한 것이다.

이것이 일본의 역사학자뿐만 아니라 당시 일반 일본인들이 가진 한국관이다.

색인

ㄱ

가야 고분 445
가와이 아사오河井朝雄 199, 200, 317, 319
가와이 히로다미河合弘民 165, 168, 169, 403
가츠라기 스에지葛城末治 232, 233, 456
각화사 72
각황사 411, 444, 453
강릉향교 140
개선사석등 415, 416
개성 만월대 252, 466
개성 목청전穆淸殿 146, 156
건봉암乾峯庵 453
건청궁乾淸宮 188
건청궁 철거 146
건축학과 제4회전람회 258, 271, 435, 448
경덕궁慶德宮 385
경모궁景慕宮 304
경복궁 47, 128, 129, 133, 143, 146, 147, 188, 208, 316, 328, 330, 335, 338, 339, 350, 356, 357, 358, 360, 361, 363, 385, 388, 394, 454
경성박람회 63, 64, 65, 68, 69, 70
경술국치 171, 353, 387, 401
경천사지 10, 29, 30, 32, 34, 35, 36, 37, 38, 40, 344
경천사탑 반출 10, 18
경회루 47, 215, 357, 427, 428
경희궁慶熙宮 385, 387
고다 겐다로荒田賢太郎 242
고려소高麗燒 310, 311, 312
고려소전람회 307, 309, 310
고려왕릉 47, 53

고려 왕릉 도굴 41
고려자기 33, 46, 118, 122, 123, 124, 129, 141, 157, 162, 164, 170, 190, 191, 240, 252, 286, 289, 290, 291, 292, 293, 294, 295, 307, 308, 311, 312, 324, 325, 328, 337, 382, 407, 408
고려자기연구회 97
고령 출토 반출 와 443
고물상 31, 32, 34, 117, 118, 134, 234, 235, 290, 346, 427
고물상중개조합 346
고미야 미호마츠小宮三保松 69, 87, 106, 107, 121, 124, 150, 155, 222, 274, 345, 361
고선책보古鮮冊譜 367
고쿠후 쇼타로國分象太郎 334, 335
곤도 사고로近藤佐五郎 13, 31, 32, 290
공과대학 건축학과 제2회전람회 46
공민왕 현릉 252
공주 동학사 43
과천 불성사佛成寺 104
관상감觀象監 205
관악산 연주암戀主菴 45
관음사 396
관제묘關帝廟 306
관촉사灌燭寺 214
광개토대왕비 113, 243, 299, 375
광개토대왕비문 243
광양 171
광주읍 동5층석탑 415
구니에다 히로시國枝博 179
구로사키 미치오黑崎美智雄 149, 227
구리야마 순이치栗山俊一 245, 246, 414
국유미간지이용법 54
귀법사지 252
규장각 148, 149, 154, 208, 209, 213, 224, 225, 226, 227, 228, 229, 230, 231, 232, 334, 369, 464
규장각 관제 154
규장각 폭서목록 226

금석집첩 244, 323, 324
금영측우기 322
기구치 겐죠菊池謙讓 173, 174
기무라 시즈오木村靜雄 172
기타 사다키치喜田貞吉 467
김해패총 103, 104

ㄴ

나주 신륵사 74
나주읍내 석등 415
나카무라 료헤이中村亮平 176, 203
낙사암落寺庵 71
남만주철도주식회사 299, 301
네즈 가이치로根津嘉一郞 308
네즈미술관 308, 309
노량진 사충사四忠祠 48
농림모범장 330
닛다야 이노스케新田谷伊之助 118, 290

ㄷ

다나카 미츠야키田中光顯 10, 28, 34
다카하시 겐지高橋健自 8, 217
대가야 왕궁지 441, 442, 443, 444
대각국사문집大覺國師文集 435
대구 선화당 316, 317, 318, 322, 323
대구이사청 319
대구측후소 318, 319
대동강면고분 298
대동강면 동분 434
대동구락부 63, 66, 69, 70
대장경판조조년대표 345
대흥사大興寺 349
덕수궁 화재 328
도굴 8, 9, 33, 41, 46, 122, 123, 124, 129, 132, 140,

141, 149, 150, 156, 157, 162, 169, 240, 242, 290, 291,
293, 295, 303, 306, 307, 311, 326, 329, 346, 372, 374,
439, 440, 441, 445, 452, 453, 464, 465, 466
도리이 류조鳥居龍藏 113, 260, 332
도미타 기사쿠富田儀作 324
도서진열전람회 93
도성암道成菴 71
도요토미의 황금부채 276, 278, 279
도쿄제국대학 공과대학으로 반출한 유물 449
동몽선습언해童蒙先習諺解 44
동암東庵 71
동양예술전람회 42
동양척식주식회사 165
동양척식회사 192, 389

ㅁ

마곡사麻谷寺 403
마루야마 시게도시丸山重俊 167
만한관광단滿韓觀光團 427
망양정 350, 351, 352, 353
매천야록 50, 99, 110, 116, 130, 143, 145, 166, 219,
224, 275, 278, 287, 334, 337, 353
면암집勉庵集 219
명성황후 146, 147, 288, 357
모로가 히데오諸鹿央雄 198, 199, 200
문성공 안유安裕 465
문종경릉文宗景陵 47
미륵사지탑 415
미야케 쵸사쿠三宅長策 123, 288, 407, 409, 453
민영소 334, 335
민영휘閔泳徽 206
민응식閔應植 116

ㅂ

박중양 112, 135, 163, 202, 317, 318, 319, 320, 321, 322

백련사白蓮寺 종 103

백송白松 389

베델 35

보리사 58, 59, 232, 233, 234, 235, 237, 238

보리사 대경대사현기탑 232

보은향교 62, 63, 411

보현사 130, 138, 261, 463

봉복사鳳腹寺 75

북관대첩비 113, 344, 381

북묘北廟 363

북일영北一營 395

북한산 문수암 355, 385

북한산 부황사扶皇寺 382

북한산성 중흥사中興寺 216

불국사 171, 172, 175, 176, 178, 205, 273

불온서적 137, 456

비밀창고 276, 277, 278, 279, 281

ㅅ

사도 무쓰이시左藤六石 275

사동고분 433, 434

사라사舍那寺 57

사라사舍那寺 방화 94

사료전람회 258, 299

사명당화상四溟堂畫像 44

사사대장社寺臺帳 362, 463

사찰소장유물寺刹所藏遺物 362

사충사 48, 162, 189, 216

사충서원 49, 50

사토 로쿠세키左藤六石 340, 343, 344

삼척 삼화사三和寺 131

삼화고려소三和高麗燒 324

상백운암 171

상원사 56, 57, 58, 59, 60, 234, 235

상주 44, 77, 106, 110, 417, 418

상주 서산사 44

상주 청계사淸溪寺 몰소 106

서악리고분 270, 271

서악리 석침총 272, 273

서악서원西岳書院 270

서화 감상회 336

서화포書畫舖 403

석굴감불石窟龕佛 171

석굴암 171, 172, 173, 174, 175, 176, 177, 178, 179, 180, 196, 197, 203, 204, 205, 322

석빙고비 318, 319

석암동고분 261, 262, 263, 264, 265, 266

석암리 전실분 258

석조전 465

선덕왕릉 도굴 132

선유위원宣諭委員 79

성벽처리위원회 52, 78, 130, 141, 155

성불사 256

성종강릉成宗康陵 47

세키노 타다시關野貞 10, 28, 175, 243, 246, 302, 343, 357

소네 아라스케曾禰荒助 199, 274, 364, 370

소네 아라스케曾禰荒助가 반출한 서적 365

송도유람기 39, 40

송도유람기松都遊覽記 39

송림사松林寺 79

송시열 111

수원 용주사 73, 86

수원 화녕전華寧殿 146, 152

숙종대왕 어제시 350, 351, 353

숭례문 77, 78, 89, 99, 128

숭정문崇政門 385

스에마츠 구마히코末松熊彦 121, 150, 281, 347

스토 마키오須藤正夫 352, 353

시게타 사다이치重田定一 466

시라야마구로미즈문고白山黑水文庫 302, 303

시라토리 구라키치白鳥庫吉 113, 182, 243, 299, 302

시모고리야마 세이이치下郡山誠一 121, 124

시부사와 에이이치澁澤榮一 284

식민관 217, 315, 376, 377, 378

신라회新羅會 173

신륵사 40, 74, 76

신채호申采浩 135, 136

신흥사新興寺 117, 306

심원사深源寺 91, 92

ㅇ

아사미 린타로淺見倫太郎 72, 435

아유카이 후사노신鮎貝房之進 97, 407

아카보시 사키지赤星佐吉 117, 134

안국사安國寺 105

안동별궁 128, 339, 358

안중근 사진 339

안중근 필적 340

안학궁지安鶴宮址 430

야스쿠니신사靖國神社 241

야쓰이 세이이치谷井濟一 72, 245, 246, 414

어원사무국 121, 150, 151, 209, 210, 296, 328, 332, 347, 403, 414

어원사무국관제御苑事務局官制 150

어원사무국분장규정 209, 210

어원종람의 규정 296

어필御筆 154, 213, 353, 383

연곡사鷰谷寺 90

영릉英陵 372

영암 도갑사 410, 413, 415, 460, 462

영암 도갑사 해탈문 415, 460, 462

영일박람회 315, 316, 376, 377, 378, 379, 381

영희전永禧殿 146, 161, 304

영희전 훼철 304

오광국 115, 116

오구라 다께노스케小倉武之助 163

오쿠보 하루노大久保春野 329, 330

옥호루玉壺樓 147

와다 유지和田雄治 188, 200, 203, 316

와타나베 타카지로渡邊鷹次郎 11, 17

외교공독外交公牘 115

외규장각外奎章閣 208

외아문外衙門 338

용문사 56, 57, 233

용흥사龍興寺 45

운현궁雲峴宮 132

원각사 30, 217

원종소릉元宗昭陵 47

원증국사석종圓證國師石鐘 96

원흥사元興寺 444

유점사 315

을지문덕 135, 136, 137, 142, 184, 185, 372, 373

을지문덕 묘 185

을지문덕비 372

이궁離宮 386

이마니시 류今西龍 61, 169, 176, 233, 237, 260, 297, 333, 456

이완용李完用 224

이왕가박물관 120, 121, 123, 124, 281, 290, 294, 331, 425, 428, 429, 438, 464

이왕직박물관 설립 106

이용구 100, 101, 363, 382

이재의 초상 354

이제현 분묘 374

이천 영월암映月庵 117

이토 야사부로伊藤彌三郎 307, 310

이토 토이치로伊藤東一郎 118

이토 히로부미 32, 100, 138, 223, 224, 225, 226, 227, 230, 232, 274, 281, 286, 291, 292, 407

인천관측소 318, 322, 323

일본 황태자 방한 88, 103

일본 황태자에게 증여한 물품 102

일본 황태자에게 헌납한 물품 101

일영박람회위원 378

일진회 82, 83, 89, 99, 100, 223, 225, 238, 363, 382

임경업林慶業 장군 영정影幀 426

ㅈ

자경전慈慶殿 425, 429

자선부인회 100

자위단自衛團 158

상단군 화상사 153

장충의張忠義 석관 213

전등사 165, 166, 169, 208, 266, 372

정족산사고 207, 208, 209

정토사淨土寺 87

제실박물관帝室博物館 120

조선미술대관朝鮮美術大觀 408

조선연구회 118, 125, 163

조선종 사진집 396

조선총독부관제 401, 417

주선총독부 설치 401

주금전람회 241

주산부근主山附近 고분 438

중추원 설치 419

증미자작 장서 372

직지사 45

진열품구입공고 331, 332

진주 수정봉 445, 447, 448

진주 옥봉 412, 445, 447

집안현향토지輯安縣鄕土志 115, 116

ㅊ

참성단 188, 189

창경원 107, 121, 294, 295, 296

창덕궁 61, 87, 106, 108, 132, 143, 144, 147, 148, 188, 216, 225, 328, 332, 338, 339, 358, 374, 425, 429

창덕궁 대화재 144

창덕궁 인정전 143

창의궁彰義宮 388

채운암綵雲庵 111

청계사淸溪寺 106

청곡사靑谷寺 90

청양 정혜사定惠寺 110

청자거북형수주(보물452호) 293

청주 111

최익현崔益鉉 82

최충헌묘지崔忠獻墓誌 117, 134

춘계방春桂坊 360, 361

충무공사우 127, 128

취조국 관제 420

취조국 설치 420, 423

취조국 직원 421, 423

측우기 316, 317, 319, 320, 322, 323

칠불사七佛寺 화재 159

ㅌ

탁지부건축소 243, 408

탁지부 창고 331

태백산사고 72, 349

태조어필太祖御筆 132

토지조사조사법시행규칙 397

퇴계 이황의 고택 98

ㅍ

팔만대장경 275, 340, 341, 342, 343, 345

평양 애련당 283, 284

평양의 일영재日影齋 112

평양 풍경궁豊慶宮 133, 161

ㅎ

하기노 나오주로萩野直十郎 12

하기노 요시유키萩野由之 297, 333

한국건축조사보고서 256

한국경주고와보韓國慶州古瓦譜 8

한국모형도 217, 379

한미흥업주식회사 170, 190, 191, 193

한성공원 364

한성구락원 360, 394

한성부민회 88, 99, 100, 215, 427

한양상회 53, 54, 395

한일교섭문서집韓日交涉文書集 303

한홍엽韓紅葉 408

함흥군 동문루東門樓 97

해남 남문상 동종 415

해인사 178, 196, 275, 340, 341, 342, 343, 344, 345, 361, 362, 410, 411, 435, 436

향교재산관리규정 348

헐버트 34, 35

화계사 135, 347

화엄사석경 416, 455

화장사華藏寺 40

환장사煥章寺 111

황실재산관리국관제 152

황실재산정리국 109, 314

황조정黃鳥亭 364

황족회관 154

황현黃玹 404

회현리 패총 61

후지타 료사쿠藤田亮策 312

휘문의숙 205, 206

흥천사 217, 330

흥천사종 217, 429